Croco-Deal

Aux éditions Denoël

L'Arme du crocodile, 1994
Strip-tease, 1996
Pêche en eau trouble, 1998
De l'orage dans l'air, 1999
Jackpot, 2000
Mal de chien, 2001
Fatal Song, 2003
Queue de poisson, 2006

Chez d'autres éditeurs

Cousu main, Albin Michel, 1991
Miami Park, Albin Michel, 1994
La Souris aux dents longues, Buchet-Chastel, 2002
Chouette, Gallimard Jeunesse, 2003
Comme un poison dans l'eau, Gallimard Jeunesse, 2007

Carl Hiaasen

Croco-Deal

roman

Traduit de l'américain par Yves Sarda

DENOËL

Titre original :
Nature Girl
Éditeur original :
Alfred A. Knopf

© Carl Hiaasen, 2006

Et pour la traduction française :
© Éditions Denoël, 2008

Pour Pete Hamill,
Le meilleur dans sa partie

Une fois de plus, je suis hautement redevable à Liz Donovan pour ses compétences hors pair en matière de recherches et à Bob Roe, pour son coup d'œil et ses avis incisifs. Je suis aussi extrêmement reconnaissant au capitaine Steve Huff qui, après m'avoir suggéré de situer mon récit à Dismal Key, m'a emmené sur place ; ainsi qu'à Patty, son épouse, qui m'a aidé à demeurer fidèle à l'histoire mouvementée des Dix Mille Îles.

1

Le 2 janvier, par une journée claire, balayée par le vent, un métis séminole, du nom de Sammy Queue de Tigre, se débarrassa d'un cadavre dans la Lostmans River. La température de l'eau était à dix-sept degrés, trop frisquette pour les requins ou les alligators.

Mais peut-être pas pour les crabes, songea Sammy Queue de Tigre.

En regardant couler le corps, il méditait sur l'imbécillité foncière des visages pâles. Celui-là s'était présenté sous le nom de Wilson à son arrivée dans la réserve de Big Cypress. Il empestait l'alcool et avait réclamé haut et fort une balade en hydroglisseur. Il prétendait avoir fêté le nouvel an au Hard Rock Hotel Casino, propriété de la tribu des Séminoles, qui s'étendait sur quarante-trois hectares entre Miami et Fort Lauderdale. Wilson avait fait part à Sammy Queue de Tigre de son amère déception de ne pas avoir vu un seul Indien au Casino et lui avait raconté qu'après toute une nuit de beuverie, de filles canon et de parties de stud poker à sept cartes, il avait roulé jusqu'à Big Cypress pour se faire prendre en photo aux côtés d'un authentique Séminole.

— Une espèce de taré m'a parié cent dollars que je pourrais pas en trouver la queue d'un, fit Wilson, ceinturant mollement d'un bras flasque Sammy Queue de Tigre. Mais t'es là et bien là, mon frère. Eh, au fait, où je peux m'acheter un de ces appareils en carton ?

Sammy Queue de Tigre dirigea Wilson vers une supérette. Ce dernier en revint avec un Kodak jetable, un sachet de bâtonnets de viande séchée et un pack de six bières. Par bonheur, le moteur de l'hydroglisseur était si bruyant qu'il couvrit quasiment la voix de Wilson, lancé dans l'histoire de sa vie. Sammy Queue de Tigre en entendit suffisamment pour apprendre qu'il venait de la grande banlieue de Milwaukee et que, comme moyen d'existence, il vendait des moteurs de traîne aux pêcheurs de pickerels.

Au bout de dix minutes de balade, Wilson, les joues rosies de froid, ses yeux injectés de sang devenus larmoyants, fit le dos rond sous l'effet de la tremblote. Sammy Queue de Tigre arrêta l'hydroglisseur et lui offrit du café chaud dans une bouteille thermos.

— Et... cette... pho... photo que tu m'as pro... promise ? lui demanda Wilson.

Sammy Queue de Tigre se tint patiemment près de lui tandis que Wilson braquait à bout de bras, et à l'envers, l'appareil vers eux deux. Sammy Queue de Tigre portait un polaire zippé de chez Patagonia, un bonnet de marin en laine L.L. Bean et un épais pantalon kaki Eddie Bauer : cet accoutrement n'approchait ni de près ni de loin le costume séminole traditionnel. Wilson demanda à Sammy Queue de Tigre s'il n'avait pas l'un de ces gilets brodés de perles brillantes ou sinon une paire de mocassins en peau de daim. L'Indien lui dit que non.

Wilson lui intima de ne pas sourire et prit deux, trois clichés. Ensuite, Sammy Queue de Tigre fit repartir l'hydroglisseur, bien décidé à terminer le tour du marais à la vitesse V. À cause du froid, on ne pouvait pratiquement observer aucune faune, mais Wilson ne parut pas y voir d'objection. Il avait eu ce pour quoi il était venu. Plissant des yeux contre le vent, il rongeait un bâtonnet de viande séchée en sirotant une Heineken tiède.

Sammy Queue de Tigre prit un raccourci à travers une prairie de laîche élevée qui se couchait sous la proue de l'hydroglisseur aussi proprement que du blé devant une moissonneuse-batteuse. Sans prévenir, Wilson se leva de son siège et lâcha la bouteille de bière, aspergeant le pont. Sammy Queue de Tigre, tout en ralentissant, vit Wilson chanceler en se tenant la gorge. Sammy Queue de Tigre crut que le bonhomme s'était étouffé avec un morceau de viande séchée, mais en réalité il tâchait de retirer d'autour de son cou empâté un petit serpent d'eau annelé qui avait jailli d'entre les roseaux.

La créature avait beau être inoffensive, Wilson n'était évidemment pas en état d'être surpris par un reptile volant. Il tomba raide mort, succombant à une crise cardiaque, avant même que son guide séminole ait pu arrêter l'hydroglisseur.

Sammy Queue de Tigre commença par détacher du cou du touriste inanimé le petit serpent qu'il relâcha dans le marécage. Puis, attrapant le poignet gauche de Wilson, il lui tâta le pouls. Sammy Queue de Tigre se sentit obligé de déboutonner la chemise du type et de pilonner plusieurs minutes son torse marbré. L'Indien choisit de ne pas lui pratiquer le bouche-à-bouche, il était clair que ce serait peine perdue : Wilson était aussi froid au toucher que le ventre d'un crapaud-buffle.

Dans ses poches, le Séminole trouva l'appareil photo jetable, 645 dollars en liquide, un portefeuille, les clés d'une Chrysler de location, un téléphone portable, deux joints de marijuana, trois préservatifs et une carte de l'Escort Service du Dauphin Bleu. Sammy Queue de Tigre remit tout en place, espèces comprises. Puis, sortant son propre téléphone portable, il appela son oncle Tommy[1] qui lui conseilla d'évacuer de la réserve le corps du visage pâle, et ce dans les plus brefs délais.

En l'absence d'instructions plus spécifiques, Sammy Queue de Tigre supposa à tort que son oncle entendait par là qu'il se débarrasse de Wilson de façon définitive, à savoir de ne pas se contenter de le transporter en terrain neutre. Sammy Queue de

1. Cf., du même auteur, *L'Arme du crocodile*, Denoël, 1994.

Tigre, redoutant d'être tenu pour responsable de la mort du touriste, craignait aussi que les autorités tribales ne soient pas en mesure de le protéger du zèle des procureurs de Collier County, dont aucun n'était un Indien d'Amérique.

Donc, Sammy Queue de Tigre, une fois l'hydroglisseur ramené à quai, transféra le corps de Wilson dans la voiture de location de ce dernier. Même si l'opération n'eut aucun témoin, tout observateur fortuit — en particulier s'il avait été sous le vent de la puanteur alcoolisée de Wilson — en aurait conclu qu'il s'agissait d'un gros tas d'ivrogne, tombé en coma éthylique pendant le tour du marécage.

Ayant mis le cadavre en position verticale sur la banquette arrière, Sammy Queue de Tigre roula tout droit jusqu'à Everglades City, au cœur des Dix Mille Îles. Une fois là, il acheta quatre ancres, emprunta un crabier puis se dirigea vers un trou à brochets de sa connaissance, sur la Lostmans River.

À présent, une unique bulle cuivrée marquait l'endroit où le mort avait coulé. Sammy Queue de Tigre, dégoûté, fixait l'eau marronnasse turbide, ruminant des idées noires. C'était son premier jour de travail à la concession d'hydroglisseurs, Wilson avait été son premier client.

Et aussi son dernier.

Après avoir rendu le crabier, il appela son oncle Tommy pour lui dire qu'il allait partir quelque temps. Il ajouta qu'il n'était pas spirituellement équipé pour gérer les touristes.

— On ne peut pas échapper au monde des visages pâles, mon garçon, lui répondit son oncle. Je le sais parce que j'ai essayé.

— C'est bien à nous qu'appartient l'Escort Service du Dauphin Bleu ? lui demanda Sammy Queue de Tigre.

— Ça ne me surprendrait guère, fit son oncle.

À peu près au même moment, dans un mobile home, non loin des quais de pêche, un jeune garçon du nom de Fry releva le nez de son assiette, pendant le dîner, et demanda : « C'est quoi cette saloperie ? »

La question n'avait rien de déraisonnable.

— Un steak Salisbury, répondit Honey Santana. Ça a meilleur goût que ça en a l'air.

— T'as encore été virée?

— Non, j'ai démissionné, lui dit Honey. Maintenant, tais-toi et mange.

Comme son fils ne le savait que trop bien, elle avait recours aux plats congelés quand elle n'avait plus de boulot.

— Qu'est-ce qui s'est passé, cette fois? lui demanda-t-il.

— Tu te souviens du chihuahua de tante Rachel? Miam Miam Boy?

— Celui qui s'est fait tuer, c'est ça? En tentant de sauter un raton laveur?

— Ouais, eh ben, c'est à ça que ressemble Mr Piejack, lui répondit Honey. Seulement, en plus grand et en plus gros.

Elle porta à sa bouche un petit morceau de viande, grisâtre et dure. C'était dégueulasse, mais elle sourit quand même.

Fry haussa les épaules.

— Bon, alors, il a essayé de te sauter ou quoi?

— On peut dire ça comme ça.

Mr Piejack, le propriétaire de la halle aux poissons, tournait autour d'Honey depuis des mois. Il était marié et doté de nombreuses autres qualités peu ragoûtantes.

— Tu vois ces petits maillets de bois qu'on vend à la caisse? fit Honey.

Fry acquiesça.

— Pour casser les pinces des crabes de roche.

— Oui. C'est avec ça que je l'ai frappé.

— Où ça?

— Devine.

Alors que Fry repoussait sa chaise de la table, Honey s'empressa de s'expliquer.

— Il m'a empoigné un sein à pleine main. Voilà pourquoi j'ai fait ça.

Son fils leva la tête.

— Vraiment ? T'inventes pas ?

— Le sein droit, promis juré.

Honey croisa solennellement les mains sur le clair objet du désir de Mr Piejack.

— Quel c.o.n.n.a.r.d, dit Fry.

— Total c.o.n.n.a.r.d. À peine je l'avais frappé, le voilà qui se met à se rouler par terre, tout gémissant et dolent, alors j'ai sorti une grosse tranche de thon de la glacière et je la lui ai fourrée dans son froc. Histoire de désenfler ses ardeurs, si tu vois ce que je veux dire.

— Quelle espèce de thon ?

— De l'albacore, répondit Honey. Qualité sushi.

Fry eut un large sourire.

— Il l'aura rebalancé sur la glace et le vendra au premier « oiseau des neiges [1] » venu.

— Trop crade, conclut Honey.

— Tu paries combien ?

— Au fait, et si je nous préparais une soupe ?

Elle se leva et racla leurs steaks Salisbury dans la poubelle.

— Minestrone ou velouté de tomate ?

— L'un ou l'autre.

Fry fit reglisser rapidement sa chaise jusqu'à la table.

S'il trouvait parfois que sa mère était à deux doigts de perdre la tête, il trouvait aussi parfois qu'elle était la personne la plus saine d'esprit qu'il ait jamais rencontrée.

— Qu'est-ce que tu vas faire maintenant, maman ?

— Tu te rappelles mon amie, Bonnie ? Elle organise des éco-tours où elle emmène des touristes en kayak jusqu'à Cormorant Key, répondit Honey. D'après elle, c'est l'éclate et ça paie bien, en plus. Bref, en revenant de Marco Island cet après-midi, j'ai remarqué au passage une ribambelle de kayaks jaune vif qui traversaient la baie et je me suis dit : quelle façon paradisiaque

1. Touriste venu des régions froides du continent américain. (N.d.T.)

16

de passer la journée que de pagayer au soleil parmi les mangroves !

— Des kayaks, fit Fry, sceptique. Bonnie, c'est celle de la machine à coudre à énergie solaire ?

— Je crois entendre ton ex-père.

— C'est pas mon ex-père, c'est ton ex-mari. De toute façon, qu'est-ce que j'ai dit de mal ?

— Oh rien, y a qu'à te regarder.

Honey retira la soupe de sur la gazinière.

— Qu'est-ce que tu voulais que je fasse, Fry ? Ce type m'a peloté le sein. Méritait-il de recevoir un coup de maillet à crabes dans les testicules, oui ou non ?

— Ça coûte combien un kayak ?

Honey disposa deux bols sur la table.

— Je sais pas trop. Mais il en faut au moins deux ou trois pour démarrer.

— Et où tu emmènerais ces pauvres taches dans ton « écotour » ? lui demanda Fry. Je veux dire, puisque Bonnie s'est déjà réservé Cormorant Key ?

Honey éclata de rire.

— T'as jeté un coup d'œil par la fenêtre, ces derniers temps ? T'as pas remarqué toutes ces magnifiques îles verdoyantes ?

Le téléphone se mit à sonner. Honey tiqua.

— Tous les soirs, dit-elle. Réglé comme une horloge.

— T'as qu'à pas répondre, lui dit son fils.

— Non, j'en ai ma claque de ces bouffons. Trop, c'est trop.

À plus de mille six cents kilomètres de là, un dénommé Boyd Shreave remuait un *caffe latte*, tout en écoutant dans son casque sans fil sonner un téléphone, dont l'indicatif de zone était 239, à assez longue distance. La photocopie d'un script était étalée devant lui sur le bureau, mais Boyd Shreave n'en avait plus besoin. Au bout de trois jours, il connaissait le laïus sur le bout du doigt.

Shreave était employé par Sans Trêve Ni Relâche, Inc, une

17

société de télémarketing spécialisée dans les appels de vente à domicile de résidents à revenus moyens, sur l'ensemble du territoire des États-Unis. Le centre d'appel de la société, sis à Fort Worth, Texas, était un hangar de B-52 reconverti, où Boyd Shreave et cinquante-trois autres démarcheurs peinaient à la tâche dans des box individuels capitonnés pour amortir le bruit ambiant.

Dans le box à droite de celui de Boyd Shreave, officiait une certaine Eugénie Fonda. Elle avait beau se prévaloir d'une ténébreuse filiation avec la célèbre famille d'acteurs, elle était devenue depuis peu la maîtresse de Boyd Shreave. À la gauche de ce dernier siégeait un dénommé Sacco, individu aux yeux caves, peu liant, que la rumeur disait s'être rétamé lors de l'éclatement de la bulle Internet. Pendant ses heures ouvrables, Boyd Shreave adressait rarement la parole à ses collègues, Eugénie comprise, en raison des quotas d'appel astreignants que leur imposait Sans Trêve Ni Relâche, Inc. Ils étaient au téléphone de dix-sept heures à minuit, à mitrailler à tout va d'est en ouest, au gré des fuseaux horaires.

C'était un boulot monotone et abrutissant, bien que de loin pas le pire que Shreave eût exercé. Cependant, à trente-cinq ans sonnés, il était conscient que son maigre parcours professionnel marquait plus ou moins le pas depuis ses six mois de télémarketing. Il aurait probablement démissionné sans le mètre quatre-vingts d'Eugénie, sur le chef blond cendré de laquelle il pouvait fixer son regard à volonté, dans l'alvéole voisine de la sienne.

Boyd Shreave était dans la vente depuis ses vingt-six ans : chaussures correctives, matériel agricole, automobiles (neuves et d'occasion), engrais, cures de plantes contre la calvitie, télévisions haute définition et autre fourniture d'animaux de compagnie exotiques. Qu'il n'ait pas connu le succès, et encore moins prospéré, ne surprenait personne dans son entourage. En tant qu'individu, Boyd Shreave était clairement peu fait pour l'art de la persuasion. Outre son humeur, il affichait un air d'arrogance aigrie : l'oblique de l'un de ses sourcils roussâtres évoquait l'impatience, voire le dédain absolu, l'affaissement de ses épaules suggérait le poids d'un ennui colossal, quant au retroussis vermiforme de sa lèvre supérieure, il était souvent perçu comme un rictus condescendant ou, pire, une parodie d'Elvis.

Personne ou presque n'avait envie d'acheter quoi que ce soit à Boyd Shreave. Tout le monde n'avait qu'une envie, qu'il débarrasse le plancher.

Il avait quasiment abandonné ses ambitions de vendeur quand, lors de son tout dernier licenciement, son futur expatron lui avait suggéré d'envisager de bosser par téléphone. « T'as la tchatche qu'il faut, lui avait-il dit, manque de bol, c'est à peu près tout ce que t'as. »

Il est vrai que des inconnus étaient souvent déconcertés dès que Shreave ouvrait la bouche, tant sa voix — suave, rassurante et affable — jurait avec son apparence. « T'as un don », lui avait dit Eugénie Fonda, le jour de ses débuts au centre d'appels. « Tu pourrais refiler de la dope au pape. »

Même sans faire d'étincelles chez Sans Trêve Ni Relâche, Shreave, pour la première fois de sa vie, pouvait en toute honnêteté se déclarer compétent à cinquante pour cent pour ce poste. Mais il n'en éprouvait pas moins une rancune tenace et ne tenait pas en place. Il détestait les heures de travail tardives, l'atmosphère confinée, et répéter comme un mainate le baratin de vente imposé.

La paie craignait, aussi : salaire minimum, plus quatre dollars à chaque ouverture qu'on décrochait. Chaque fois qu'on tenait en ligne quelqu'un de partant — à savoir qui acceptait qu'on le rappelle ou qu'on lui envoie un courrier, un « prospect » dans le jargon —, la politique de la boîte exigeait qu'on balance le nom du gogo à un responsable de service. Shreave aurait volontiers renoncé à ces quatre dollars de commission merdiques pour avoir une chance de conclure l'affaire, mais on n'accordait jamais une telle responsabilité à la bleusaille des démarcheurs.

Une femme décrocha à la cinquième sonnerie.

— Allô? Je suis bien chez Mrs Santana? demanda Boyd Shreave.

— C'est Ms.

— Mes excuses, Ms Santana. Ici, Boyd Eisenhower à l'appareil...

Eugénie Fonda avait dit à Shreave de ne pas utiliser son vrai nom de famille avec les clients et l'avait coaché pour le choix de son pseudo téléphonique. D'après elle, des enquêtes prouvaient que les gens avaient davantage tendance à croire des interlocuteurs portant le patronyme d'anciens présidents des États-Unis. Ce qui lui avait fait opter pour « Eugénie Roosevelt ». Au départ, Shreave s'était affublé du nom de « Boyd Nixon », sans réussir à engranger le moindre prospect en quatre jours. Eugénie lui avait gentiment conseillé d'essayer un autre président et d'en choisir de préférence un qui n'ait pas déguerpi de la Maison-Blanche pendant que des procureurs campaient sur son paillasson.

— Eisenhower, comme Dwight? lui demanda la femme à l'autre bout du fil.

— Tout à fait, répondit Shreave.

— Vous pouvez me redire votre prénom?

— B-o-y-d, épela Shreave. Eh bien, Ms Santana, la raison pour laquelle je vous appelle cet après-midi...

— On n'est pas l'après-midi, Mr Eisenhower, c'est bien ça le problème. On est le soir et je suis en train de dîner en famille.

— Je suis navré, Mrs Santana, ça ne sera pas long. Ou peut-être préférez-vous que je rappelle plus tard.

Cette réplique était destinée à garder le client au téléphone. La plupart des gens n'avaient pas envie qu'on les rappelle, ils préféraient en finir au plus vite.

La femme haussa le ton.

— Vous avez une idée du nombre de démarcheurs téléphoniques qui appellent mon numéro? Vous savez à quel point c'est exaspérant que des inconnus interrompent votre repas chaque soir?

Boyd Shreave, imperturbable, suivait déjà du doigt la liste d'appels.

— Pourrais-je parler à Mr Santana? demanda-t-il mécaniquement.

À sa grande surprise, la femme lui répliqua: «Il se trouve que oui. Ne quittez pas.»

Quelques instants plus tard, une autre voix fit:

— Allô?

— Mr Santana?

Shreave se dit qu'à l'entendre cette voix était trop jeune, même si une sinusite était toujours possible.

— Vous vendez quoi, m'sieur? demanda la voix.

Shreave ne releva pas.

— Mr Santana, je vous appelle au sujet d'un projet immobilier, qui est une véritable occasion à saisir et que nous proposons à des candidats triés sur le volet. Pour une durée extrêmement limitée, Suwannee Bend Properties vous offre cinq hectares boisés vierges au nord du centre de la Floride, pour seulement 3 999 dollars d'ac...

— Mais on habite déjà en Floride, fit la voix d'un ton flûté.

— Bien sûr, Mr Santana, cette précieuse proposition est faite exclusivement aux résidents du littoral sud-ouest.

Boyd Shreave jeta un œil sur la feuille de script.

— Vous habitez la partie des États-Unis qui connaît l'expansion la plus rapide, Mr Santana. Ces dernières années, nombre de vos voisins ont commencé à en avoir ras-le-bol de la circulation, du montant élevé des impôts, de la criminalité et du stress lié à la grande ville. Une poignée d'entre eux a eu la chance de déménager dans le magnifique Gilchrist County, au cœur de la vieille Floride traditionnelle... un endroit sûr, paisible et d'un prix abordable, où élever sa famille. Au lieu de s'entasser comme des rats dans une banlieue embouteillée, on peut se détendre à l'écart de tout, dans une somptueuse ranchette de cinq hectares, non loin de la Suwannee River historique. Puis-je vous faire parvenir de la documentation ou bien peut-être vous fixer un

21

rendez-vous téléphonique à votre convenance avec l'un de mes associés, spécialiste des ventes ?

— Une ranchette ? C'est comme une kitchenette ? dit la voix.

— Non. C'est un terme d'immobilier, Mr Santana.

— Mais on n'habite pas une banlieue surpeuplée. On vit dans les Everglades, fit la voix. La ville n'a que cinq cent trente habitants au total.

À présent, Shreave avait deviné qu'il s'adressait à un gamin et qu'il perdait son temps. Et même si ça le démangeait de lui balancer un truc vraiment désagréable, il devait se montrer prudent car Sans Trêve Ni Relâche effectuait au hasard des contrôles des appels en cours, sous l'appellation « surveillance de la qualité ».

— Mr Santana, reprit-il avec une politesse exagérée, verriez-vous un inconvénient à me repasser Mrs Santana ?

— Je suis là, intervint la femme, prenant Shreave au dépourvu.

Évident : cette salope avait écouté sur un autre poste.

— Je pense que je n'ai donc pas à vous répéter notre offre, fit Shreave d'un ton aigre.

— Non, en effet, dit Mrs Santana. Je vais être claire : ça ne nous intéresse pas du tout d'acheter une « ranchette » à Gilchrist County, où que cela se trouve.

— Mais vous avez bien entendu parler de la Suwannee River, non ?

— Je connais la chanson, Mr Eisenhower. Aucune raison de vous montrer sarcastique.

— Telle n'était pas mon intention.

Le regard de Shreave glissa vers le sommet du crâne d'Eugénie. Il se demanda si l'imbécile qu'il avait à l'autre bout du fil aurait imaginé qu'elle avait une vraie perle piercée dans la langue.

Mrs Santana reprit :

— Le vrai titre de la chanson, c'est *Old Folks At Home*, Stephen Foster l'a écrite et vous savez quoi ? Il n'a jamais navigué sur la Suwannee, car il n'a jamais mis les pieds dans le « magnifique Gilchrist County » ni nulle part ailleurs en Floride. Il vivait en Pennsylvanie, a trouvé le nom Suwannee River sur une carte, en a retiré le *u* pour que ça sonne mieux en musique. Au fait, Mr Eisenhower, quel est le nom de votre responsable ?

— Miguel Truman, fit Shreave, maussade.

— Et le nom de *son* responsable ?

— Shantilla Lincoln.

— Parce que j'ai l'intention de leur dire deux mots, fit Mrs Santana. À vous entendre, vous avez l'air tellement sympa et si convenable... Votre mère sait-elle ce que vous faites dans la vie, Mr Eisenhower ? Sait-elle que vous passez votre temps à harceler des inconnus au téléphone ? À essayer de convaincre des contribuables à revenu fixe d'acheter des choses dont ils n'ont nul besoin ? C'est dans ce but qu'elle vous a élevé, votre mère ? Pour être un fléau professionnel ?

À cet instant, Boyd Shreave, en s'excusant platement d'avoir dérangé la famille Santana, aurait dû mettre fin à la communication. C'était la règle chez Sans Trêve Ni Relâche : ne jamais discuter avec quiconque, ne jamais insulter quiconque, ne jamais perdre son sang-froid. Ne jamais donner à quiconque une raison, en n'importe quelle circonstance, de porter plainte auprès des fédés.

Lors de ses appels de vendeur, Boyd Shreave s'était entendu traiter au bout du fil par certains de ceux à qui il avait tapé sur les nerfs de parasite, de minable, de ventouse, de vautour, d'enflure, d'enfoiré, de tête de nœud, de sale pute et même d'ulcère rectal. Shreave n'avait jamais répondu sur le même ton, pas une seule fois.

Et très vraisemblablement, il n'aurait pas perdu les pédales, ce soir-là non plus, si Mrs Santana n'avait pas touché un point sensible en se référant à sa mère qui, de fait, avait élevé des objections fielleuses à son passage au télémarketing, en le bombardant de noms d'oiseaux peu flatteurs, chacun ponctué de l'adjectif *flemmard*.

Si bien qu'au lieu de raccrocher et de passer au numéro suivant sur sa liste, Shreave dit à Mrs Santana ce qu'il mourait d'envie de balancer à sa mère depuis toujours, à savoir : « Va te faire mettre, espèce de vieille pouffe aigrie. »

La phrase ne fut pas articulée sur le ton de bon voisinage dont Shreave usait au téléphone mais émise avec une hargne si corrosive et si sonore que Sacco et Eugénie Fonda se levèrent tous deux d'un bond et dévisagèrent Shreave par-dessus les cloisons capitonnées de leur box, comme s'il venait de péter un câble.

À l'autre bout de la ligne, Mrs Santana eut l'air davantage blessée que furieuse.

— Quelle chose abominable vous me dites là, Mr Eisenhower, fit-elle posément. Veuillez me mettre tout de suite en communication avec Mr Truman ou Miss Lincoln.

Boyd Shreave gloussa avec amertume puis arracha son casque, en songeant : Pas étonnant après ça qu'on délocalise tous les centres d'appel en Inde... ces pauvres pommes là-bas ne parlent pas assez bien anglais pour injurier les clients.

Eugénie lui fit passer un mot ainsi libellé : « T'es dingue ou quoi ? »

« Oui, raide dingue de toi », lui griffonna Shreave en retour.

Mais tout en sirotant son *latte* Starbucks, il repensa à son échange avec Mrs Santana et admit qu'il y était allé un peu fort, étant donné qu'elle l'avait seulement traité de fléau.

Peut-être bien que je perds la boule, se dit Shreave. Merde, j'ai besoin de vacances.

Honey Santana fixait le téléphone qu'elle avait toujours en main.

— Il t'a dit quoi ? lui demanda Fry.

Honey secoua la tête.

— Passons.

— Tu sais, il existe une liste orange pour éviter ce genre d'appels. Pourquoi tu mets pas ton numéro dessus ? Comme ça, on aurait plus à se farcir ces espèces d'enfoirés.

— Tu voudrais bien ne pas employer ce mot-là, s'il te plaît?

Honey payait déjà un supplément pour un service qui rejetait les appels masqués. Pour contourner la chose, de nombreuses sociétés de télémarketing utilisaient des numéros verts tournants, ce qu'Honey découvrit en appuyant sur la touche affichage. Elle nota le numéro près du nom Boyd Eisenhower.

— Merci pour la soupe. Super bonne, dit Fry.

— De rien.

— Tu fais quoi maintenant?

— J'appelle la société pour me plaindre.

— Comme s'ils en avaient quelque chose à battre, dit Fry. Maman, s'il te plaît, pas ce soir.

La ligne était occupée. Honey raccrocha le téléphone et goba un Tic Tac.

— Ça me démange de dire encore deux mots à ce type-là. Il m'a traitée d'une façon vraiment atroce.

— Ben, répète un peu pour voir.

— Tu n'as que douze ans et demi, Fry.

— Eh, tu m'as bien laissé regarder *Les Soprano*.

— Une seule fois, dit Honey avec regret. Je croyais qu'il s'agissait d'opéra, promis juré.

— C'est pas s-a-l-o-p-e qu'il t'a dit? C'est comme ça qu'il t'a appelée, hein?

Honey lui répondit que non. Recomposa le numéro. Toujours occupé.

— T'aurais pas dû lui parler de sa mère, observa Fry.

— Et pourquoi pas? s'insurgea Honey. Tu crois qu'elle a souffert et saigné pour le mettre au monde, l'a nourri au sein, l'a baigné quand il s'était sali, lui a tenu la main quand il était malade… tout ça pour qu'une fois grand il vienne enquiquiner les gens en plein dîner!

Honey menaça son fils du doigt.

— Si jamais tu te dégotes un boulot aussi naze, je te raye de mon testament.

25

Fry jeta un regard circulaire sur la caravane F-2 comme s'il en effectuait l'inventaire.

— Au revoir mon patrimoine, fit-il.

Honey l'ignora, rappela encore une fois. Nouvelle tonalité occupé.

— Peut-être que sa mère est un fléau, elle aussi. T'as pensé à ça ? fit Fry. Peut-être qu'il a été élevé par des fléaux et qu'il peut pas s'empêcher d'en être un.

Honey raccrocha violemment le téléphone sur la table de cuisine.

— Puisque tu veux savoir, il m'a traitée de vieille pouffe aigrie.

— Ah ah ! fit Fry.

— Tu trouves ça drôle ?

— Plutôt.

Fry n'avait jamais dit à Honey que ses amis la considéraient comme la mère la plus canon de la ville. Il ajouta : « Ça va... t'es pas vieille du tout et t'as carrément rien d'une pouffe, aigrie ou pas. »

Honey Santana se leva puis se mit à remuer bruyamment la vaisselle dans l'évier. Fry se demanda quand elle allait décompresser... parfois, ça lui prenait des heures.

— Non, mais qu'est-ce qu'ils ont les bonshommes ? fit-elle. D'abord Mr Piejack qui veut me sauter, et maintenant cet individu que je connais même pas qui m'envoie me faire mettre. J'ai commencé la journée en me coltinant un désir animal débile et je la termine en me coltinant une hostilité enragée déclarée... et tu te demandes pourquoi je sors avec personne ?

— Au fait, tatie Rachel, elle a eu un autre chien ?

— Ne change pas de sujet, tu veux.

Honey reprit le téléphone en main, dont elle enfonça les touches.

— Tu perds ton temps, maman. T'arriveras jamais à obtenir cet abruti.

Elle lui fit un clin d'œil.

26

— J'appelle pas ce numéro vert. J'appelle mon frère pour qu'il me retrouve *la trace* de ce numéro vert.

— Oh génial, dit Fry.

— Et ne lève pas les yeux au ciel devant moi, jeune homme, parce que… oh, bonjour. Pouvez-vous me passer Richard Santana, s'il vous plaît ?

Honey couvrit de sa main le récepteur.

— Je remettrai la main sur cet individu coûte que coûte, chuchota-t-elle, peu importe comment.

— Et puis quoi ensuite, maman ? demanda Fry.

Elle sourit.

— Ensuite, je lui vendrai un truc qu'il ne peut pas s'offrir. Voilà quoi.

2

Une fois la nuit tombée, Sammy Queue de Tigre se débarrassa de la Chrysler de location dans un canal, le long de la Tamiami Trail. Puis, revenu à Naples en auto-stop, il retrouva Lee, son demi-frère, dans le parking d'un centre commercial.

— Rentre à la maison. Tu seras plus en sécurité dans la réserve, lui dit Lee.

— Non, c'est mieux comme ça pour tout le monde. Tu m'as apporté le matos et le fusil ?

— Ouaip.

— Et la guitare ?

Sammy Queue de Tigre n'avait mis les pieds qu'une seule fois dans l'établissement Hard Rock de la tribu. L'endroit était une épouvante totale, sauf les pièces de musée du rock and roll qui y étaient exposées. Sammy Queue de Tigre avait jeté d'entrée son dévolu sur une Gibson Super 400 en bois blond, qui avait appartenu autrefois à Mark Knopfler des Dire Straits, le groupe préféré de feu son père.

— Elle est dans la camionnette, lui dit Lee. Et tu me dois une fière chandelle, mon frère. Ils voulaient pas la lâcher.

— Ouais, j'imagine.

— Mais j'leur ai fait donner un coup de fil par le big boss.

— Sans déconner ?

Sammy Queue de Tigre ignorait que Lee avait du poids auprès du P.-D.G. de la tribu.

— On y va ? fit-il.

Son frère le conduisit à la Turner River où, de concert, ils tirèrent un canoë de la plate-forme du pick-up. Ledit canoë n'avait rien d'une pirogue d'origine, creusée dans du bois de cyprès : c'était un modèle en alu bleu brillant, tout droit sorti d'une usine du nord du Michigan.

Après qu'ils eurent embarqué le matériel, Lee lui dit :

— Dès que tu vois venir un flic, le premier truc que tu balances à la flotte, c'est le flingue.

— Tout dépend, fit Sammy Queue de Tigre.

Autour d'eux, l'obscurité s'épaississait et le silence n'était troublé que par le bourdonnement à oscillation variable des insectes.

— T'as pas tué ce visage pâle volontairement, hein ? lui demanda Lee.

Sammy Queue de Tigre prit une profonde inspiration.

— Non, c'est pas moi qui l'ai tué.

Il lui narra alors l'épisode du serpent d'eau annelé. Lee convint qu'il y avait un esprit au travail là-dessous, c'était clair.

— Que veux-tu que je fasse de tes chèques ? demanda-t-il.

Chaque mois, la tribu versait trois mille dollars à chaque Séminole, représentant sa part des profits du jeu.

— Donne-les à Cindy.

— Sammy, sois pas bête…

— Eh, c'est *mon* blé…

— O.K., fit Lee.

Cindy était l'ex-petite copine de Sammy Queue de Tigre. Elle avait des problèmes.

Lee posa la main sur l'épaule de son frère et lui dit au revoir. Sammy Queue de Tigre monta dans le canoë et le repoussa de la rive.

— Eh, mon garçon, depuis quand tu joues de la guitare ? lui cria Lee.

29

— J'en joue pas.

Sammy Queue de Tigre plongea sa pagaie et orienta la proue vers l'aval.

— Mais j'ai toute la vie pour apprendre.

— Sammy, attends. Qu'est-ce que je dis à maman ?

— Dis-lui que je reviendrai un jour lui jouer une chanson.

Eugénie Fonda avait connu son quart d'heure de célébrité pour avoir tenu le rôle de la maîtresse dans une autre de ses liaisons sentimentales. Durant l'été 1999, elle avait fricoté avec un dénommé Van Bonneville, élagueur free-lance de Ferdinanda Beach. Peu après le début de leur relation, un ouragan, poussant devant lui les vagues de quatre mètres d'un raz-de-marée, frappa la côte et réduisit la maison de Van Bonneville à un tas de cure-dents. Lui survécut mais sa femme disparut, présumée noyée.

Un ouragan étant pour un élagueur ce qu'une convention Amway est pour une pute, Van Bonneville ne chôma pas les jours qui suivirent la tragédie. Si ses voisins furent impressionnés par son stoïcisme, sa belle-famille fut perturbée par une manifestation de chagrin qu'elle jugea inappropriée chez un veuf de fraîche date.

D'horribles soupçons furent soulevés auprès de la police locale qui n'y prêta guère d'attention jusqu'à ce que l'on retrouve le corps de Mrs Bonneville dans sa Pontiac au fond de la St. Johns River. Son mari soutint que la voiture de Mrs Bonneville avait été emportée par la vague déferlante, pendant que cette dernière manœuvrait dans l'allée, partant en quête frénétique d'un paquet de Marlboro. Le doute mit à mal cette histoire, à peine les plongeurs de la police révélèrent-ils que ladite Mrs Bonneville s'était confortablement sanglée derrière le volant. Un fait était bien connu des proches de la dame : par principe, elle ne bouclait jamais sa ceinture de sécurité, et ce même si la loi de l'État l'exigeait. Libertaire ardente, elle s'opposait à ce que le gouvernement intervienne dans tous les domaines relevant d'un choix personnel.

30

Un autre indice était sa Seiko titane bidon qui, contrairement à l'article authentique, n'avait rien d'étanche. Au cadran de la montre, l'heure et la date étaient bloquées sur un chiffre qui précédait de neuf heures l'arrivée à terre de l'ouragan, ce qui suggérait que la Pontiac était tombée dans la rivière avec une bonne longueur d'avance sur ces intempéries et qu'on avait sanglé le corps de Mrs Bonneville dans l'habitacle pour éviter qu'il ne refasse surface prématurément.

Au final, le sort de son mari fut scellé par le légiste de Duval County, qui récupéra dans une entaille sans bavure que portait le crâne de Mrs Bonneville plusieurs éclats ligneux collants, qu'on identifia par la suite comme des particules d'écorce d'une branche d'acajou sciée. Le morceau de bois en question mesurait un mètre cinquante de long sur dix-huit centimètres de circonférence, le jour où on le confisqua sur le plateau du pick-up Ford F-150 obsidienne métallisé de Van Bonneville.

Le procès du «Crime du cyclone» fut diffusé en direct sur Court TV avant d'être programmé en prime time dans *Dateline* sur NBC[1]. L'accusation décrivit Van Bonneville sous les traits d'une crapule et d'un coureur de jupons qui avait échafaudé le plan de zigouiller sa femme aimante, en rejetant toute la faute sur l'ouragan. Ses mobiles furent établis comme étant le lucre (une assurance-vie de 75 000 dollars) et la luxure, Van Bonneville ayant pris une nouvelle petite amie, connue à l'époque sous le nom de Jean Leigh Hill. Grande, l'œil charbonneux, quand elle gagna la barre des témoins au terme d'une longue marche langoureuse, ce fut indiscutablement le grand moment du procès.

Eugénie, dans son témoignage, déclara s'être liée avec Van Bonneville parce qu'elle le croyait veuf, ayant gobé que sa femme avait péri, victime d'un malencontreux dysfonctionnement d'une cabine à UV. Ce n'est que trois jours après le cyclone qu'Eugénie était tombée dans le journal sur un article

---

1. Court TV est une chaîne câblée, spécialisée dans la retransmission des procès, *Dateline*, le magazine hebdomadaire d'informations de NBC. *(N.d.T.)*

parlant de la disparition de Mrs Bonneville. L'article éclairant incluait plusieurs petites phrases de son «mari inquiet, les larmes aux yeux». Eugénie mit immédiatement la main sur la seule et unique lettre d'amour que Van Bonneville lui avait gribouillée et fonça au poste de police.

Les gros titres à scandale furent suivis du contrat d'édition de rigueur. Un nègre arriva bientôt de New York pour aider Miss Hill à organiser les souvenirs de son idylle, même s'il n'y avait pas là grande matière à souvenirs. En tout et pour tout, Eugénie n'avait connu Van Bonneville que onze jours avant le meurtre. Après un rendez-vous nullissime pour une partie de golf miniature, ils avaient tout à trac fait crac-crac dans la cabine de son pick-up. Que ça ait suffi à rendre Van Bonneville fou amoureux et à lui donner l'œil rêveur avait quelque peu déprimé Eugénie.

À l'origine, c'était son look brut de décoffrage qui l'avait attirée, ses jointures en particulier, zébrées de marques intrigantes. Il arrivait à Eugénie de craquer pour des durs couturés de partout, mais lors de sa première et unique nuit avec Van Bonneville elle découvrit que les cicatrices de celui-ci résultaient de ses fréquents ratages dans la taille des arbres et qu'il était aussi maladroit dans les préliminaires amoureux qu'armé d'une scie à ébrancher.

Par bonheur pour son éditeur, Eugénie avait l'imagination fertile. Le manuscrit qu'elle pondit avec son nègre était mince, mais son contenu suffisamment racoleur pour en faire un best-seller immédiat. Pendant sept semaines, *Le Vampire de l'ouragan* fut au coude-à-coude sur la liste des essais et documents avec un recueil des éditos les plus virulents d'Al Gore, dû à Anne Coulter[1]. L'évocation des prouesses sexuelles de Van Bonneville par Eugénie était si torride qu'il se retrouva submergé de propositions de mariage, émanant de parfaites inconnues. Depuis le

1. L'auteur s'amuse : il faut savoir qu'on qualifie la dame en question de Michael Moore républicaine, il est donc peu vraisemblable qu'elle se donne la peine de recueillir des éditos du démocrate Al Gore. *(N.d.T.)*

couloir de la Mort, il expédia un mot de remerciement à Eugénie accompagné d'une photo Polaroïd de ses mains.

Sa part de l'à-valoir du livre s'éleva à cinq cent mille dollars, une somme réconfortante. Le nouveau petit ami d'Eugénie, un agent de change qui l'avait vue chez Oprah et l'avait contactée via son site Web, lui conseilla d'investir son pactole dans un groupe texan chaud bouillant du nom d'Enron, dont il se fit un plaisir d'acquérir des actions pour elle à un prix discount. En l'espace de vingt-quatre mois, Eugénie se retrouva fauchée comme les blés, seule à nouveau dans la vie et bossant au téléphone chez Sans Trêve Ni Relâche. À cette époque-là, un tir de barrage d'invectives antibimbo l'avait poussée à fermer son site Web et à adopter le nom de Fonda, une tante à elle un peu fofolle ayant déclaré être une cousine de Peter et de Jane au troisième degré.

Eugénie ne savait pas trop pourquoi elle avait séduit Boyd Shreave, qui occupait de sa présence dénuée de charme et sujette aux troubles digestifs le box adjacent au sien. Peut-être que le manque d'intérêt flagrant de Boyd à son égard avait suscité en elle le tiraillement d'un défi sexuel. À moins qu'elle n'ait décelé dans l'indifférence de son œil vitreux l'indice d'un déchaînement secret, d'une vie privée d'écorché à tout crin.

Pourtant, jusqu'ici, Boyd Shreave avait échoué à lui procurer la moindre surprise. C'était un homme totalement dénué de mystère et, une granulation bizarroïde dans la région du pubis mise à part, sans aucune cicatrice qui tienne. Côté plus, il n'était pas vilain à regarder et assurait plutôt pas mal au lit. Il ne cessait de lui affirmer qu'il avait l'intention de divorcer, mensonge éhonté auquel Eugénie faisait crânement semblant de croire. La femme de Boyd avait hérité d'une petite chaîne de pizzerias, dont les bénéfices procuraient au couple une existence confortable, en dépit des échecs répétés de Boyd dans le domaine de la vente. Il aurait été totalement crétin de sa part de quitter sa femme et encore plus de la buter à l'exemple d'un Van Bonneville, fait dans lequel Eugénie Fonda puisait un réconfort certain. Elle n'avait aucun désir de rejouer la dulcinée d'un assassin.

33

Pour Eugénie, Boyd Shreave n'était pas tant un objet d'amour qu'une distraction passagère. Leur relation était la conséquence naturelle et néfaste d'être scotchés ensemble dans le boulot le plus chiant et décervelant de la planète.

Le soir où Shreave avait rembarré si violemment la cliente au téléphone, il arriva à l'appartement d'Eugénie avec un pack de six Corona, qu'il ne lâcha même pas en la prenant dans ses bras.

— Je me suis fait virer, lui annonça-t-il.

— Oh non.

Eugénie qui, sans talons, dépassait Boyd de dix bons centimètres, l'embrassa sur le front.

— Me dis pas qu'ils t'ont enregistré !

Shreave opina avec amertume.

— Miguel et Shantilla m'ont convoqué et fait réécouter cette saloperie d'appel in extenso. Puis ils ont envoyé un des gorilles mexicains de la sécurité vider mon bureau et me pousser hors de l'immeuble.

— Et leur prétendue mise à l'épreuve, c'est pour les chiens ? demanda Eugénie. Je croyais qu'on était pas censé être viré à la première incartade.

— Ben si, surtout si on te prend à dire à quelqu'un d'aller se faire mettre.

— Bon Dieu, Boyd, *se faire mettre*, c'est pas si grave. On entend tout le temps ça à la télé. Encore si c'était *se faire foutre*, je pourrais comprendre qu'on te sacque, mais pas pour *se faire mettre*.

Shreave décapsula une bière et se posa sur le canapé.

— Apparemment *pouffe* est aussi interdit d'antenne.

Eugénie vint s'asseoir près de lui.

— Je compatis vraiment, lui dit-elle.

— Bof. En tout cas, ça m'a fait du bien de le dire sur le moment.

— Tu l'as annoncé à Lily ?

— Pas encore, marmonna Shreave.

Lily était sa femme.

— Elle aura les boules, mais rien de nouveau sous le soleil. C'était un boulot merdique, de toute façon, fit-il. Soit dit sans vouloir t'offenser.

Eugénie se demanda comment annoncer au mieux à Boyd qu'elle n'envisageait pas de continuer leur liaison, maintenant qu'il n'était plus employé chez Sans Trêve Ni Relâche et qu'ils ne pourraient plus se chauffer à coups de petits mots bandants. Rien qu'à l'idée de devoir continuer avec lui par téléphone, elle était épuisée d'avance.

— Le seul bon truc de cet endroit à la con, lui disait-il, c'est que je t'y ai rencontrée.

Super, songea Eugénie.

— Boyd, c'est trognon.

Shreave se mit à déboutonner son chemisier.

— Tu veux prendre une douche ? lui demanda-t-il. Je serai le Beau Naufragé et toi la Reine du Tamouré.

— Mais oui, baby.

Elle n'eut pas le cœur de lui annoncer la mauvaise nouvelle. Demain peut-être, se dit-elle.

Le frère d'Honey Santana était à la bourre pour un article, mais il lui promit d'essayer de l'aider. En attendant, Honey continua à rappeler, tel un robot, le numéro vert. Elle avait beau être parfaitement consciente que les sociétés de télémarketing trafiquent à dessein les postes de leurs centres d'appel pour bloquer tout appel entrant, elle s'obstinait à appuyer sur les touches. Elle se sentait plus impuissante que d'habitude à lutter contre sa toute dernière idée fixe.

— Ça me fait grimper aux rideaux, ce type a été si abominable, dit-elle à son frère quand il finit par la rappeler. Et le pire, c'est qu'il avait une voix tellement agréable.

— Ouais, Ted Bundy[1] aussi, fit Richard Santana. Sœurette, que vas-tu faire si je te donne son nom ? Sois franche avec moi.

---

1. Célèbre serial killer. *(N.d.T.)*

Richard Santana était journaliste dans le nord de l'État de New York. Parmi les nombreuses bases de données Internet à sa disposition au journal, il y avait un excellent annuaire inversé. Il lui avait fallu à peine six secondes pour trouver à quoi correspondait le numéro vert qui intéressait sa sœur.

— Tout ce que je compte faire, c'est porter plainte, lui mentit-elle.

— Auprès de qui ? Du bureau de la FTC[1] ?

— Oui. Alors, tu as le nom ?

Richard Santana était conscient qu'Honey réagissait parfois à des situations banales de façon extrême. S'y étant déjà brûlé les doigts, il se méfiait maintenant de ses demandes de renseignements. Cette fois, cependant, il demeurait confiant que celui qu'il allait lui procurer n'aurait au pire comme résultat qu'une lettre incendiaire puisque la société contrevenante se trouvait au Texas et sa sœur, très loin de là, en Floride.

— Je t'envoie par mail ce que j'ai trouvé, lui dit-il.

— T'es un as, Richard.

Honey Santana n'informa pas son frère qu'elle ne pouvait plus récupérer ses e-mails sans la permission de son fils. Fry avait verrouillé son ordinateur le lendemain du jour où elle avait bombardé la Maison Blanche de quatre-vingt-dix-sept messages de protestation contre le soutien du Président au forage de pétrole dans l'Arctic National Wildlife Refuge, en Alaska. Lesdits e-mails avaient été expédiés en l'espace de quatre heures et leur contenu de plus en plus hostile avait attiré l'attention des services secrets. Deux jeunes agents étaient descendus à Miami en voiture pour interroger Honey au *trailer park* et en étaient repartis convaincus de façon complètement erronée qu'elle était trop évaporée pour représenter une menace sérieuse envers qui que ce soit.

Honey entra en coup de vent dans la chambre de Fry, bascula l'interrupteur et entreprit de le secouer doucement.

---

1. Bureau de protection du consommateur au sein de la Federal Trade Commission. *(N.d.T.)*

36

— Tu dors, mon chéri ?

— Plus maintenant.

— J'ai besoin de l'ordinateur. Richard me maile des infos.

— Tu as vu l'heure, maman ?

— Ce n'est qu'onze heures et quart… qu'est-ce qui t'arrive ? Moi, à ton âge, je restais debout jusqu'à minuit à écrire des lettres d'amour à Peter Frampton.

Honey tâta le front de Fry.

— Peut-être que tu t'es chopé un virus.

— Ouais, celui de la grippe de la mère barjo.

Fry se dépêtra de ses draps et trébucha jusqu'à son bureau. Il entra le mot de passe en masquant le clavier de l'ordinateur aux yeux de sa mère. L'écran s'illumina avec un bip et Honey s'installa devant, hyperconcentrée. Fry remettait déjà le cap sur son lit quand elle le retint par une oreille en lui disant :

— Pas si vite, mon pote.

— Lâche-moi, maman.

— Rien qu'un instant. Regarde-moi ça.

Honey cliqua sur la souris pour dérouler le message de son frère.

— Le nom, c'est STNR, société anonyme à Fort Worth.

— Oui ?

— J'ai besoin que tu le rentres dans Google pour moi.

— Google-le toi-même, fit Fry.

— Non, bonhomme, t'as le doigté.

Honey se leva et lui fit signe de prendre sa place.

— Je suis trop speed pour taper, promis juré.

Fry s'installa devant l'écran, lança une recherche pour STNR société anonyme, qui aboutit à Sans Trêve Ni Relâche Ressources Télémarketing, Sans Trêve Ni Relâche Communications et Sans Trêve Ni Relâche, Inc. Il surfa sur ces différentes entrées jusqu'à ce qu'il découvre un site Web autopromotionnel qui mentionnait l'adresse d'un complexe de bureaux et un numéro vert direct.

— Ajoute-moi ce truc-là aux favoris ! s'écria Honey, triomphante.

— O.K. Mais on s'arrête là.

Fry quitta puis l'écran s'obscurcit.

— Terminé, maman.

— Viens voir David Letterman avec moi. S'il te plaît ?

Fry lui répondit qu'il était crevé et plongea au fond de son lit. Quand Honey vint s'asseoir près de lui, il roula sur le flanc, face au mur.

— Parle-moi, lui chuchota-t-elle.

— De quoi ?

— De l'école ? De sport ? Tout ce que tu voudras.

Fry grogna de fatigue.

— Eh, fit Honey. Tu as vu aux infos ce sujet sur les loups, là-bas dans l'Ouest ? On essaie de les rayer de la liste des espèces menacées afin de pouvoir mieux les éliminer encore une fois. Est-ce que tout ça a du sens ?

Son fils ne répondit pas. Honey éteignit la lumière.

— Merci, lui dit Fry.

— J'ai pas oublié mon médicament, si c'est ce à quoi tu penses.

Ce qui était vrai en un sens... elle avait jeté les comprimés à la poubelle, ça faisait des semaines.

— Y a certaines choses qui me font encore démarrer au quart de tour, y a rien à faire, lui dit-elle. Mais je vais mieux, reconnais-le.

— Ouais, tu vas vachement mieux.

— Fry ?

— Je suis sérieux, lui dit-il.

— Mais y a d'autres trucs que je peux carrément pas laisser passer. Tu comprends ? À commencer par le b.a.-ba de la politesse.

Honey ferma les yeux, écouta le souffle de son fils. Demain, elle trouverait un nouveau job puis, une fois rentrée à la maison, elle prendrait le téléphone et débusquerait Mr Boyd Einsenhower.

— Il avait une si jolie voix, t'as pas trouvé ?

38

— Qui ça ? demanda Fry.

— L'homme qui a essayé de nous vendre cette baraque sur la Suwannee River, fit Honey. Moi, j'ai trouvé qu'il avait une voix exceptionnellement agréable.

— Moi j'ai trouvé qu'il avait une voix de blaireau intégral.

— Que me dis-tu là, bonhomme ? Que j'ai perdu la boule ?

— Non, maman. Je te dis bonne nuit.

Le détective privé s'appelait Dealey. Son bureau se trouvait dans le centre, près de Sundance Square. Lily Shreave avait un quart d'heure d'avance, mais l'assistante de Dealey lui fit signe d'entrer. Dealey, qui était au téléphone, lui fit signe à son tour qu'il n'en avait que pour une minute. Coincée sous son coude gauche, il y avait une grande enveloppe kraft sur laquelle était écrit « Dossier Shreave » en caractères d'imprimerie au Sharpie noir.

Une fois que le détective privé eut raccroché, il demanda à Lily Shreave si elle désirait un café ou une boisson gazeuse.

— Non, lui répondit-elle, j'ai envie de voir les photos.

— Ce n'est pas nécessaire, vous savez. Croyez-moi sur parole, on l'a pris sur le fait.

— Elle est dessus ? fit Lily Shreave en pointant du doigt l'enveloppe.

— Sur les photos ? Oui, m'dame.

— Elle est jolie ?

Dealey se carra à l'aise dans son fauteuil.

— Vous avez raison, ça ne devrait pas entrer en ligne de compte, fit Lily Shreave. C'est quoi son nom ?

— Celui qu'elle utilise en ce moment, c'est Eugénie Fonda. Elle travaille chez Sans Trêve Ni Relâche avec votre mari, répondit Dealey. Et son parcours est intéressant. Vous vous rappelez l'affaire du « Crime du cyclone », il y a quelques années ? Ce type qui avait buté sa femme et tenté de faire croire qu'elle s'était noyée pendant un ouragan ?

— Là-bas, en Floride, dit Lily Shreave. Bien sûr que je m'en souviens.

— C'était elle la petite amie du mari, fit Dealey. Celle qui a écrit ce bouquin.

— Vraiment ? J'avais lu le premier chapitre dans *Cosmopolitan*.

Lily Shreave en resta perplexe. Cette femme avait décrit l'élagueur comme un étalon au lit. Que pouvait-elle donc trouver à Boyd ?

— Faites-moi voir ces photos, dit-elle.

Dealey haussa les épaules et lui tendit l'enveloppe.

— Rien que de la routine. Deux, trois verres après le boulot, puis cap sur chez elle. Ou parfois, dîner tardif avant de pointer. Vous ai-je précisé qu'elle est célibataire ?

Lily Shreave souleva la première photo.

— Où elle a été prise, celle-là ? demanda-t-elle.

— Dans un T.G.I. Friday's, vers la 820. Il a commandé des côtelettes et elle une salade.

— Et celle-ci ?

— Sur le seuil de l'appartement de Miss Fonda, dit Dealey.

— C'est une véritable amazone, hein ?

— Un mètre quatre-vingts tout rond, d'après son permis de conduire.

— Âge ?

— Trente-trois.

— Comme moi, observa Lily Shreave. Poids ?

— Je me rappelle pas.

— Ce sont des fleurs qu'elle tient à la main ?

Lily Shreave examina le tirage couleurs granuleux.

— Oui, m'dame, fit Dealey. Pâquerettes et gypsophile.

— Bon Dieu, quel abruti.

Lily Shreave n'arrivait pas à se souvenir de la dernière fois où son mari lui avait offert un bouquet. Ils étaient mariés depuis cinq ans et n'avaient pas couché ensemble depuis cinq mois.

— C'est la première fois qu'il me trompe, dit-elle spontanément.

Dealey opina.

— Vous avez votre preuve. Mon conseil, c'est de le nettoyer à sec.

Lily Shreave eut un rire caustique.

— Le nettoyer à sec? Mon bonhomme arrive à peine à se payer le pressing. Je veux un divorce ultrarapide, c'est tout, et qu'il me fasse pas d'ennuis.

— Alors, montrez-lui simplement les photos, fit Dealey. En gardant la numéro six pour l'estocade.

La femme de Boyd Shreave feuilleta la pile pour la trouver.

— Wouah, d'accord, fit-elle en se sentant rougir.

— Le delicatessen sur Summit. En plein jour, commenta Dealey, qui avait pris le cliché en question depuis une voiture, garée à proximité. L'appareil était un Nikon numérique avec moteur d'entraînement et téléobjectif 400 mm.

— Elle lui fait vraiment une pipe? demanda Lily Shreave.

— En tant qu'expert, je dirais oui.

— Et qu'est-ce qu'il bouffe, *lui*?

— Un petit pain dinde et salami avec cornichons, oignons en lamelles, pas de laitue, énuméra Dealey.

— Vous êtes capable de vous rappeler tout ça et pas combien elle pèse?

Lily Shreave sourit et remit la pile de photos dans l'enveloppe.

— Je sais ce que vous faites, Mr Dealey. Vous essayez de ménager mes sentiments. Quand je stresse, j'ai tendance à prendre quelques kilos, bien sûr, et dernièrement j'ai été stressée. Mais ne vous inquiétez pas, je redescendrai à la taille 36 dès que j'aurai largué ce connard. Alors dites-moi... combien pèse-t-elle?

— Soixante-dix kilos, répondit-il.

— Oh, soyez réaliste.

41

— Je ne vous le fais pas dire. Les gens mentent toujours sur leur permis de conduire.

— Voyons, elle mesure un mètre quatre-vingts.

— Comme vous l'avez dit, Mrs Shreave, ça n'entre pas vraiment en ligne de compte. Un adultère reste un adultère.

L'épouse de Boyd Shreave sortit son chéquier.

— Laissez-moi vous demander autre chose sur Miss Fonda. Pensez-vous qu'elle l'ait poussé à le faire ? Je parle de l'élagueur qui a assassiné sa femme. C'est possible que cette salope ait eu quelque chose à voir là-dedans ?

— Les flics m'ont dit que non, fit Dealey. J'ai déjà appelé là-bas en Floride parce que je me suis posé la même question. On m'a répondu qu'elle avait passé l'épreuve du détecteur de mensonges haut la main.

Lily Shreave en fut quelque peu soulagée. Pourtant, elle décida de ne pas faire traîner le divorce, au cas où son mari irait se mettre des idées barges en tête.

— J'ai des copies de ces photos enfermées dans mon coffre à la banque. Elles sont à vous si vous le désirez, précisa Dealey.

Il avait déjà fait une dizaine de tirages de la pipe à la sandwicherie, qu'il considérait comme un classique du genre.

— Je regrette que les choses aient tourné comme ça, ajouta-t-il.

— Vous ne regrettez rien du tout, lui rétorqua Lily Shreave. Et franchement, moi non plus.

Elle lui rédigea un chèque de mille cinq cents dollars. Le détective privé le rangea dans son tiroir du haut en disant :

— Ce fut un plaisir de vous rencontrer, Mrs Shreave.

— Holà, vous n'avez pas encore fini.

Dealey fut surpris.

— Vous désirez que je continue à filer votre mari ? Dans quel but ?

— Ce machin buccal, c'est très bien, mais j'aimerais mieux avoir sous les yeux un document montrant qu'il y a véritablement eu rapport sexuel.

— On ne nous donne pas de reçu, d'habitude, Mrs Shreave.

— Vous savez ce que je veux dire, fit-elle. Photo ou vidéo, c'est du pareil au même.

Dealey tapota le bureau de deux doigts.

— Je ne pige pas. Vous en avez déjà plus qu'assez pour l'enterrer bien profond.

— Plus profond c'est, mieux c'est, fit Lily Shreave en fermant son sac d'un coup sec.

3

Le père de Fry était le seul homme qu'Honey Santana avait épousé. Tous deux furent les premiers étonnés de rester ensemble dix-sept ans. Le changement radical survint après la naissance de Fry qui passa deux semaines à l'hôpital, affligé de troubles respiratoires. Ce fut durant cette période torturante qu'Honey commença à entendre un brouillage musical dans sa tête, à devoir lutter contre des accès incontrôlables d'appréhension et de panique, à réagir de façon outrée et parfois extrême devant la mauvaise conduite de parfaits inconnus.

À partir du jour où elle ramena Fry à la maison, Honey fut tenaillée par la peur de le perdre à la suite d'une catastrophe naturelle, d'une maladie incurable ou encore de l'imprudence criminelle d'un ramolli du bulbe quelconque, génétiquement déficient. Sa terreur se manifestait parfois sous des formes inacceptables. Ayant vu un jour une voiture foncer à toute allure dans sa rue, Honey était sortie comme une flèche et lui avait balancé une poubelle de 150 litres sous les roues. Brandissant le récipient écrabouillé, elle avait ensuite apostrophé le conducteur abasourdi. « C'est mon gamin que t'aurais pu aplatir ! » hurlat-elle. « T'aurais pu tuer mon petit garçon ! » Une autre fois, Fry était encore au CM1, elle avait observé une moto traverser en trombe la zone scolaire en manquant percuter l'un des camarades de classe de son fils. Honey avait sauté au volant du pick-up de son mari et filé le motard jusqu'à un bar à touristes sur Chokoloskee Bay. Quand le type en était ressorti deux heures plus tard, sa moto manquait à l'appel. Le lendemain, un panache de fumée violette guida des park rangers jusqu'à un super-bolide Kawasaki haut de gamme qui brûlait, bon pour la casse, sur une route gravillonnée près de Shark River Slough.

Honey avait beau comprendre que la première tête de nœud venue ne représentait pas forcément une menace pour son fils, elle n'en bataillait pas moins avec une intolérance rageuse contre l'insensibilité et la bêtise, l'une comme l'autre abondant en Floride du Sud. Cela exaspérait Fry et son père, qui avaient du mal à comprendre comment elle avait pu devenir comme ça.

Honey avait tâté de plusieurs médecins et de plusieurs traitements avec des résultats imperceptibles. En fin de compte, elle en vint à croire que son état était de ceux pour lesquels la médecine ne peut rien ; elle était vouée à exiger plus de politesse et d'égards de la part de ses frères humains qu'ils n'en exigeaient pour eux-mêmes. Ce que son mari jugeait une obsession loufoque, Honey Santana s'en défendait en le qualifiant de crises d'intense lucidité contrôlée. Tout en niant être mentalement instable, elle n'affirmait jamais être normale, non plus. Elle était consciente que des pulsions peu communes s'emparaient d'elle comme sous l'effet d'un ensorcellement.

— Oui, m'dame, je cherche à joindre un certain Boyd Eisenhower.

Honey tenait le récepteur de la main gauche. Dans sa droite, la pointe d'un stylo-bille était posée sur une serviette en papier.

— C'est quoi son nom de famille ?

— Eisenhower, fit Honey. Comme le Président.

— Je regrette, aucun employé ne porte ce nom ici.

— Je suis bien chez STNR, n'est-ce pas ? À Fort Worth, Texas ?

— Oui, c'est ça. Je trouve une Elizabeth Eisenberg à la comptabilité, mais aucun Boyd Eisenhower.

— Il est dans le service de démarchage téléphonique, précisa Honey.

— Alors, ce serait à notre centre d'appels Sans Trêve Ni Relâche, mais toujours pas d'Eisenhower sur ma liste. Désolée.

Honey raccrocha. Le type qui avait essayé de lui vendre une « ranchette » sur la Suwannee River lui avait donné un faux nom, apparemment, ou du moins un surnom bidon. Puis il vint à l'esprit d'Honey que Boyd n'était pas le genre de prénom qu'un homme s'attribuerait de son propre chef.

Alors, laissant passer dix minutes, elle fit une nouvelle tentative. Comme elle l'avait espéré, une standardiste différente lui répondit. Honey se présenta comme une inspectrice du Service des automobiles du Texas. Un véhicule venait de capoter à Denton, l'accident était grave, prétendit-elle, et son conducteur déclarait travailler pour STNR.

— Malheureusement, son permis de conduire a fondu dans les flammes, fit Honey. On s'efforce simplement d'obtenir confirmation de son identité.

— Quel nom avez-vous ? demanda la standardiste.

— Eh bien, c'est là le problème. Pour l'instant, le pauvre homme ne se souvient de rien sauf de son prénom... Boyd, dit Honey. Il roulait à pas loin de cent trente sur l'interstate quand, après une embardée pour éviter un lapin, il a enchaîné une série de sept tonneaux. Il s'est pris un sacré coup sur la cafetière, mais il a fini par sortir du coma.

— Vous avez bien dit « Boyd » ?

— Tout juste.

Honey épela pour la standardiste.

— C'est possible de faire une recherche de vos employés à partir du prénom seulement ? Sinon, on peut vous envoyer un agent pour éplucher les doubles des fiches de salaire.

— Quittez pas, je parcours le répertoire, fit la standardiste.

— Je vous remercie beaucoup.

Honey rajouta une légère couche à ce qu'elle s'imaginait être un accent à la Laura Bush.

— C'est moi qui vous le dis, ce gars doit avoir un très gros faible pour les lapinous…

— Je n'ai trouvé qu'un seul Boyd, reprit la standardiste. Le nom de famille, c'est Shreave. S-h-r-e-a-v-e.

Honey Santana le griffonna sur la serviette.

— Mais on dirait qu'il ne travaille plus ici, ajouta la femme. Je lis sur mon écran qu'il a quitté la société aujourd'hui même.

— Quelle étrange coïncidence. Il a démissionné ou on l'a congédié?

— Je regrette, mais je n'ai pas d'autres précisions. D'après vous, il va aller mieux?

— Les médecins ont bon espoir.

Honey avait tâché de prendre un ton encourageant.

— Eh bien, je dirai une petite prière pour lui.

— C'est certainement pas une mauvaise idée.

Après avoir raccroché, Honey effectua quelques entrechats dans la caravane.

Boyd Shreave ne vit aucune raison d'informer sa femme qu'il s'était fait virer. Son plan, c'était de persuader Eugénie Fonda de démissionner du centre d'appels et de se trouver un boulot de jour. Ainsi ils pourraient se retrouver après le travail et batifoler chez elle jusqu'à minuit, Lily supposant qu'il était encore à marner au téléphone chez Sans Trêve, etc. Il s'imaginait que ça lui prendrait des semaines avant qu'elle ne s'aperçoive qu'il ne déposait plus de chèque de salaire, tant était dérisoire sa contribution aux finances du couple.

Mais, au petit déjeuner, Lily le surprit en lui demandant: «Alors, c'est quoi ton programme, aujourd'hui?»

Boyd Shreave n'avait pas de programme, et sa femme le savait très bien, il n'avait ni violon d'Ingres ni centre d'intérêt dans la vie, pas la moindre curiosité intellectuelle. Au fil des années, pour se faire bien voir de certains patrons ou autres clients nantis, il s'était mis (pour abandonner aussitôt) au tennis, aux rollers, au tir au pigeon, à la pêche à la mouche sèche, au backgammon, au bridge et même à la culture des bonsaïs. À vrai dire, rien ne comblait plus agréablement ses heures de loisir que de regarder les émissions de télévision du matin et de l'après-midi, ce qui ne manquait jamais de renforcer son sentiment de supériorité. En particulier, les nombreux talk-shows, où figuraient des crétins dysfonctionnels débattant de la paternité d'une progéniture non désirée, le captivaient. Aux yeux de Shreave, leurs malheurs tapageurs faisaient plus que divertir son désœuvrement, ils réaffirmaient sa propre place en haut de l'échelle, dans l'ordre naturel des choses. Installé confortablement avec un plateau devant l'écran plasma, il puisait de l'espoir dans cette cavalcade d'idiots congénitaux, jurant et écumant... ils étaient des proies, et un jour Boyd Shreave trouverait son créneau parmi les prédateurs. Il en était sûr.

— J'ai pas grand-chose de prévu, dit-il à sa femme. Juste glander et regarder la télé, je pense.

— Tu veux qu'on se retrouve quelque part pour déjeuner ?

Shreave fut déconcerté par sa proposition.

— Hum, je dois amener la voiture à vidanger, je viens juste de me rappeler.

— À quelle heure ?

— Midi pile, dit-il.

Lily sourit d'un sourire que Boyd Shreave ne lui avait pas connu depuis longtemps.

— Excellent, fit-elle. Ça nous laisse toute la matinée.

— Pour quoi faire ? dit Shreave d'une voix rauque.

— Devine.

Lily passa la main sous la table et lui palpa l'entrejambe.

— Tu sais combien de temps ça fait ?

Shreave retira bien vite la main de sa femme et glissa hors de sa portée.

Lily lui annonça avec gravité :

— Cent cinquante-six jours.

— Ah bon ?

Shreave fut troublé. Pendant tout ce temps, Lily ne s'était

pas plainte une seule fois de son manque d'attention, aussi avait-il supposé que leur désintérêt pour la chose était réciproque.

— Ça fait plus de cinq mois, ajouta-t-elle.

— Wouah, dit Shreave.

— Trop longtemps, Boyd. Bien trop longtemps.

— Ouais.

Sa nuque était déjà moite et poisseuse.

— Quel est le problème, mon chéri ?

Lily se pencha, laissant s'ouvrir son peignoir. Shreave ne put s'empêcher d'observer que ses seins semblaient plus gros que ceux d'Eugénie Fonda. Il se demanda s'il avait oublié de quoi ils avaient l'air ou bien si sa femme n'avait pas recouru en secret à la chirurgie plastique.

Elle lui effleura doucement le bras, puis lui lança une question qui avait tout d'une grenade dégoupillée.

— Il y a quelque chose dont tu voudrais me parler, Boyd ?

Ah merde, est-ce qu'elle est au courant ? se demanda-t-il avec anxiété. *Ou bien va-t-elle à la pêche ?*

Travailler à partir de scripts habilement écrits avait émoussé les talents d'improvisation de Shreave pour le mensonge. Il savait qu'il lui fallait trouver mieux qu'une vidange pour faire face au tour que prenait l'interrogatoire de Lily.

— Ça vient pas de toi, ça vient de moi, se lança-t-il.

Elle referma lentement son peignoir et croisa les bras.

— C'est un revenez-y de l'accident d'Arlington, fit-il, conscient qu'il soulevait là un sujet sensible.

— Trois ans après ?

Lily haussa le sourcil, mais Shreave persévéra.

— Je suis ce qu'on appelle « cliniquement déprimé ». Le médecin m'a dit que ça affecte ma… tu sais bien…

— Libido.

— Ouais, fit-il. Bref, j'ai pris certaines de ces fameuses pilules, mais ça m'a pas du tout aidé.

— Quelle marque ? Celle qu'utilise Bob Dole ?

Lily était très active dans le comité républicain local et une admiratrice de longue date de l'ancien sénateur du Texas.

— La même chose, exactement, mais sur moi ça marche pas. J'ai toujours pas retrouvé le moindre intérêt pour... tu sais bien...

— La baise ?

— Oui. Pas du tout à l'ordre du jour.

Il haussa les épaules, résigné.

— Eh bien, dit sa femme, à ton avis, qu'est-ce qui te déprime autant ?

— Si seulement je le savais. Mais le médecin m'a dit que c'était assez courant.

Lily l'approuva avec sympathie.

— Et c'est qui, ton médecin ?

— S'appelle Kennedy, fit Shreave, suivant le conseil présidentiel d'Eugénie Fonda pour les noms inventés. Un super-psy, là-bas à Irving. T'inquiète pas, il est sur l'assurance médicale de la société.

Lily se leva pour se resservir de café, ce que Shreave interpréta dans un sens positif.

— Quelque chose ne va pas au boulot ? lui demanda-t-elle.

— Tu rigoles ? Ils m'adorent. Je suis bon pour une promotion.

— C'est une nouvelle géniale.

Lily se mordit la lèvre.

— C'est ma faute, à moi aussi, Boyd. J'ai été tellement absorbée par les restaurants que je n'ai pas remarqué ce qui nous arrivait.

En fait, elle avait été très occupée... à conclure tranquillement la vente de ses six pizzerias à la société Papa John's pour une somme astronomique en liquide et actions ordinaires, qu'elle ne comptait en rien partager avec Boyd Shreave dans le divorce à venir. Lily se sentait certaine que l'infidélité de son mari en ferait un candidat peu probable pour une pension alimentaire aux yeux de la plupart des juges texans, en particulier ceux qui étaient républicains. Entre-temps, Lily trouvait étrangement jouissif — excitant presque — de faire joujou avec lui.

— Eh, j'ai une idée, fit-elle. Habillons-nous.

Shreave tiqua.

— Pour aller où ?

— Surprise.

— Mais le Juge Joe Brown est diffusé dans un quart d'heure.

— Super. Me voilà mariée à Rain Man[1], maintenant.

Lily poussa Boyd hors de la cuisine en lui disant : « C'est quand la dernière fois que le Juge Joe t'a fait bander ? »

Une fois dans la voiture, Shreave, solennel et pétrifié, craignit que Lily ne l'ait embarqué dans une expédition shopping au vidéoclub X à quelques rues de chez eux... là même où il louait des DVD pour ses visites clandestines à l'appartement d'Eugénie Fonda. Shreave ne se fiait aucunement à l'employé du vidéoclub pour avoir la charité minimum de prétendre ne pas le reconnaître ni lui rappeler les dix-sept dollars cinquante qu'il lui devait toujours.

Mais Lily passa à toute allure devant le sex-shop et Shreave se déballonna de soulagement. Elle tourna dans un petit complexe commercial animé puis l'entraîna dans une boutique à bagels, qu'il reconnut vaguement comme un lieu de rendez-vous lointain, d'avant leur mariage.

— On est venus ici le lendemain matin de notre première nuit ensemble, lui rappela Lily.

— Oh, je m'en souviens, lui dit Shreave.

— De la nuit ou des bagels ?

— Des deux.

Shreave eut un rire forcé. Il suait comme un porc atteint de typhoïde.

Lily projetait quelque action d'éclat et Shreave attendait, saisi

---

1. L'émission en question tente de résoudre des différends à l'amiable. Il en existe de nombreuses variantes. Le personnage joué par Dustin Hoffman dans le film de Barry Levinson en est fan. *(N.d.T.)*

d'une légère trouille. Il jugeait impossible de reprendre des rapports sexuels avec sa femme et de continuer d'en avoir avec Eugénie ; ça représenterait un surcroît d'activité trop lourd pour lui. Alors que certains hommes étaient capables, et même désireux, de fournir aux besoins de nombreuses partenaires, Shreave se rétractait rien qu'à cette idée. Au boulot comme au pieu, il n'avait jamais été victime d'une ambition dévorante.

— Ce sera deux raisins secs cannelle, dit Lily au serveur, avec du fromage blanc.

— Et un verre d'eau glacée pour moi, s'empressa d'ajouter Shreave.

Pour une raison x, sa femme n'avait pas retiré ses lunettes noires. Elle paraissait se sourire à elle-même tout en rassemblant ses cheveux méchés en queue-de-cheval. Elle prit les clés de voiture dans son sac et les laissa tomber dans un tintement sur le sol en lino.

— Oups, fit-elle en disparaissant sous la table.

Shreave agrippa les bras du fauteuil comme s'il était à bord d'un long-courrier désemparé qui piquait du nez.

— Qu'est-ce que tu fais ! chuchota-t-il d'un ton lugubre.

La réponse à sa question fut le bruit d'une fermeture Éclair, la sienne.

— Chhht, lui conseilla sa femme d'une voix étouffée. Détends-toi, mon chéri, c'est tout.

Jamais jusque-là Shreave n'avait éprouvé le besoin de feindre l'impuissance et il n'était pas à la hauteur (ou plutôt à la bassesse) de cette tâche. Alors que Lily obtenait rapidement le meilleur de lui, il barbota entre panique et émerveillement : en trente-cinq ans d'existence, il n'avait pas été une seule fois l'objet d'une fellation en public, et voilà maintenant qu'en l'espace de deux semaines ça lui était arrivé deux fois, et avec deux femmes différentes ! La plupart des hommes auraient trouvé la coïncidence exaltante, pas Shreave qui s'inquiétait de la gravité des implications. Il comprenait que céder à sa femme réamorcerait officiellement ses obligations conjugales tout en compromettant sa vie secrète.

Il ignora la bouche bée des autres dîneurs et fit semblant d'examiner les menus imprimés sur le set en papier, tout en essayant dans le même temps de comprimer ses genoux l'un contre l'autre. Mais Lily n'entendait pas de cette oreille d'être ainsi délogée.

Alors que sa reddition semblait imminente, les bagels aux raisins secs et cannelle arrivèrent. Shreave en profita pour mettre en scène un incident : il renversa une carafe d'eau froide sur ses genoux. Lily sortit de sous la table en crachouillant, Shreave morigéna bruyamment le serveur innocent de sa maladresse. Le directeur du restaurant eut beau leur faire cadeau de leur petit déjeuner, le couple regagna ses pénates dans un silence de déflation molle.

On n'avait rien dissimulé à Sammy Queue de Tigre des circonstances de sa conception. Son père, qui conduisait un camion Budweiser trois fois par semaine entre Naples et Fort Lauderdale, était un habitué de l'aire de service miccosukee où la mère de Sammy Queue de Tigre bossait à la boutique souvenirs. Nourrissant de sérieux doutes quant à la possibilité d'élever un fils à moitié blanc dans la réserve, la mère de Sammy Queue de Tigre accepta à contrecœur de confier le garçon à son père.

Donc, pendant ses quatorze premières années et demie, Sammy Queue de Tigre s'appela Chad McQueen. Il vécut dans un lotissement typique de la classe moyenne à Broward County avec son père et, à partir de l'âge de quatre ans, une belle-mère qui entreprit agressivement de l'acculturer. En grandissant, le garçon ne manifesta aucun intérêt envers les ligues de soccer, les jeux vidéo ou autres skateboards. Sa passion était de vagabonder dans la nature et d'apprendre la musique rock que son père écoutait sur la radio de sa voiture. Dès le CP, le gamin chantait en chœur avec le Creedence Clearwater Revival, les

Stones ou les Allman Brothers. Chacun disait qu'il tournerait bien, et ce malgré ses gènes indiens.

Puis un jour, son père mourut, subitement. Après l'enterrement, la belle-mère du garçon le ramena en voiture dans les Everglades et le déposa au restoroute. Il avait senti venir le coup et l'avait désiré fortement. Un dimanche sur deux, son père l'avait emmené rendre visite à sa vraie mère à Big Cypress et le garçon aimait bien se trouver là-bas.

— J'aurais jamais dû te laisser partir, lui dit sa mère quand il débarqua avec sa valise et sa canne à pêche. C'est ici que tu dois vivre.

— Je crois que oui, fit le garçon.

— Tu te souviens de la fois où tu as attrapé ce « bouche de coton » à mains nues ? Tu n'avais que sept ans.

— Je ne savais pas qu'il était venimeux, lui rappela son fils. L'épisode avait été embarrassant.

— Je croyais que c'était un serpent d'eau, ajouta-t-il.

— Mais tu n'as pas eu peur, fit sa mère, positivant à mort. C'est alors que j'ai su que ta place était ici et non pas dans cet autre monde. La première chose qu'on va faire maintenant, c'est de changer ton nom... à partir d'aujourd'hui, tu seras un Queue de Tigre, comme moi.

— Chad Queue de Tigre, dit le garçon avec fierté.

Sa mère grimaça et fit non de la tête. Le garçon en convint : Chad faisait carrément trop visage pâle pour la réserve.

— Que dirais-tu de Sammy ? suggéra-t-il.

— Parfait. C'était le nom de ton arrière-grand-père.

— C'était un guerrier ?

— Non, un trappeur. Mais ton arrière-arrière-arrière-grand-père, lui, était un chef.

— Queue de Tigre ? s'écria le garçon tout excité. *Le fameux* Queue de Tigre ?

C'était vrai. Sammy descendait de l'un des derniers grands guerriers séminoles, Thlocklo Tustenuggee, un meneur rusé dont Sammy choisit de considérer le destin comme mystérieux.

54

D'après la plupart des récits, l'armée américaine avait déporté par bateau le chef à La Nouvelle-Orléans, où il était mort de la tuberculose dans un cachot militaire infect. Mais l'un au moins des narrateurs de la légende de Queue de Tigre soutenait qu'il s'était suicidé en avalant du verre pilé à bord du navire qui l'emmenait en Louisiane. D'après une autre source, il avait fui au Mexique et avait fini au bout du compte par retourner en Floride où il avait vécu jusqu'à un âge très avancé.

Sammy se sentait honoré d'être, ne serait-ce qu'à moitié, un vrai Queue de Tigre et, à l'exception de ses yeux bleus d'Irlandais, il avait tout l'air d'être de race pure. Pour rattraper le temps perdu pendant son enfance de visage pâle, il passait des heures à écouter les histoires des anciens. Il les enviait d'avoir grandi en des temps où la tribu vivait dans un isolement relatif, les marécages faisant tampon avec l'autre monde.

Aujourd'hui, les choses étaient différentes. Aujourd'hui, il y avait des casinos, des hôtels et des restoroutes, et la ruée des étrangers signifiait de gros profits pour les sociétés séminoles. Une poignée de patrons de la tribu survolaient même la Floride en jet privé et en hélicoptère, ce qui en impressionnait certains, mais pas Sammy Queue de Tigre. Il demeurait dans la réserve et bossait dur, même si sa malchance fréquente faisait que les autres murmuraient qu'il était maudit par son passé de visage pâle. Cette idée venait aussi à Sammy Queue de Tigre et l'assombrissait en ce moment, tel le vol d'un busard, pendant qu'il pagayait en solitaire à travers Chokoloskee Bay.

Il se posait des questions sur le dénommé Wilson, solidement maintenu par des cordes de casier à homard et des ancres au fond de la Lostmans River. Le soleil était haut, l'eau se réchauffait, donc il était possible que des requins taureaux viennent croiser depuis le golfe. Wilson ne sentirait rien du tout.

Une demi-douzaine de bateaux de pêche dépassèrent en flèche le jeune Séminole alors qu'il se frayait un chemin à travers Rabbit Key Pass. Certains des pêcheurs lui firent signe de la main, mais Sammy Queue de Tigre regarda ailleurs. Ça faisait presque deux jours qu'il n'avait pas dormi et ses sens étaient émoussés. Peu après midi, il échoua le canoë sur une petite île en forme de botte. Il déchargea son attirail, prenant un soin particulier de la guitare et du fusil, enveloppé dans une serviette de bain. Il découvrit une butte de terrain sec où il établit son campement. Il lui traversa l'esprit qu'il n'avait pas fait suivre beaucoup de nourriture mais cela ne l'inquiéta pas… son frère lui avait passé deux cannes à pêche et un utile assortiment d'hameçons et autres leurres. Si Sammy Queue de Tigre n'était pas aussi plein de ressources dans la nature que son proche parent cent pour cent pur sang, il savait comment attraper du poisson.

Des oiseaux de mer bruyants tournoyaient dans le ciel, il s'allongea sous un arbre et s'endormit comme une masse. Le fantôme de Wilson surgit, entravé de cordes gluantes et tirant derrière lui les quatre ancres. Les requins ne l'avaient pas encore déniché, même si les crabes bleus et les lutjanides lui avaient nettoyé les orbites. Il était toujours à moitié soûl.

— Je vous attendais plus tôt, lui dit l'Indien.

— *Comment ça se fait que tu m'aies pas piqué mon fric avant de me balancer à la rivière ?*

— Parce que je suis pas un voleur.

— *Ou la beuh au moins. C'est du gâchis, mon ami*, dit Wilson.

Sammy Queue de Tigre admit qu'il regrettait que Wilson soit mort pendant l'excursion en hydroglisseur.

— *C'est la faute à cette saleté de serpent, hein ?* demanda Wilson.

— Nân, à votre cœur.

— *Ben, si je m'attendais à celle-là.*

— Que voulez-vous de moi ?

Le touriste mort leva l'appareil photo jetable. Le carton, détrempé, partait en lambeaux.

— *Ça te dirait de prendre une autre photo de moi ?* fit Wilson. *Pour mes potes de bar de Kinnickinnic Avenue… un truc qu'ils pourraient encadrer et accrocher dans la salle de billard.*

Kinnickinnic avait une consonance indienne, même si Sammy Queue de Tigre ignorait quelle tribu avait été chassée de Milwaukee.

— *Allez, va*, insista Wilson. *Ils ont une photo dédicacée de Vince Lombardi et un maillot signé de Brett Favre[1]. Mais une photo de moi, mort, avec les yeux tout mangés… ça serait géant, bordel !*

Sammy Queue de Tigre lui fit « Je regrette. Plus de photos. » Il était extrêmement fatigué et avait envie que le rêve finisse. Il espéra qu'un requin dévorerait l'appareil jetable au passage, en mastiquant Wilson. Sammy Queue de Tigre n'avait aucune envie que quelqu'un voie les images humiliantes, bien que non développées, où il posait avec cet odieux visage pâle de touriste.

— *Ça caille dans cette rivière*, se plaignit Wilson.

— Il a fallu que je sorte votre corps de la réserve. J'avais pas beaucoup de choix.

— *J'savais pas que l'eau pouvait devenir aussi froide en Floride.*

— Attendez l'été. On dirait de la soupe, fit Sammy Queue de Tigre.

Wilson lui décocha un regard noir, puis cracha un glaviot de morve brune.

— *Tu veux dire que c'est râpé pour moi ? Que je vais passer le reste de l'éternité là-bas dans cette saloperie de marais ? Tout dégoulinant et puant la merde de poisson ? Et je te parle même pas de ces ancres, bordel.*

— Je ne peux pas vous reprocher d'être en colère, lui dit Sammy Queue de Tigre.

— *J'aurais dû crever au casino. J'aurais dû me payer ma crise cardiaque au bar quand cette pute me sautait sur les genoux. Voilà comment je devrais passer mon temps dans l'au-delà*, tempêta le fantôme de Wilson. *Pas ici tout seul au beau milieu de nulle part.*

— Faut vous y faire, lui dit l'Indien.

1. Respectivement, le plus célèbre entraîneur de l'histoire du foot américain (Lombardi) et le quaterback des Green Bay Packers (Favre). *(N.d.T.)*

— *Je t'emmerde. C'est les pires vacances que j'aie jamais passées.*

Le touriste mort mit en pièces l'appareil jetable en le piétinant, puis s'éloigna en traînant la patte, les ancres crissant sur le sol.

Sammy Queue de Tigre se réveilla dans un état d'agitation urticante. C'était le crépuscule, un vent glacé du nord-ouest soufflait en provenance du golfe. Il assembla l'une des cannes à pêche, y fixa un plug, un vairon en plastique, puis s'empressa de gagner la plage dans l'espoir de duper un poisson rouge ou un brochet de mer.

Mais, pendant que le jeune Indien discutait le coup avec l'esprit du visage pâle, une grande marée avait afflué. Si ça ne valait rien pour pêcher sur la plage, c'était encore pire pour un canoë non amarré.

Dans le jour qui baissait, Sammy Queue de Tigre arpenta le rivage, scrutant avec anxiété dans toutes les directions. Il n'y avait plus aucune trace de l'embarcation bleu vif. Le vent et l'eau montant rapidement l'avaient emportée et sans doute fait chavirer.

Il se sentit à nouveau maudit. Il revint d'un pas lourd au campement et alluma un feu. Puis il sortit la guitare, la Gibson, et la posa sur ses genoux. Laissant courir ses mains sur les courbes magnifiques de l'instrument, il se surprit à être apaisé par le reflet dansant des flammes dans le tendre bois poli.

Comme il ne connaissait aucun accord, Sammy Queue de Tigre se mit à gratter au hasard avec une vigueur sauvage. Même dépourvu d'amplificateur, il s'imagina qu'il emplissait l'univers nocturne de musique. C'était une bonne thérapie pour un naufragé.

4

Le crabier emprunté par Sammy Queue de Tigre pour le transport du corps de Wilson appartenait à un certain Perry Skinner, ex-mari d'Honey Santana et père de son unique fils. Skinner n'avait pas demandé à Sammy Queue de Tigre pourquoi il avait besoin du bateau parce qu'il se fichait complètement de le savoir. Adjoint au maire d'Everglades City, il était par voie de conséquence vacciné contre tout examen minutieux officiel de la plupart des affaires criminelles ou autres.

— Ça va l'école ? demanda-t-il à Fry.

— Du feu de Dieu.

— Et ta mère ?

— C'est un peu pour ça que je suis ici.

— Je me disais aussi, fit Perry Skinner. Passe-moi le ketchup.

Ils étaient bien les seuls à manger des burgers au Rod & Gun Club.

— Elle m'appelle toujours ton « ex-père » ?

— Ça lui arrive, répondit Fry. D'autres fois, c'est juste « ton vaurien de narcotrafiquant de père ».

— Dur.

Skinner dessina un « smile » avec de la moutarde sur son burger.

— Une telle amertume n'a rien de séduisant, fit-il.

59

— Je sais pas si elle le pense vraiment.

Comme presque tous les mâles couillus d'Everglades City de leur génération, Skinner et son frère s'étaient fait poisser en passant en contrebande des cargaisons d'herbe.

— Ça remonte à très longtemps, Fry. J'ai purgé ma peine, dit-il. Trente et un mois à Eglin. J'ai mis mon point d'honneur à m'améliorer. Où donc crois-tu que j'ai appris l'espagnol ?

— Je sais, papa.

— Ta mère aurait pu divorcer pendant que j'étais en taule, mais elle ne l'a pas fait.

Fry vida deux paquets de sucre dans son thé glacé. Il avait déjà entendu tout ce que son père et sa mère avaient à dire respectivement l'un de l'autre. Tout ce qui l'intéressait, c'était que ni l'un l'autre ne s'était remarié.

Skinner mordit à belles dents dans son hamburger et demanda :

— De combien elle a besoin, cette fois ?

— De mille dollars, répondit son fils.

— Pour... je peux savoir ?

— Deux kayaks.

— Sympa tout plein, dit Skinner.

— Plus les pagaies et les gilets de sauvetage.

Fry hésita avant de dire le reste à son père.

— Tu sais, elle a quitté son boulot à la halle aux poissons.

— Ouais, je sais. Sauf qu'on m'a dit qu'elle s'était fait virer.

— Maintenant, elle veut organiser des écotours dans l'arrière-pays... des balades dans la nature pour les mateurs d'oiseaux et des trucs du même genre, dit Fry.

Son père mordit de plus belle dans son hamburger en grognant.

— Ça pourrait très bien lui convenir.

Le gamin parlait avec loyauté, mais sans conviction.

— Qu'est-ce qui s'est passé à la halle aux poissons, merde ? Elle te l'a raconté ?

— Qu'est-ce que t'as entendu dire ?

Skinner posa son burger et se frotta le menton d'une serviette en papier.

— J'ai entendu dire qu'elle avait pété les plombs et attaqué Louis Piejack avec un marteau de charpentier.

— Il lui avait chopé un sein, le corrigea Fry. Et c'était pas un marteau, mais un maillet à crabes.

Son père cilla lentement.

— Louis l'a chopée ?

— Ouais, c'est ce que maman m'a dit. Et je la crois.

Skinner opina comme s'il le croyait aussi.

— Alors, il a eu vachement de bol qu'elle lui fende pas le crâne au lieu de ses noisettes.

Fry voyait clairement que son père était furieux.

— Il lui a fait mal ? Dis-moi la vérité.

— Nân, p'pa, je crois pas.

Skinner se leva de table, sortit et alla jusqu'à son pick-up. Il revint avec une liasse de billets pliés de cent dollars, qu'il glissa dans la main gauche de Fry.

— C'est pas tout, papa, lui dit son fils.

— Comment se fait-il que je sois pas surpris ?

— Maman a besoin de deux billets d'avion. Elle se demandait si des fois tu pourrais pas échanger contre du liquide certains de tes miles accumulés.

Skinner fut tout de suite pris d'un soupçon.

— Elle t'emmène en voyage quelque part ?

— Pas que je sache.

— Tu me le dirais, si c'était le cas, hein ?

— Évidemment, fit Fry. Elle m'a pas dit le pourquoi de ces billets, mais elle m'a dit de te dire de pas t'en faire, que c'est trois fois rien.

Skinner fit signe à la serveuse et régla l'addition.

— Des billets d'avion sont tout sauf trois fois rien, fit-il.

— D'après maman, tu pourrais liquider tes kilomètres, ça te coûterait que dalle comme ça…

— Tu comprends pas, fiston. Allez, viens, on s'en va.

Une fois dehors, dans le parking, Skinner baissa la voix et dit : « C'est pas ce que coûtent ou pas ces billets qui me chiffonne. Mais ce qu'elle est encore en train de mijoter. »

Si seulement je le savais, songea Fry.

Mais à son père, il répondit ceci :

— Bon, je lui dis quoi, moi ?

— Demande-lui de venir m'en toucher deux mots.

— Voyons, papa.

— Quoi... tu crois que je compte prendre *du bon temps* ? grommela Skinner. Dis-lui de faire un saut chez moi si elle tient à ces billets à la con. Dis-lui que ça ne lui prendra qu'une minute.

Il monta dans le pick-up dont il baissa la vitre.

— Tu as quelles notes ces jours-ci ?

— Pas mauvaises. Des B et des A, répondit Fry. Au fait, merci pour le déjeuner.

— Quand tu veux. C'est toujours super de te voir, mon pote.

Perry Skinner mit ses lunettes de soleil et se colla une chique de Red Man dans la joue.

— Je compte sur toi pour me prévenir si ta mère se remet à faire des siennes. Tu m'appelleras, promis ?

Le gamin enfourcha son vélo.

— Te bile pas. Elle va bien, dit-il en s'éloignant en pédalant avant que son père puisse le regarder au fond des yeux.

Honey Santana ne méprisait pas autant son ex-mari qu'elle le clamait haut et fort. Elle se sentait obligée de dire du mal de Perry Skinner car c'était lui qui avait demandé le divorce, la coiffant au poteau. À cette époque, ils s'étaient accordés pour penser que rester mariés serait de la folie pure, leurs sentiments l'un pour l'autre ayant été écorchés vifs par une succession de remue-ménage affectifs. L'avocat d'Honey tentait de se dépatouiller pour rédiger une demande de divorce basique quand elle avait reçu du tribunal la notification de Perry. L'orgueil d'Honey avait été échaudé, car, parmi les femmes de sa connaissance, c'était toujours l'épouse qui divorçait de son mari, jamais l'inverse.

Après leur séparation, Skinner avait été d'une ponctualité extrême dans le versement de la pension alimentaire et de l'allocation pour subvenir à l'entretien de Fry. Il s'était aussi montré coopératif lors des nombreuses occasions où Honey Santana avait eu besoin d'un surplus de liquidités, principalement parce que ces demandes lui étaient transmises par Fry, à l'affection duquel Skinner attachait de la valeur. Honey trouvait moche d'envoyer son fils dans ces missions de mendicité, mais ne pouvait se résoudre à les assumer elle-même. Quatre ans après leur divorce, se retrouver seule avec Perry la rendait toujours nerveuse. Ce n'était pas tant son attitude qui l'intimidait que la façon qu'il avait de la regarder… comme s'il tenait encore à elle sans avoir envie qu'elle le sache, ce qui, pour Honey, était difficile à gérer.

Parfois, elle enviait ses amies divorcées, qui lui semblaient libérées, eu égard à la toxicité et aux vexations de leurs rapports avec leurs ex. Bien entendu, la plupart de ces maris-là avaient été pris à baiser à droite à gauche, ce qui n'était pas le cas de Skinner. Honey Santana l'avait tout bonnement épuisé avec ses plans ahurissants et le cirque de ses croisades diverses et variées. Il se sentait tiraillé et elle, en cage. Aucune solution pratique ne leur avait semblé possible, la séparation mise à part.

Pourtant, Honey ne pouvait pardonner à Perry d'avoir fait la démarche le premier, ce qui avait donné l'impression que tout ce souk était sa faute, quand ce n'était pas le cas. Il aurait pu en tant que conjoint montrer plus de patience et d'empathie. Il aurait pu l'écouter mieux, ne pas être si prompt à croire les médecins…

— Je regrette, mais ce numéro n'est pas communicable à la demande de l'abonné.

Oh, pitié, songea Honey. Son nom est personne, bon Dieu.

Elle essaya encore une fois, épelant le nom plus lentement, mais obtint le même message enregistré. C'était incroyable :

Boyd Shreave, cette crapule de télémarketeur anonyme, avait mis son numéro sur liste rouge.

Honey sortit, ramassa un morceau de canalisation en plomb et en frappa une demi-douzaine de fois le flanc de la caravane. Se sentant un petit peu mieux, elle rentra et se rassit devant l'ordinateur de Fry, que ce dernier avait oublié de désactiver, et « googlisa » le nom Shreave. Même si une seule réponse s'afficha, elle retrouva le moral.

C'était un article du *Fort Worth Star-Telegram* couronné du chapeau VENDEUR DÉBOUTÉ PAR LE JURY À L'ISSUE DU PROCÈS.

Les jurés de Tarrant County n'ont accordé qu'un dollar de dédommagement à un représentant de commerce de la région, qui affirmait avoir été rendu invalide de façon permanente en faisant une démonstration de chaussures correctives à une cliente potentielle.

Boyd S. Shreave réclamait plus de deux millions de dommages et intérêts à la société Bottes de glisse Lone Star, son ancien employeur, suite à l'incident d'août 2002.

Selon le dossier, le dénommé Shreave, lors d'une visite à domicile, dans le cadre de ses fonctions, à une personne âgée d'Arlington, inséra un appareil orthopédique en graphite dans l'une de ses propres chaussures. Tout en paradant en long et en large pour démontrer « le confort et la discrétion » de l'article, Shreave trébucha prétendument sur le réservoir d'oxygène de sa cliente et atterrit douloureusement à califourchon sur un cactus en pot.

Il affirmait que cet accident avait eu pour résultat un « traumatisme cervical irréparable » de la nuque et que les épines du cactus lui avaient « énormément défiguré » l'entrejambe, provoquant chez lui « une angoisse mentale, une humiliation et une perte d'intimité maritale inestimables ».

Les avocats de la société Bottes de glisse Lone Star arguèrent que Shreave était seul fautif dans l'incident, pour avoir introduit par erreur une semelle corrective gauche dans sa chaussure droite. Ils l'accusèrent aussi d'avoir contrevenu « de façon flagrante » à la politique de la société en tentant de vendre un tel appareillage à une personne ayant perdu depuis longtemps l'usage des deux jambes, suite à son diabète.

La cliente, Shirley Lykes, quatre-vingt-onze ans, témoigna que Shreave était un « beau parleur, mais maladroit comme une mule aveugle ».

Les six jurés délibérèrent moins d'une heure. Le premier juré expliqua par la suite que le jury avait décidé d'accorder un dollar à Shreave « afin qu'il puisse faire l'acquisition d'une pince à épiler »... faisant apparemment référence à la persistance d'épines de cactus dont le représentant s'était plaint.

Mr Shreave, qui travaille à présent pour une autre société, s'est refusé à tout commentaire.

Honey Santana imprima l'article. Elle l'agita en jubilant sous le nez de Fry dès qu'il franchit la porte, après sa visite chez Perry Skinner.

— Vise-moi un peu ça ! lui dit-elle.

— Tu veux même pas entendre sa réponse ? lui demanda Fry.

— Celle de ton ex-père ? Je la connais déjà.

Fry lui tendit l'argent liquide.

— Il veut te parler des billets d'avion.

— Très bien, je l'appellerai demain.

— Non, maman. En personne.

Honey fronça le sourcil.

— Quelle bête morte lui a piqué le cul ?

Fry s'attabla et parcourut l'article. Après l'avoir fini, il releva la tête et dit :

— Je croyais que son nom, c'était Eisenhower.

— Nân. Il a menti, fit Honey. Comme d'habitude.

— T'es sûre que c'est le même type ?

— Mon chéri, comment ça pourrait ne pas l'être ?

Elle prit la sortie papier et la scotcha sur le réfrigérateur.

— Écoute, j'ai un autre petit service à te demander. J'ai besoin que tu ailles sur l'ordinateur et que tu me fasses un petit tour de magie.

— Pas de chance. J'en ai fini pour aujourd'hui, lui dit Fry.

— S'il te plaît ? Ça ne te prendra pas longtemps.

Le garçon s'enfonça dans le couloir, Honey en remorque.

— Il est sur liste rouge, tu le crois, ça ?

— Facilement, fit Fry.

— Mais, Dieu merci, il y a ce procès stupide, poursuivit sa mère. Ça veut dire qu'existe quelque part au Texas un dossier judiciaire où figurent l'adresse et le numéro de téléphone de Mr Boyd Shreave. Si tu peux me les trouver en ligne, alors je pourrai…

Fry tomba sur son lit et ferma les yeux.

— Tu pourras quoi ? Appeler ce c.o.n.n.a.r.d et lui donner un échantillon de ta façon de penser ?

— Ouais. Parfaitement, fit Honey Santana.

— Et tu t'en tiendras là ? Promis ?

— Eh bien, je m'amuserai peut-être un peu avec lui. Il n'aura que ce qu'il mérite.

Fry soupira.

— Je le savais.

— Bon Dieu, je ne ferai rien de dangereux ni contre la loi.

Fry ouvrit les yeux et la dévisagea bien en face.

— Maman, j'irai pas au Texas avec toi.

— Mais, bon sang, de quoi tu parles ?

— Oh, ça va. Même si tu blouses papa et qu'il te paie les billets, j'irai pas.

Honey rit de bon cœur.

— Mais je vais pas m'envoler pour le Texas, moi non plus, Fry. C'est le truc le plus dingue que j'aie jamais entendu… tu crois sincèrement que je sauterai à bord du premier jet venu pour aller à la poursuite de cette larve ? Tout ça parce qu'il m'a traitée de vieille machinchose aigrie.

— Alors pourquoi ces billets d'avion ? demanda son fils.

Honey se leva et ouvrit une fenêtre.

— Je meurs de faim. Tu veux quelque chose à grignoter ?

Fry gémit et tira le drap sur sa figure.

66

— J'ai dit à papa que tu allais bien. S'il te plaît, me fais pas passer pour un menteur.

— Chut, lui fit sa mère. Du pop-corn, ça te dirait ?

Pour se tenir à distance d'une bouche d'air conditionné au plafond, Sacco à la mine hagarde avait emménagé dans le box laissé inoccupé par Boyd Shreave. Quand Eugénie Fonda lui passa un petit mot espiègle, Sacco l'aplatit comme si c'était un scorpion. Son côté ombrageux dénotait des bleus à l'âme et un tempérament explosif, ce qui piqua naturellement la curiosité d'Eugénie. Au téléphone, à sa voix, le bonhomme avait l'air au bout du rouleau et à cran, même s'il se débrouillait pour engranger plein de prospects. Après qu'Eugénie lui eut glissé un second mot, badin et anodin, Sacco lui gribouilla une réponse tenant en un seul mot : « GAY ! » et réexpédia le tout sur son bureau. À la fin de ses heures, elle se découvrit en manque de Boyd, tout empoté et ennuyeux qu'il fût.

En rentrant chez elle à minuit et demi, elle le trouva qui l'attendait devant sa porte.

Les bras chargés d'encore plus de fleurs.

— Ah seigneur, fit Eugénie Fonda.

— C'est O.K. si j'entre ?

— T'as vraiment une sale mine, mon chou.

— J'ai eu une mauvaise journée, fit Shreave, la suivant à l'intérieur.

Ils se mirent à faire l'amour sur le canapé, Eugénie rebondissant sur son giron à lui avec sa détermination coutumière. Au bout de quelques instants, elle se sentit détachée, littéralement parlant, Boyd étant tombé en mollesse.

— Pardon, marmonna-t-il.

Eugénie descendit de sa monture et remit sa culotte.

— Dis-moi ce qui va pas, lui fit-elle.

— C'est Lily. Elle a un comportement vraiment bizarre.

— Tu crois qu'elle sait ?

— Comment pourrait-elle ? On a fait tellement attention, dit Shreave.

— Ouais. Comme ce fameux jour à la sandwicherie, fit Eugénie en grinçant des dents.

Elle se mit en quête d'un vase pour les fleurs. Shreave lui lança en haussant le ton : « Je te le dis, Génie, elle n'est pas au courant pour nous. C'est impossible. »

Quelle voix, songea-t-elle. Parfois, quand Boyd parlait, elle fermait les yeux et imaginait un instant qu'il ressemblait à Tim McGraw, le chanteur country. Il avait une voix aussi belle que la sienne.

À son retour dans le salon, il avait ôté chaussures et chaussettes. Et suçait bruyamment un bonbon Jolly Rancher au citron vert qu'il avait pris dans une coupe d'argent sur la petite table.

Eugénie Fonda posa le vase et prit deux bières dans le réfrigérateur.

— Bon, alors, dit-elle en s'installant à côté de lui sur le canapé. Qu'est-ce que ta femme a donc fait de si bizarre ?

Shreave cracha le gros bonbon gluant dans un cendrier et attaqua la bière. Eugénie patienta.

— Rien qu'une étrange vibration, finit-il par dire. Des choses qu'elle m'a dites. Sa façon de me regarder.

Eugénie acquiesça.

— Elle avait envie de baiser, c'est ça ?

— Comment tu sais ?

Shreave tombait des nues.

— Faut qu'on parle, Boyd.

— Je l'ai pas sautée, Génie. Promis juré !

Eugénie sourit.

— C'est ta femme, chouchou. Un orgasme de temps en temps fait partie du contrat.

Shreave rougit et retendit la main vers sa bière. Des croissants sombres fleurissaient ses aisselles.

— Boyd, je peux plus continuer comme ça, lui dit Eugénie. Et

68

s'il te plaît, ne me dis pas que tu vas demander à Lily de divorcer, parce que tu ne le feras pas. Et même si tu le faisais…

— Je ne lui ai pas dit que j'ai été viré. Ça veut dire qu'on pourra passer toutes nos soirées ensemble !

— Comment ça, Boyd ? Et mon job, tu en fais quoi ?

Il reposa la bouteille de bière et pressa d'une poigne humide la main droite d'Eugénie.

— Supposons que tu démissionnes de chez Sans Trêve et que tu te mettes à bosser ailleurs dans la journée. Ça serait génial… j'aurais préparé le dîner quand tu rentrerais et je pourrais rester avec toi jusqu'à minuit, du lundi au vendredi. Lily n'y verrait que du feu. Elle me croirait au centre d'appels.

Eugénie Fonda retira sa main et l'essuya au pan de chemise de Boyd.

— Écoute-moi bien, Boyd, dit-elle. J'ai vraiment pas envie d'être ton bon coup à plein-temps. Traite-moi de rêveuse, mais je crois encore que je pourrai finir par avoir une relation normale avec un garçon tout ce qu'il y a de normal, une fois que j'aurai arrêté de coucher avec des hommes mariés.

Shreave s'adossa au canapé, le visage blême.

— Maintenant, t'avise pas de te mettre à chialer, lui dit Eugénie.

Shreave pencha la tête, accablé.

— J'arrive pas à y croire. Primo, je perds mon boulot, et maintenant tu veux rompre avec moi. Peut-être que demain je vais découvrir que j'ai le cancer.

Eugénie le dirigea vers la porte, en lui disant combien elle regrettait, qu'ils s'étaient bien éclatés ensemble mais qu'il était temps pour eux deux de découvrir ce dont ils avaient vraiment envie dans la vie.

— Mais moi, *je sais* ce dont j'ai envie, dit Shreave. De toi.

— Au revoir, chouchou.

Elle se pencha pour l'embrasser mais il ne bougea pas pour autant.

— Boyd, je t'ai dit au revoir.

Il restait planté sur le seuil, avec un air de défi.

— J'irai nulle part tant que tu m'auras pas dit la vraie raison pour laquelle tu me largues.

Vraiment, se dit Eugénie, qu'est-ce que j'ai fait pour mériter ça ?

— C'est le moins que tu puisses faire, lui dit Shreave.

En sus des meilleures bouffardes qu'on t'ait jamais faites de ta vie, songea Eugénie.

— Génie, je veux que tu me dises la vérité.

— Très bien, dit-elle.

Avec certains types, il fallait en passer par la cruauté froide.

— Tu es chiant, Boyd. Tu vas finir par me plonger dans le coma tellement je me fais chier avec toi. Excuse-moi, mais tu as voulu tout savoir.

Il leva la tête vers elle, la bouche tordue d'un sourire sceptique.

— Chiant ? Bien joué. Il s'appelle comment ?

Eugénie Fonda attrapa Boyd par les épaules.

— Il n'y a personne d'autre. Et maintenant, adios, cow-boy, fit-elle.

Il se libéra d'une secousse.

— Non, attends… comment ça, je suis chiant ?

Sa voix forte et veloutée s'était réduite à un râle tuberculeux.

— Non, mon chou, tu poses mal la question : quand au juste n'es-tu pas chiant ?

Eugénie Fonda éprouvait déjà un grignotis de culpabilité inconfortable, aussi s'empressa-t-elle de tirer à boulets rouges.

— À quand remonte la dernière fois où tu aies fait quelque chose d'intéressant ? N'importe quoi ?

— Avec toi ?

— Avec moi. Ou à moi. Un truc qui soit pas en tout point prévisible, poursuivit-elle sur sa lancée.

— Mais…

— Y a pas de mais. J'ai pas envie de passer le reste de ma vie à servir la soupe à un roi du cocooning. À quand remonte la

70

dernière fois où t'es allé prendre le soleil, Dieu du Ciel? Même Michael Jackson est plus bronzé que toi.

— Mais je t'ai raconté mon accident! protesta Shreave.

Eugénie le coupa d'un geste.

— Recommence même pas. T'es tombé sur un cactus, tu parles d'une affaire, bordel. Tout est encore en parfait état de marche.

Puis, laissant son regard glisser en dessous de sa ceinture, elle ajouta: «Plus ou moins. »

Le tour fut joué. Shreave, sans un mot, dévala les marches et chancela vers le parking.

Comme la voiture de Boyd s'éloignait en faisant crier ses pneus, Eugénie Fonda connut un tiraillement de remords. Si seulement, il m'avait surprise au moins une fois, songea-t-elle.

Les fleurs, ça le faisait pas, point barre.

5

De 1835 à 1842, le gouvernement des États-Unis, pour la seconde fois, mobilisa sa puissance militaire contre un petit groupe d'Indiens établis sur les territoires vierges de la Floride. Au cours de ces années-là, les Séminoles furent pourchassés par presque tous les régiments de l'armée régulière et plus de cinquante mille volontaires et miliciens. À l'époque où tout se termina, la deuxième guerre séminole avait coûté aux États-Unis la bagatelle de trente millions de dollars, estimait-on, somme colossale à l'époque, et plus de trois mille morts.

Le prix à payer fut d'autant plus stupéfiant qu'au faîte de sa puissance la tribu séminole ne comptait guère plus de mille guerriers.

Surpassés en nombre jusqu'à l'absurdité, les braves attiraient l'infanterie des visages pâles au fin fond des marécages et des pinèdes ravagées avant de les attaquer en escarmouches éclair. Si cette stratégie se révéla grandement efficace au début, les Indiens furent envahis au final. Leurs campements furent rasés, des centaines de familles décimées et environ quatre mille membres de la tribu déportés à Indian Country, dans les mornes plaines de l'Oklahoma. Néanmoins, le petit nombre de Séminoles demeurés en Floride refusèrent de se rendre et, jusqu'au jour d'aujourd'hui, leurs descendants n'ont toujours pas signé de traité de paix avec Washington, DC.

À la fin des années 1880, le Bureau d'ethnologie de l'Institut Smithsonian dépêcha en Floride le révérend Clay MacCauley afin « d'enquêter sur la condition des Indiens connus communément sous le nom de Séminoles et d'en établir le nombre avec certitude ». MacCauley passa l'hiver de 1881 à se rendre de campement en campement de la tribu à Catfish Lake, Cow Creek, Fisheating Creek, sur la Miami River et à Big Cypress. Son récit, publié six ans plus tard, fut loué pour la richesse de ses descriptions et la pertinence de ses observations.

Le père de Sammy Queue de Tigre lui en acheta un exemplaire pour quatre dollars à une vente de livres d'occasion, organisée par la grande librairie publique du centre de Fort Lauderdale. Ce volume devint l'une des possessions les plus chères au cœur du petit garçon et il n'est pas exagéré de dire qu'il changea sa vie.

« Ils sont aujourd'hui forts, sans crainte, hautains et indépendants », écrivait MacCauley en résumé des Indiens qu'il rencontra, avant d'ajouter :

> Les colonnes de population blanche, dans leur avancée, cernent de plus en plus le territoire des Séminoles. Ceux-ci n'ont désormais plus aucune retraite possible. Malgré leur premier mouvement, qui est de résister à cette invasion, certains d'entre eux se montrent enfin assez raisonnables pour comprendre qu'ils ne peuvent plus lutter avec succès contre l'homme blanc. Même s'il est possible que leurs rares poignées de guerriers fournissent l'effort de retarder cette multitude qui approche, au final, soit ils périront dans cette tentative futile, soit ils devront se soumettre à une civilisation qu'ils ont pu repousser jusqu'à présent et dont les à-côtés préjudiciables risquent à terme de les avilir et de les détruire.

Sammy Queue de Tigre, à peine eut-il lu ces lignes, avait rêvé d'abandonner sa vie toute tracée sous le nom de Chad et de disparaître dans la réserve de Big Cypress, où Sam Jones, Billy Bowlegs et autres héros s'étaient planqués pendant la seconde guerre. Par-dessus tout, l'arrière-arrière-arrière-petit-fils du Chef Queue de Tigre ne permettrait pas aux visages pâles de l'avilir et de le détruire, processus entamé, craignait-il, pendant son enfance pavillonnaire. Il projeta solennellement de se redistribuer dans le rôle de l'un de ces braves indomptables qui avaient résisté aux envahisseurs ou étaient morts en essayant de le faire.

Mais il n'était alors qu'un ado, bourré d'idéalisme et d'orgueil tout neuf.

Aujourd'hui, en relisant MacCauley à la lueur du feu, Sammy Queue de Tigre avait du mal à se représenter la noble culture et son isolement farouche, décrits avec tant d'admiration au fil de ces pages. Il se demanda ce que dirait le pasteur-journaliste des clans du XXIe siècle qui attiraient avidement les étrangers dans les salles de jeu, les pièges à touristes et les bureaux de tabac en drive-in de la tribu. Ce n'était pas la première fois que le jeune homme envisageait la probabilité écrasante que le guerrier qu'il aspirait à devenir n'avait plus de lieu où aller. Malgré son immense tendresse pour la guitare de Mark Knopfler, l'empoigner lui rappelait les murs du casino aux couleurs criardes où on l'avait piquée pour lui. Le grand Osceola, loin de permettre à ceux de son peuple d'apposer leur nom sur un monstrueux palais dédié à la cupidité des visages pâles, l'aurait plus vraisemblablement incendié.

Mais Osceola n'était plus depuis longtemps, on l'avait emmené enchaîné loin de sa Floride bien-aimée et laissé mourir en prison, sur la terre battue d'un cachot, à Fort Moultrie, en Caroline du Sud. Quant à Dire Straits, le groupe s'était séparé quand Sammy Queue de Tigre était encore en primaire.

Il referma, tout morose, le livre de MacCauley et tendit la main vers la Gibson. Il ne se sentait pas tant déchiré entre deux cultures qu'abandonné par les deux. Bientôt, il le savait, le fantôme du touriste mort lui réapparaîtrait. Sammy Queue de Tigre était certain que ce qui était arrivé à Wilson à bord de l'hydroglisseur n'avait rien d'une crise cardiaque ordinaire ; c'était l'œuvre du Créateur du Souffle pour influer sur le cours des événements, qui voyaient maintenant le Séminole échoué par une douce soirée d'hiver dans les Dix Mille Îles.

Il était évident que les grands esprits le mettaient à l'épreuve.

Sammy Queue de Tigre laissa sa main gauche courir sur les frettes de la guitare tout en pinçant les cordes de la droite. En guise de médiator, il utilisait un éclat de coquillage, la moitié d'un bivalve rose nacré. La musique qu'il faisait était, dans sa dissonance, à la fois mélancolique et rebelle, les notes basses martelant un rythme martial. Il joua jusqu'à ce que le bout de ses doigts lui cuise. Puis il s'allongea sur le sol près du feu.

Il ne mit pas longtemps à s'assoupir, bercé par le doux crépitement des braises et la brise qui agitait les feuilles. Au bout d'un moment, son sommeil fut interrompu par un chant qu'il supposa être le fantôme de Wilson revenu le harceler. Qui d'autre aurait pu gazouiller *Un éléphant, ça trompe, ça trompe* au cœur sacré de la nuit ?

Cependant Wilson ne se montra pas et le chœur invisible enfla de plus belle. Bientôt, Sammy Queue de Tigre arriva à distinguer plusieurs voix, dont certaines étaient féminines, il n'y avait pas à s'y tromper.

Il se redressa, comprenant que ce n'était pas un rêve... le vent avait changé de direction, lui apportant non seulement de la musique de visage pâle mais des éclats de rire stridents et des bouffées âcres d'essence à briquet. Le Séminole se leva en hâte et du pied recouvrit de sable son feu de camp. Puis il chargea son fusil et se dirigea face au vent dans le noir. S'il n'était pas un pisteur expérimenté et n'avait pas non plus le pied particulièrement léger dans les broussailles, son cœur était loyal et il visait de mieux en mieux.

Lily Shreave ne s'attendait pas à tomber sur son mari quand elle franchit la porte d'entrée.

— Qu'est-ce que tu fais là ? Il est six heures et demie... tu es en retard pour ton travail, lui dit-elle.

— Je me suis fait porter pâle, lui répondit Boyd Shreave. Tu avais raison. Il faut qu'on parle tous les deux.

— Bien, bien.

Lily lui désigna le canapé.

— Je vais me préparer un cocktail. Tu en veux un ?

Son mari refusa catégoriquement et s'assit. Il se sentait plus assuré que lors de leur dernier entretien, ayant à présent élaboré une explication plus convaincante de son comportement monacal. L'esprit brouillé par la vanité, Shreave croyait authentique l'appétit porté à ébullition de Lily pour sa petite personne. Il aurait été abasourdi d'apprendre qu'elle revenait de chez un détective privé qui accumulait les preuves en vue d'un divorce.

Quand Lily retourna dans la pièce, elle sirotait un martini dry. Elle s'était aussi déshabillée et ne portait plus qu'un string rouge piment.

— Bon, fit-elle en posant son verre et en se mettant à califourchon sur lui. Parlons.

Mais Shreave en fut incapable. Il resta muet, tétanisé, tandis que Lily, lui plantant ses deux poings dans le sternum, se mettait à lui baratter l'entrejambe comme un piston, contre, tout contre. Que ses girations lui rappellent Eugénie Fonda l'aurait moins abasourdi s'il avait su qu'à peine une heure plus tôt sa femme avait étudié la façon de faire l'amour à la verticale de sa maîtresse sur une vidéo enregistrée par le privé, filmant à travers une fenêtre de l'appartement d'Eugénie. Ensuite, en visionnant la bande, Lily avait commenté avec une neutralité clinique la performance faiblarde de Boyd.

Il ne se débrouillait guère mieux sur son propre canapé. L'étrange mimétisme de son épouse l'engourdissait, le plongeant dans la confusion.

— Lily, je t'en prie, arrête, chevrota-t-il.

— Oh, détends-toi et profite.

— J'ai consulté un autre médecin aujourd'hui ! cria presque Shreave. Les nouvelles sont mauvaises !

76

Lily s'immobilisa net.

— T'es allé voir un nouveau psy ? Pourquoi ?

Shreave opina l'air sombre.

— Après ce qui s'est passé à la boutique à bagels, j'étais prêt à tout. Il s'appelle le Dr Coolidge.

— Ah ouais ?

— Il dit que c'est pire que de la dépression.

— Continue.

Lily ne semblait pas pressée de dételer.

— J'ai écrit ça sur un morceau de papier. Je l'ai dans mon pantalon, fit-il.

— Poche droite ou gauche ?

— La droite, je crois.

Tandis que sa femme entreprenait de le fouiller, Shreave se tortilla. Il avait des sentiments mélangés concernant la persistance de son érection. Si rassurante qu'elle fût après l'épisode humiliant avec Eugénie, elle envoyait un message carrément trompeur à Lily.

— C'est de l'anglais, ça ?

Elle fronçait le sourcil devant le bout de papier quadrillé qu'elle avait trouvé.

— Ça dit «aphenphosmphobie», fit Shreave.

Il s'était exercé à le prononcer tout l'après-midi... les trucs bizarres qu'on trouvait sur Internet, c'était stupéfiant.

— Bon, c'est quoi *exactement* ?

Lily, à l'entendre, n'avait pas l'air aussi soucieuse que son mari l'aurait souhaité.

— L'aphenphosmphobie, c'est la peur d'être touché, répondit-il.

— Par sa femme ?

— Non, Lily, par n'importe qui.

— Touché où ? demanda-t-elle. Juste sur le zizi ?

— N'importe où, fit Shreave avec impatience. Sur les doigts, les orteils, les lèvres, les oreilles... tout contact peau contre peau provoque ce qu'on appelle une «réaction phobique». Ça

77

peut aller de l'anxiété à la crise de panique, en passant par des sueurs froides. D'après le Dr Coolidge, c'est une maladie très rare.

— Ouais, je parierais qu'il n'a vu qu'une poignée de cas… tu piges ? *Une poignée* de cas.

— Oh, c'est à se tordre.

Shreave était consterné par son insensibilité. Qu'est-ce que ça aurait été s'il lui avait dit la vérité ?

— Tu trouves ça amusant ? lui dit-il.

— Ce que je trouve drôle, Boyd, c'est que tu bandes encore. Elle se lova lentement sur lui.

— De deux choses l'une : soit tu as été miraculeusement guéri, soit tu me racontes un ramassis de conneries. Allez, enlève ton pantalon qu'on tente une petite expérience…

Shreave se libéra d'une ruade et gagna d'un bond son bureau, verrouillant la porte derrière lui.

— T'as qu'à vérifier toi-même ! s'écria-t-il. «A-p-h-e-n-p-h-o-s-m-p-h-o-b-i-e. »

Lily frappa doucement.

— Ouvre, fit-elle.

— Excuse-toi d'abord.

— Pardon, Boyd. J'étais loin de me douter.

Lily souriait de l'autre côté du battant.

— Et pourrais-tu s'il te plaît te mettre quelque chose sur le dos ? C'est une véritable torture.

Je te crois, se dit sa femme.

— Calme-toi. Je reviens.

Seul dans son bureau, Shreave se mit à faire les cent pas. Avoir été éconduit par Eugénie Fonda l'avait imprégné d'un semblant de détermination, trait de caractère qui jusque-là faisait défaut à sa personnalité indolente. Dégonflé de nature, Shreave se sentait à présent carrément galvanisé. Il était résolu à ne pas laisser sa petite amie s'éclipser ni à se faire détourner par sa femme et son string couleur feu.

Le téléphone sonna sur son bureau. Shreave n'avait pas envie

78

de répondre ; cependant il nourrissait le fantasme insensé que son patron de Sans Trêve Ni Relâche l'appellerait pour lui offrir une seconde chance. Bien entendu, il réclamerait son ancien box, voisin de celui d'Eugénie.

Il décrocha.

— Oui ?

— Allô, je suis bien au domicile de Mr et Mrs Shreave ?

C'était une femme. Sa voix lui parut vaguement familière mais c'était le cas de celle de tout un chacun de nos jours. Shreave avait calculé que durant ses heures d'appel chez Sans Trêve, etc., il avait conversé au bas mot avec sept mille inconnus et entendu à peu près toute sorte d'accents, de dialectes, de tons, de timbres, de débits traînants, de nasillements et de défauts d'élocution de la planète.

Il jeta un coup d'œil à la présentation de numéro, celui de son interlocutrice était masqué.

— Mr Shreave à l'appareil, fit-il d'un ton sec.

— Ah, bien. Je me présente, Pia Frampton, je vous appelle pour vous faire une offre très spéciale…

— Économisez votre salive, ma petite dame, pouffa Shreave d'un ton mordant.

En des temps plus heureux, il était en train de bosser au centre d'appels pendant l'heure du dîner et donc pas obligé de se coltiner les télémarketeurs téléphonant chez lui, nom de Dieu.

— Ne raccrochez pas, s'il vous plaît, Mr Shreave. Si vous pouviez m'accorder une petite minute de votre temps…

— Vous êtes nouvelle dans ce job, hein, Pia ?

— Non, m'sieur…

— Allez, dites-moi la vérité.

— O.K., ouais. C'est ma première semaine de boulot.

— C'est bien ce que je pensais, fit Shreave. Conseil gratuit : ne jamais dire au gogo de ne pas raccrocher, parce que vous ne faites rien d'autre que lui mettre cette idée en tête en enfonçant le clou. Continuez simplement à parler, d'accord ? Tenez-vous-en au script. Et ne le suppliez pas de vous accorder une minute de son temps, car vous aurez alors l'air aux abois et personne ne fait confiance à une vendeuse aux abois.

— Wouah, fit la femme.

— C'est comme ça que je gagne ma vie, Pia.

— Sérieux ? Vous bossez dans un centre d'appels, vous aussi ?

— Un des plus grands du genre.

Shreave ajouta qu'elle avait une voix agréable, presque trop pour le téléphone.

— Que voulez-vous dire ? lui demanda-t-elle.

— Elle manque d'autorité. Elle est aussi trop, comment dire, onctueuse.

— Onctueuse ?

— Écoutez, les types à l'autre bout du fil pourraient avoir envie de vous donner rendez-vous, mais ça ne veut pas dire qu'ils achèteront ce que vous vendez, quel que soit le produit, lui expliqua Shreave. Une voix sexy, ça le fait pas quand on fait l'article pour des Kruggerrands[1] ou des prêts hypothécaires à taux discount. Vous avez déjà songé à louer vos services à l'une de ces lignes téléphoniques pour adultes ? À ce qu'on m'a dit, ça paie plutôt bien.

Silence à l'autre bout du fil. Shreave se demanda s'il l'avait blessée.

— Je réfléchissais simplement, finit par dire la femme. Vous parler, c'est juste ce qu'il me fallait… toutes mes amies me disaient que j'étais pas taillée pour ce job et je crois qu'elles avaient raison. Merci d'avoir été aussi franc avec moi.

— Non, attendez. Ne renoncez pas aussi facilement.

Le Boyd Shreave nouveau était arrivé, dispensateur de conseils en motivation.

— Dites-moi ce pour quoi vous faites de la retape.

1. Pièces d'or sans valeur nominale dites pièces de thésaurisation, souvent préférées aux lingots, émises par l'Afrique du Sud depuis 1967. *(N.d.T.)*

— De l'immobilier.

— En Floride?

— Où ailleurs? fit-elle. À l'ouest de Naples, en bordure d'un marécage. Les Hammocks royaux du golfe, c'est la raison sociale.

— Des parcelles nues? demanda Shreave.

— Ah pour ça, ouais. Et sous l'eau, au moins six mois sur douze, fit-elle. C'est pour ça qu'ils font la promotion des ventes en hiver, quand c'est à sec.

— Magnifique. C'est quoi le deal... un week-end gratuit, je parie. Et tout ce que les prospects ont à faire, c'est à se fader un séminaire de vente.

— Et à signer une option d'achat, fit-elle. Qu'on peut annuler sous trente jours, du moins à ce qu'on leur promet.

Shreave songea que le pitch était éculé rien qu'à l'entendre.

— C'est cuit d'avance, lui dit-il.

— Non, on leur accorde aussi un écotour, fit la femme. C'est tout nouveau, ça vient de sortir.

— Un quoi?

— Un écotour en kayak à couper le souffle, à travers les Dix Mille Îles, récita-t-elle.

— Ah bien, voilà qui est différent.

— À ce qu'on dit, c'est vraiment joli par là-bas, fit la femme. Mrs Shreave et vous devriez y aller. Mince, vous avez à acheter que dalle... comme si j'avais besoin de vous faire un dessin.

— Vous touchez une commission à la signature?

— Oui, mais pas très grosse.

— Elle l'est jamais, dit Boyd Shreave.

Elle lui avait donné à réfléchir.

— Le voyage est compris? demanda-t-il.

— Oui m'sieur. Deux billets d'avion aller-retour.

— Et l'hébergement?

— Un écolodge quatre étoiles, dit la femme. Si vous pouvez supporter la promotion de vente, c'est un deal plutôt sympa.

81

— Ouais, pas mal, concéda Shreave.

Eugénie et lui n'avaient jamais voyagé ensemble. N'étaient même jamais allés dans un motel.

— Le seul hic, c'est que l'offre expire dans quinze jours, ajouta la femme. C'est ce qui est écrit ici sur le prospectus.

Shreave entendit qu'on s'acharnait sur la poignée de la porte, puis Lily qui disait : « Laisse-moi entrer, Boyd. Je te promets que je ne te toucherai *nulle part*. »

Shreave couvrit le récepteur et dit à sa femme qu'il sortirait dans un instant.

— Laissez-moi vous demander quelque chose, fit-il à voix basse à la télémarketeuse. Il y a vraiment dix mille îles ou c'est juste une invention pour couillonner les touristes ?

Honey Santana avait déniché le numéro du domicile de Boyd Shreave, toute seule comme une grande. Fry avait refusé de l'aider, puis son frère lui avait servi une excuse bidon, prétextant qu'il ne pouvait pas mettre la main sur le procès Shreave parce que les ordinateurs du tribunal étaient en panne.

Donc, après avoir persuadé Fry de la laisser en ligne, Honey avait découvert un service de localisation des personnes qui proposait un jour d'essai… censément gratuit, même si elle fut obligée de donner un numéro de carte de crédit. Une fois qu'elle eut accès au site Web en question, elle tapa « Shreave » et obtint vingt-sept réponses, y compris plusieurs doublons. Il y avait trois Boyd, quatre B.S. et deux Lily au même numéro de téléphone et à la même adresse, South Willow Street, à Fort Worth.

Honey choisit d'appeler à sept heures moins le quart du soir, dans l'est du Texas. Elle espérait que Boyd et sa femme seraient en plein dîner.

Mr Shreave, à l'appareil.

Honey sut que c'était bien lui. Cette voix, dégoulinante de confiance en soi et de cordialité, était inoubliable.

Si elle fut prise de court quand il la coupa dans son baratin,

82

elle surfa sur la vague, le laissant jouer au vieux pro, au vieux sage. Qu'il qualifie son approche téléphonique d'« onctueuse » l'amusa, puisqu'elle avait délibérément adouci ses intonations pour avoir une voix différente de celle de leur seule et unique conversation précédente.

À l'instant où il s'était enquis des frais de voyage, Honey sut qu'elle l'avait piégé. Ce fut le pied absolu ; elle eut presque honte de se sentir aussi excitée. Maintenant, tout ce qu'il lui restait à faire, c'était de convaincre son ex-mari de payer les billets d'avion.

Dans la voiture, Honey tendit la main pour éteindre la radio et pour mieux s'apercevoir qu'elle ne marchait pas. La musique qu'elle entendait venait de l'intérieur de son crâne, l'un de ses symptômes habituels. Aujourd'hui, c'était deux vieux tubes... une chanson disco pourrie et l'énergisant *Marrakesh Express* de Crosby, Stills & Nash. Les parasites, sur lesquels Honey n'avait aucun pouvoir, étaient pires que sur les stations cubaines de Miami.

Ce fut la bouche sèche qu'elle s'arrêta dans l'allée de Perry Skinner. La maison était située sur la Barron River, un peu en amont du Rod & Gun Club. Elle n'était pas immense, mais Honey aimait bien son aspect ancien et confortable. Planchers et poutres étaient en authentique pin de Dade County, ce qui, de nos jours, était quasiment introuvable. Perry Skinner avait acheté la maison peu après leur divorce. Honey soupçonna que le premier acompte était un reliquat du temps de sa contre-bande. Trois portes plus loin habitait un célèbre guide de pêche qui avait enseigné à Fry à pêcher le tarpon au lancer.

Skinner était seul sur la véranda, un verre à la main.

— Où est le gamin ? demanda-t-il à Honey quand elle descendit de voiture.

— À son entraînement d'athlétisme. Il reviendra à la maison vers neuf heures, fit-elle, apprenant par là à Perry qu'elle ne pourrait pas rester à bavarder avec lui, que son emploi du temps était serré.

Il lui désigna de la tête un rocking-chair en osier.

Honey s'y installa en prenant bien soin de ne pas se balancer. Elle était là pour affaires, après tout.

— Fry m'a dit que les billets d'avion te posaient un problème.

— Non, pas un problème, répondit Skinner. Je m'interroge juste.

— Je n'ai besoin que de deux places en classe économique sur American Airlines. Je me suis rappelé que tu avais des miles de voyageur régulier en masse, suite à tes visites à Paul, là-bas, dans l'Ouest.

Paul était le frère aîné et ancien associé de Perry dans le trafic de marijuana. Grâce à l'arrogance de son avocat de Tampa, Paul écopa d'une peine plus lourde et les fédés rancuniers le collèrent en prison au fin fond de l'Oregon.

— Je peux *t'acheter* ces billets, merde, Honey. C'est pas là que ça coince.

— Alors, où ?

— Tu emmènes Fry quelque part ? J'ai le droit de savoir... le règlement du divorce le dit.

Honey gonfla les joues et expira.

— Promis juré, ton fils, c'est toi en réduction. Il m'a demandé la même chose, ridicule.

— Donc, la réponse est non.

— Avec un grand N grand O grand N ! Quoi... tu t'es imaginé que je déménageais ? lui demanda-t-elle. Je ne ferais jamais ça à Fry. Il adore vivre ici.

— J'ai entendu dire que t'avais démissionné de la halle aux poissons.

Elle haussa les épaules.

— J'ai envie de faire autre chose de ma vie. Et épargne-moi ton regard en coin.

Seigneur, il est toujours beau mec, songea-t-elle. Personne ne pourrait dire que je n'ai pas l'œil.

84

— Louis Piejack t'a vraiment chopé un sein ? lui demanda Skinner, comme si de rien n'était.

Honey Santana se sentit rougir.

— Les nouvelles vont vite. Ouais, c'est vrai, mais te bile pas... il n'a pas été déçu du voyage.

Skinner se pencha tout près et lui chuchota : « Bouge pas. »

Honey faillit en avoir la tremblote, pensant qu'il allait l'embrasser. Il se contenta de chasser en douceur un moustique de son cou. Elle ne sut trop si elle en était soulagée ou déçue.

— Bon, pour qui sont ces billets ? fit Skinner.

— Un couple d'amis du Texas, fit-elle. Je te rembourserai dès que j'aurai un nouveau job. J'ai déjà postulé pour être caissière au Super Wal-Mart de Naples.

Il sourit.

— T'es pas obligée de me rembourser. Et, sans vouloir te vexer, Honey, Wal-Mart n'est pas prêt à engager des personnes comme toi.

— Eh, je vais très bien, dit-elle sur la défensive. Fry t'a pas dit que je vais super bien ?

— Toujours sous traitement ?

— Deux fois par jour.

— Parce que, sinon, je t'offrirais un verre, dit-il.

— On ne mélange pas alcool et pilules du bonheur. Ordre du médecin.

C'était la partie la plus facile de sa comédie ; Honey n'avait jamais beaucoup tenu à l'alcool.

— Bon, c'est entendu pour les billets ?

— Il me faudra le nom de tes deux amis.

— Tiens, j'ai tout noté.

Elle sortit un papier de son sac et le lui tendit.

— Merci, lui dit-elle. C'est important.

Skinner se tourna vers la rivière où un brochet de mer explosait un banc de vairons sous les lumières du quai.

— C'est moche que tu ne me dises pas tout, fit-il.

— Quand cesseras-tu de t'en faire pour moi ?

— Le jour où tu auras le sens des réalités, peut-être.

— Wouah, c'est dégueulasse de me dire ça.

Mais Honey arrivait à peine à entendre le son de ses propres paroles, étouffé par les mélodies qui se battaient en duel dans sa boîte crânienne.

6

Trois jours plus tard, Eugénie Fonda, assise en tailleur sur le sol de la salle de bains, écoutait la théorie de Sacco, en vertu de laquelle Bill Gates était, outre l'Antéchrist, le rejeton illégitime de Jesse Helms[1] et de Grace Slick[2].

Il était évident que Sacco avait joué de malchance en signant avec une société de logiciels qui décida de concurrencer un obscur service anti-spam fourni par Microsoft. Les détails techniques dépassaient Eugénie sans l'intéresser autrement, mais elle n'eut aucune difficulté à comprendre la raison de l'aigreur phtisique de Sacco. À un moment de sa vie, le jeune homme avait valu approximativement deux millions de dollars sur le papier, chiffre réduit à trois francs six sous par la brève escarmouche de sa société avec Sir William Gates.

Sacco relata son affligeante saga depuis le tréfonds de la baignoire à pattes griffues d'Eugénie où, morose, il s'était réfugié après un déjeuner tardif au cours duquel il avait refusé vin, bière et un vaste choix d'alcools forts. Eugénie était perturbée en constatant qu'il n'avait nullement l'intention de se détendre, pas même un quart d'heure, le temps d'une partie de jambes en

---

1. Sénateur archiconservateur, représentant de la « droite chrétienne ». *(N.d.T.)*
2. Ex-chanteuse du groupe Jefferson Airplane, elle se bat pour la défense des animaux. *(N.d.T.)*

l'air sur le canapé. Sacco avait une marotte et il n'y avait rien de plus rasoir qu'un type avec une marotte en tête.

— Il se fait tard, suggéra Eugénie.

— On parle de libre entreprise, mais en Amérique, c'est un mythe. On parle d'égalité des chances dans la partie à jouer, ah bah! Les cartes sont biseautées, déclara Sacco, afin que la mise atterrisse jusqu'au dernier cent dans la poche de Bill Gates. Cet enfoiré de quat'z'yeux s'est installé un monopoly perso à l'échelon de l'univers, nom de Dieu!

Il se leva, dégoulinant de partout, agité.

— Où est ton PC? Je vais te le prouver, Génie.

— J'ai pas de PC, lui dit-elle.

Sacco eut l'air mortifié.

— Tu n'es pas sérieuse?

— Écoute, mon vieux, tu veux faire la chose, oui ou non? Parce que je dois me préparer pour aller bosser.

Elle avait mis haut la barre de ses espoirs, ayant persuadé Sacco, primo qu'il était hétéro, et deuzio de venir visiter son appartement. C'était l'étape inaugurale de son engagement à se rabattre sur les hommes célibataires.

Cependant, jaugeant la silhouette tristounette tout en os dans sa salle de bains, Eugénie Fonda se prit à songer: suis-je tombée si bas?

— Tu t'en tamponnes pas mal de ce qu'on m'a fait, hein? lui dit Sacco.

Eugénie lui jeta une serviette.

— Ben, y a des jours où la vie n'est qu'une grosse sucette parfumée à la merde.

— Tu veux pas au moins que je te raconte le procès et comment ils ont soudoyé le juge avec un ordi portable et l'ADSL à perpétuité?

— Pas vraiment.

Sacco rumina cette info puis sortit de la baignoire, avec une idée bien arrêtée.

— Bon, je suppose qu'on peut essayer de baiser, dit-il.

Essayer ? releva Eugénie in petto.

— Seigneur, je ne voudrais pas que tu t'esquintes la santé, fit-elle.

Les mecs du genre tranquille et rêveur, terminé !

— Non, Génie, ça serait puissant, dit Sacco.

Elle en doutait fort.

— Pourquoi tu vas pas m'attendre sur le canapé ?

— Et pourquoi pas sur le lit ?

— Il est cassé. Et cherche pas à savoir.

Eugénie le poussa dehors, retira la perle piercée dans sa langue et s'aspergea la figure d'eau froide. Elle se déshabilla mais garda ses sous-vêtements, ne pouvant aller plus loin.

À sa sortie de la salle de bains, elle trouva Sacco posté, obéissant, sur le canapé. Il avait la serviette pliée en triangle sur ses genoux, acte de modestie pittoresque qu'Eugénie aurait pu trouver charmant en d'autres circonstances.

— J'arrive pas à croire que t'aies pas de PC, observa-t-il. Tu te sens pas totalement coupée du monde ?

— T'imagines même pas.

Sacco grimaça quand elle écarta la serviette d'un coup sec.

— Tu mesures combien, au fait ? lui demanda-t-il.

— Un mètre quatre-vingts tout rond, mais que ça ne t'intimide surtout pas, lui dit-elle, en espérant exactement le contraire.

— Tu veux savoir un truc bizarre ? lui fit Sacco. Je mesure exactement comme Bill Gates.

— Cool. Et vos bites aussi font la même taille ?

Sacco s'examina d'un œil clinique, évaluant cette possibilité. Eugénie Fonda s'alarma en pensant qu'elle avait jugé un jour ce type intriguant. Ce n'était qu'un taré, même pas particulièrement intéressant sur ce plan.

— Il se fait tard, répéta-t-elle, espérant qu'il remarquerait son manque d'enthousiasme.

— Bon, mettons-nous au taf. Je suis prêt, dit Sacco.

— Ah oui ?

Il tapota le haut de ses jambes poilues comme des pattes d'araignée, l'invitant à sauter à bord.

— J'ai pas envie de te faire mal, dit Eugénie.

— Tu peux pas me faire mal. Je suis au-delà de la douleur.

Bien ma chance, songea Eugénie. Elle se plaça sur les genoux de Sacco, lui tournant le dos. Il émit un grondement puis lui dit qu'ils devaient faire semblant de rouler en Harley.

— En mob, plutôt, marmonna-t-elle entre ses dents.

— Qu'est-ce que t'as dit ?

Par miracle, on sonna à la porte. Eugénie descendit prestement de selle, ramassa la serviette, s'en couvrit et passa en vitesse dans l'entrée. Par l'œilleton du judas, elle le vit, lui.

— Boyd ?

— Génie, je t'en prie.

Elle ouvrit la porte en lui chuchotant : « Non mais, ça rime à quoi, cette tenue ? »

Il rappliquait en tongs, bermuda taille basse et ample chemise citron décorée de palmiers.

— Je peux entrer ? lui demanda-t-il.

— C'est absolument hors de question.

Elle sortit sous la bruine froide et referma la porte derrière elle.

— T'étais sous la douche ?

— Non, Boyd. Je suis première ballerine du corps de ballet de Dallas. Que fais-tu ici ?

Il se passa nerveusement la langue sur les dents.

— J'ai bien réfléchi à ce que tu m'as dit hier soir. Tu sais, comme quoi j'étais tellement…

— Ennuyeux ? fit Eugénie Fonda.

— Prévisible. Tu avais complètement raison.

— Il fait dix degrés ici dehors, Boyd. Je n'ai qu'une serviette de toilette sur le dos. Tu pourrais en venir au fait, bon sang ?

— J'y viens : je vais changer.

— Tu parles, Charles.

— Donne-moi une chance, reprit Shreave. Regarde-moi un peu !

90

Eugénie était certaine d'entendre respirer de l'autre côté de la porte... son coup d'enfer qui collait son oreille au battant. Elle ne pouvait trancher quant à qui était le plus comique : Sacco tempê-tant à poil ou Boyd Shreave déguisé en Beach Boy et se pelant le cul.

— Génie, tends la main et ferme les yeux.

— Pitié.

— S'il te plaît, lui dit Shreave.

Eugénie fit ce qu'il lui demandait, songeant : s'il me file une bague, je l'étrangle.

— Là. Tu peux regarder maintenant, lui dit-il.

Dans sa paume, il y avait une enveloppe frappée du logo rouge et bleu d'American Airlines, contenant deux billets.

— Pour où ? lui demanda-t-elle, prudente.

— La Floride. Toi et moi, on va aller faire du kayak dans les Dix Mille Îles, lui annonça Boyd de sa voix de platine. Où il fait aujourd'hui 24 degrés sous un ciel clair et ensoleillé.

Eugénie Fonda sentit son cœur se mettre à tambouriner. Elle frissonna et chassa d'un battement de cils les gouttes de pluie glacées. À l'intérieur de l'appart, Sacco rôdait tel un singe sous-alimenté en chaleur. Eugénie fut effondrée d'avoir failli de peu le séduire. Boyd Shreave avait beau être un blaireau et marié en plus, il n'avait rien du moins d'un accro de l'informatique parano.

Et la Floride, c'était la Floride. En particulier, au cœur de l'hiver.

— On part quand ? lui demanda-t-elle.

Son triomphe fit rayonner Shreave.

— Après-demain, lui dit-il.

Là-dessus il l'embrassa si fort qu'elle en retroussa les doigts de pieds, enfin certains, à défaut de tous.

Fry attendit qu'ils soient presque arrivés à Naples avant d'en parler à sa mère. Sinon elle aurait fait demi-tour, serait revenue aussi sec à Everglades City et aurait fait une scène.

— Quelqu'un a salement amoché Mr Piejack, dit Fry.

— Comment ça, amoché ? fit Honey en pivotant sans lâcher le volant.

— Garde les yeux sur la route, maman.

— Raconte-moi ce qui s'est passé.

— On lui a fourré la main dans une nasse à crabes de roche, expliqua Fry. Et la nasse était pleine de crabes.

Honey fit la grimace.

— Ouille. Des moyens ou des gros ?

— Des énormes, lui dit son fils.

— Euh-oh.

— Il a eu trois doigts tranchés et deux autres cassés. C'est arrivé hier après-midi.

Honey acquiesça.

— J'ai cru entendre une ambulance traverser le causeway.

— C'est là que ça se gâte, fit Fry. Les auxiliaires médicaux ont ouvert la nasse et brisé toutes les pinces des crabes avec ses doigts encore pris dedans. Puis ils les ont mis sur la glace au frigo, mais on suppose qu'ils ont oublié de préciser quels doigts allaient où…

— Oh, arrête !

— Sérieux. On a finalement emmené Mr Piejack en chirurgie, mais alors les infirmières se sont disputées avec les médecins pour savoir qui garderait les pinces pour le dîner, dit Fry. Puis les lumières se sont éteintes en plein milieu de l'opération… bref, ça a été un méga méli-mélo. Résultat des courses, Mr Piejack s'en est sorti avec le petit doigt cousu au moignon de son pouce, le pouce agrafé au moignon de l'index, je sais plus trop exactement…

Honey émit un léger sifflement.

— À mon avis, il va mettre son piano en vente.

— Qu'est-ce que tu fais, maman ? Pourquoi tu t'arrêtes ici ?

— Je m'arrête pas. J'attends un trou dans la circulation pour faire demi-tour, expliqua-t-elle. Il faut que je parle à ton ex-père.

Fry retira habilement les clés du contact.

— Donne-les-moi, fit sa mère.

— Non, m'man.

— Tu veux qu'on soit tués tous les deux ? On est plantés en plein milieu de la route 41 au cas où tu ne t'en serais pas aperçu.

Elle marquait un point, là, se dit Fry. C'était un bon moyen de se faire aplatir comme une crêpe par un semi-remorque dix-huit roues.

— Papa est à Miami, fit-il. Donc, inutile de retourner à toute blinde à la maison.

— On a attrapé celui ou ceux qui ont fait ça ? On a arrêté quelqu'un ?

— Non, mais Mr Piejack a dit aux flics que c'étaient trois types qui baragouinaient l'espagnol, qu'il les avait jamais vus avant. Va donc pas supposer que papa est automatiquement dans le coup, fit Fry, qui subodorait pourtant la même chose.

Sa mère éclata de rire.

— Qui ça pourrait être d'autre ? Un individu normal aurait fait tabasser ou descendre Louis. C'est du Perry tout craché de se laisser emporter et d'engager une bande de gangsters sadiques. Des crabes de roche, non mais, c'est d'un glauque !

Voitures, camions et camping-cars s'agglutinaient derrière eux en klaxonnant.

— Les clés, S.V.P.

Honey tendit la main.

— Quoi… tu crois qu'il essaie de t'impressionner ou quoi ? demanda le garçon. Peut-être que ça l'a gonflé, c'est tout.

Honey soupira puis régla le rétroviseur afin de mieux évaluer le chaos augmentant derrière eux. Fry, boudeur, lui lança les clés de voiture.

— Merci, mon grand ! Et maintenant allons acheter des kayaks, lui dit-elle.

— Bof.

Fry ne savait pas ce que préparait sa mère. Mais il craignait qu'elle ne sombre dans l'une de ses spirales cyclothymiques. Elle n'avait fait aucun effort crédible pour décrocher un nouveau boulot, même si le directeur de Wal-Mart lui avait laissé

93

deux messages téléphoniques lui demandant de venir passer un entretien.

Entre-temps, elle restait des heures attablée à la cuisine, absorbée dans l'étude de cartes marines des Dix Mille Îles. Plus elle blablatait sur le fait de démarrer une entreprise d'écotour, plus Fry regrettait de ne pas avoir parlé à son père du souci que ça lui causait. Honey Santana n'avait aucun sens de l'orientation, se perdant fréquemment en plein jour en automobile dans un quartier hérissé de panneaux indicateurs. Là-bas, sur l'eau, les possibilités désastreuses seraient infinies.

Pourtant, Fry tâchait de rester optimiste. Après tout, plusieurs jours s'étaient écoulés sans que sa mère ait refait mention du télémarketeur mal embouché. Ce qui n'avait qu'une seule signification possible : qu'elle avait déjà bravé (et sans doute incendié) le c-o-n-n-a-r-d, soit au téléphone soit par courrier postal.

Au fond, c'était plutôt une bonne chose, songeait Fry. Elle s'était purgé le système de tout ce poison sans nuire à quiconque, elle-même comprise.

D'autre part, elle continuait à esquiver toutes les questions relatives aux deux billets d'avion. Fry était exaspéré et pas qu'un peu soupçonneux.

— Bon, c'est qui ces amis que tu fais venir par la voie des airs ? lui demanda-t-il à l'arrêt d'un feu rouge.

— Je te l'ai dit je ne sais combien de fois... ça fait une éternité que je ne les ai pas vus.

— Vous étiez au lycée ensemble ou quelque chose comme ça ?

— Au collège.

Honey gardait les yeux fixés sur la route.

— Mais on est restés en contact. Ils m'envoient un cake aux fruits confits chaque année à Noël.

Fry lui fit observer qu'il n'avait jamais vu de cake aux fruits confits dans la maison.

— C'est parce que je les balance tout de suite à la poubelle. Ça te pourrit les dents comme de l'acide sulfurique, fit sa mère.

Il était clair qu'elle inventait, alors Fry laissa tomber le sujet. Il décida aussi de ne pas chercher à savoir pourquoi elle avait cessé de se raser la jambe droite… Il n'arrivait pas à imaginer la réponse qui pourrait le tranquilliser.

Ils s'arrêtèrent dans une boutique d'équipement haut de gamme, où un bobo hyperbronzé, vêtu d'un pantalon kaki repassé au rasoir, leur apprit que mille dollars n'était de loin pas assez pour deux kayaks tandems neufs pour l'océan. En furetant au fond de la boutique, Honey Santana en découvrit une paire d'occasion de cinq mètres, un jaune et un rouge. En deux temps trois mouvements, elle baratina Kaki Boy pour qu'il les lui vende, plus des pagaies et une galerie de voiture pour neuf cents dollars tout rond.

— Ce type devait avoir vingt-cinq, vingt-six ans, pas plus, remarqua Honey pendant leur trajet de retour. J'en ai pas cru mes oreilles quand il m'a demandé mon numéro de téléphone.

— Et moi, j'en crois pas les miennes que tu le lui aies *filé*, grommela Fry.

— Je le lui ai pas donné, en fait.

— Alors, c'était le numéro de qui ?

— Oh, j'en ai inventé un, c'est tout.

À nouveau, Honey ne disait pas la vérité. C'était le numéro de Perry Skinner qu'elle communiquait aux hommes qui voulaient l'appeler, mais avec lesquels elle n'avait nullement l'intention de sortir. Une conversation avec son ex-mari suffisait d'habitude à doucher leur enthousiasme, avait découvert Honey, et simultanément cela servait à rappeler à Perry que tous les types ne la considéraient pas comme une givrée grave.

— Au fait, j'ai besoin que tu me rendes un service, dit-elle à son fils. Ça t'embêterait d'aller dormir chez ton ex-père quelques jours ?

— Tu peux arrêter de l'appeler comme ça, s'il te plaît ?

— Le truc, c'est que j'ai invité mes amis à loger dans la caravane, ce qui veut dire que je vais être obligée de coucher dans ta chambre, fit Honey.

Fry haussa le sourcil.

— Promis juré, je regarderai pas dans ton placard.

— Y a intérêt.

— Ni sous ton matelas.

— Comment tu sais qu'il y a quelque chose sous le matelas ? demanda Fry.

— Parce que c'est là que tous les ados, les garçons en tout cas, planquent leurs revues pornos, non ? fit Honey. C'est seulement pour trois, quatre jours, promis. Et je toucherai pas à l'ordinateur, non plus.

— Pourquoi ils peuvent pas se trouver un motel ?

— Parce qu'ils ont un budget serré, jeune homme. Tout le monde ne roule pas sur l'or comme les bandits du pétrole potes de l'actuel président. Ou encore Mr Perry Skinner, le narcotrafiquant.

— Arrête avec ça, maman. Et fais attention où tu vas, d'ac ?

— Tout va bien ! se récria-t-elle.

— En Angleterre, tout irait bien. Ici, dans ce pays, on roule à droite, je te rappelle.

Les aptitudes de conductrice de sa mère s'érodaient de façon spectaculaire chaque fois qu'elle était lessivée.

— Ça m'embête pas d'aller chez papa, lui dit Fry d'un ton apaisant. Je le lui demanderai dès qu'il sera rentré de Miami.

— Merci, fit Honey en expirant de soulagement. Je te revaudrai ça mille fois.

Elle parut se détendre, et presque aussitôt la voiture revint dans le bon couloir. Plus tard, elle se mit à fredonner un air qui n'avait rien à voir avec la chanson passant à la radio.

Autre signe de mauvais augure, comme le savait son fils.

— Bon, quand est-ce qu'ils arrivent, tes amis ?

— Après-demain, répondit sa mère.

— Tu m'as même pas dit leurs noms.

Honey Santana tambourinait de ses ongles sur le volant.

— Oh, je nous réunirai tous à dîner, un de ces soirs, promis.

Il dénombra trois jeunes hommes et trois jeunes femmes. Leurs canettes de bière luisaient à la lueur du feu. Grâce à un ghetto-blaster tonitruant (avec lequel l'un d'eux dansait à présent le tango), ils n'avaient pas entendu approcher Sammy Queue de Tigre. Tapi dans une rangée de choux palmistes, il observa les jeunes gens batifoler autour des flammes, fouettées par le vent, du feu qu'ils avaient allumé sur une pointe de sable sec. Non loin de là, trois canoës couleur bubble-gum tirés sur le rivage avaient été vidés de leur contenu. On avait mis à sécher de nombreux articles vestimentaires, soutiens-gorge et maillots de bain inclus, sur leurs coques renversées.

Sammy Queue de Tigre devina que les intrus avaient à peu près son âge, sans doute des étudiants en vacances. Ils étaient très probablement inoffensifs, pourtant il avait envie qu'ils s'en aillent. Il ne souhaitait pas être vu par un autre être humain. La batterie de son téléphone portable était morte, donc à ce qu'il en savait la police devait avoir lancé une chasse à l'homme, à la recherche de Wilson porté disparu et de l'Indien conducteur d'hydroglisseur avec lequel on l'avait vu en dernier.

C'était la troisième nuit que Sammy Queue de Tigre épiait les inconnus et il avait finalement arrêté un plan. Les effrayer pour les éloigner serait facile ; deux, trois coups de fusil tirés au-dessus de leurs têtes de visages pâles feraient l'affaire. Mais il lui fallait d'abord voler un canoë, petit larcin qui exigeait du cran et de la patience.

Il s'étendit derrière une dune pour faire un somme, en attendant que les campeurs tombent comme des mouches. Il s'imagina être son arrière-arrière-arrière-grand-père, traquant le général Jesup ou ce porc de Zachary Taylor. Feu Wilson, le touriste, vint sonner le glas de ses rêves de grandeur. Un charognard sous-marin lui avait grignoté le lobe d'une oreille et des bernaches violettes lui avaient colonisé un morceau de cuir chevelu mis à nu.

— *Faut que tu me rendes un service, mec,* lui dit le fantôme de Wilson.

— Quel genre de service ?

97

— *Je veux que tu me déplaces.*

— C'est pas drôle, fit Sammy Queue de Tigre.

— *Tu veux bien retirer mon corps de cette rivière, s'il te plaît ? Allez, mon pote, il y fait tellement froid la nuit, bordel. Emmène-moi quelque part au sec.*

— Non, mon vieux, j'peux pas.

— *Quelque part où il y ait pas de requins.*

Dégoulinant d'algues, Wilson se tourna pour mieux révéler une excavation déchiquetée dans l'une de ses cuisses. Cette plaie livide était de la taille d'un saladier.

— *Nom de Dieu, que je déteste ces requins*, fit-il.

Sammy Queue de Tigre lui assura qu'il n'aimerait pas davantage les urubus.

— C'est tout ce que vous récolterez en terrain sec. Des vautours et des fourmis rouges.

— *Mais au moins je me les gèlerais pas. Au moins je pourrais pourrir et tomber en poussière à la chaleur du soleil.*

Le fantôme de Wilson agita gaiement ses ancres, qui rendirent un son métallique.

— *Allez, qu'est-ce qu't'en dis ?*

L'Indien éprouva un pincement de remords, ce qui était ridicule. Le visage pâle, mort et bien mort, n'éprouvait aucun inconfort ; seul son fantôme se révélait un emmerdeur de première.

— J'ai pas de temps à vous consacrer. Faut que je m'occupe de ces jeunes.

— *Sors-moi de cette saleté de rivière. C'est bien le minimum que tu puisses faire*, l'implora le fantôme dans son rêve. *On accorde bien une dernière volonté aux condamnés, non ?*

— Seulement dans les films, répondit le Séminole.

Wilson grommela.

— *On en reparlera plus tard, toi et moi.*

Feu le touriste disparut. Sammy Queue de Tigre ouvrit les yeux et se leva. Il jeta un regard par-dessus la crête de la dune, vers le campement des étudiants tapageurs.

L'un des mythes de l'office de tourisme concernant les Everglades veut que les insectes disparaissent pendant toute la durée de l'hiver. Or, ces nuits douces peuvent être infernales et Sammy Queue de Tigre se retrouva quasiment enseveli sous des nuées de moustiques et de mouches des sables affamés. Ayant bêtement oublié de s'asperger d'insectifuge, il ne put que rester à son poste et accepter le harcèlement de leurs aiguillons.

Pour garder une vue claire et dégagée de la plage, il balaya de l'un de ses bras, en essuie-glace, la horde zonzonnante. Démoralisé, il remarqua avec envie que la chaleur du feu de camp semblait protéger les étudiants de ces essaims en maraude et, si tel n'était pas le cas, alors ils étaient trop pafs et/ou défoncés pour prendre garde aux piqûres. Sammy Queue de Tigre se demandait dans combien de temps ses paupières et ses narines enfleraient et se boucheraient. Il se demandait aussi ce que les chefs Micanopy, Jumper ou Sam Jones (Abiaka, en réalité) auraient fait dans la même fâcheuse et lamentable posture que lui. Un jour, il avait demandé à son oncle s'il existait une potion séminole secrète pour éviter les insectes et son oncle lui avait conseillé de rouler jusqu'à la pharmacie CVS de Naples et d'y acheter la plus grosse bombe de Cutter Spray qu'il puisse trouver.

Le feu de camp commença à décliner, la fiesta aussi. Le vacarme du ghetto-blaster s'éteignit et, l'un après l'autre, les étudiants titubèrent de fatigue. Quelques instants après que le dernier eut succombé, Sammy Queue de Tigre se dégagea des choux palmistes. Le fusil en main, il se dirigea vers la plage où s'alignaient les canoës. Il choisit celui couleur mandarine et le remit d'aplomb en silence, éparpillant boxer-shorts et autres bas de bikini.

— Emmenez-moi avec vous, lui dit une voix sortant de l'ombre.

Sammy Queue de Tigre pivota sur lui-même et leva son fusil.

— Tirez pas, fit la voix.

— Approchez-vous, chuchota l'Indien d'une voix rauque.

C'était l'une des étudiantes. Elle avait des cheveux châtains en bataille et de grands yeux verts, du sable collé sur le menton et sur le nez pour avoir roupillé face contre terre sur la plage. Elle portait une banane à la taille et un sac de couchage froissé, jeté sur ses épaules, l'enveloppait comme une couverture. Elle rappela à Sammy Queue de Tigre son ex-petite amie Cindy, sauf que celle-ci avait une plus belle peau. Les joues de l'étudiante étaient zébrées de marques enflammées cramoisies.

— Emmenez-moi, répéta-t-elle.

Sammy Queue de Tigre abaissa son arme.

— Partez avant d'être blessée.

— Le type avec qui je suis, il est tellement naze.

Elle fit un mouvement de tête vers le feu de camp.

— Il a apporté des capotes avec Bob l'Éponge et Monsieur Crabe au bout. Il me sort des présos de dessin animé et il pige pas pourquoi je refuse de baiser avec lui. C'est quoi votre nom ? Moi, c'est Gillian.

— Asseyez-vous et taisez-vous, fit Sammy Queue de Tigre.

Il se remémora que des forces mystiques le mettaient à l'épreuve.

— Vous êtes un Indien ? lui demanda-t-elle.

Si ça lui fit plaisir qu'elle l'ait remarqué, il tâcha de ne pas le laisser voir. Il jeta un nouveau coup d'œil vers le campement pour s'assurer qu'aucun des autres jeunes ne s'agitait.

— Pourquoi je peux pas venir avec vous ?

— Je vous ai dit de vous taire.

Sammy Queue de Tigre empoigna la proue du canoë et entreprit de le faire glisser vers l'eau.

— Ça, c'est pas des boutons, dit Gillian, en montrant ses joues. Mais des piqûres de moustique. Je fais de l'allergie.

— Fermez-la, s'il vous plaît.

— Écoutez, je suis une Séminole, moi aussi !

Avec un sourire espiègle, elle se débarrassa du sac de couchage

100

pour exhiber fièrement un sweat-shirt gris informe, frappé de FSU[1] en grandes lettres bordeaux, sur le devant.

C'en était trop pour Sammy Queue de Tigre. Il lâcha le canoë, s'approcha de la fille et lui effleura le cou de la main pour s'assurer qu'elle n'avait rien d'un fantôme. Sa peau était chaude au toucher et elle sentait la bière éventée et la marijuana.

— La fac, c'est la barbe, fit-elle.

— Pas mon problème.

— Je prépare un diplôme d'institutrice. Qu'est-ce qui a bien pu me passer par la tête?

— Vous ne vous arrêtez jamais de parler? lui dit Sammy Queue de Tigre.

Il poussa le canoë dans l'eau et pataugea derrière, fendant de la proue le léger clapotis. Il posa son fusil prudemment entre les sièges et s'apprêta à grimper.

— Où vous pensez aller? lui demanda Gillian.

— Trouver une nouvelle île.

— Ah ouais? Alors, vous pourriez avoir besoin de ça.

Elle leva la pagaie. Sammy Queue de Tigre fit la grimace.

— J'avais une coturne, celle qui m'a persuadée de choisir ma spécialité, dit Gillian. En dernière année, elle est partie pour son *spring break* à Panama City. Un soir, elle s'est bien torchée, vu? Alors, quand une équipe de *Girls Gone Wild* se pointe au bar paillote, la voilà qui saute sur une chaise et exhibe ses lolos. Elle était tellement sexe qu'ils l'ont mise dans la vidéo... *Girls Gone Wild* numéro six. Vous l'avez vue?

Sidéré, Sammy Queue de Tigre fit non de la tête.

— Après son diplôme, elle part enseigner en sixième là-bas à Delray Beach, vu? Pendant sa première semaine de boulot, un petit malin de mouflet apporte la fameuse vidéo en classe et la met à la place d'une autre sur la bataille de Gettysburg. Et ce

1. Florida South University. Pour comprendre ce passage et d'autres plus loin, il faut savoir que l'équipe de football de la FSU s'appelle Florida State Seminoles et que la tribu lui a donné solennellement son accord pour l'utilisation de son nom. *(N.d.T.)*

petit merdeux a onze ans à peine ! Qu'est-ce que vous dites de ça ?

Gillian était indignée.

— Bref, voilà ma coturne sur l'écran en train d'agiter ses nibards au vu et au su de tous ses élèves. Elle a été virée, vous le croyez, ça ? Et le gamin qui avait échangé la cassette, il s'en est tiré avec une simple colle !

— Donnez-moi cette pagaie, lui dit Sammy Queue de Tigre.

— Je veux être votre otage.

— J'ai pas besoin d'une otage. J'ai besoin de tranquillité.

Il pataugea vers la plage, le canoë en remorque derrière lui.

Gillian recula.

— Et si je me mets à hurler et que je réveille les autres ? T'auras assez de balles pour nous tous, Tonto[1] ?

Non, elle n'est pas comme Cindy, celle-là. Elle est bien pire, songea Samy Queue de Tigre.

— Montez dans le canoë, lui dit-il.

---

1. Compère indien, intelligent et laconique (ce qui est antinomique puisque *tonto* veut dire *bêta* en espagnol), du Lone Ranger, héros masqué, entre Zorro et Robin des Bois, d'un feuilleton radiodiffusé (années 30), puis télévisé (années 40-50). *(N.d.T.)*

7

C'était la déception qui actionnait les pistons vieillissants de Della Shreave Renfroe Landry : celle que lui avait infligée son père d'abord en liquidant prématurément sa retraite de Shell Oil pour l'investir jusqu'au dernier dollar dans la tristement célèbre DeLorean Motor Company, puis plus tard sa mère, en refusant de mettre au clou ses boucles d'oreilles de famille et d'envoyer Della dans une école privée, très en vogue chez les beaux gosses, fils de nababs du pétrole ; celle aussi que lui avaient fait connaître ses trois maris successifs, morts sans laisser Della délivrée de tout souci matériel. La déception encore d'avoir vu l'une de ses filles quitter la maison pour suivre un groupe de rock, du nom de Phish, avant d'épouser un avocat commis d'office, connu pour être démocrate et sans doute juif, alors que sa sœur, au lieu de mettre le grappin sur le premier neurochirurgien disponible au terme de ses études d'infirmière, s'était maquée avec l'OMS et avait mis le cap sur Calcutta.

Et enfin la déception — corrosive et insondable, celle-là — d'avoir un fils unique qui, à trente-cinq ans passés, avait échoué à se distinguer tant sur le plan professionnel que social, se montrant dépourvu, au regard endurci de Della, du moindre gramme d'ambition.

— Me dis pas qu'on t'a encore fichu à la porte, lui dit-elle pendant qu'il s'attablait en face d'elle.

— En fait, j'ai obtenu une promotion, répondit Boyd Shreave avant de s'adresser en ces termes au serveur : Je vais prendre le sandwich au poulet jamaïcain avec un supplément mayo.

Della le fusilla d'un œil noir.

— Tu cherches à me faire vomir ? Un supplément mayo ?

— Qu'est-ce qui t'a fait croire qu'on m'avait viré ?

— Pasque les seules fois où tu daignes déjeuner avec moi, c'est pour m'annoncer des nouvelles pourries de chez pourries en n'ayant pas envie que j'en fasse tout un plat. Tu sais fichtrement bien que j'élèverais jamais la voix dans un restau.

Boyd Shreave haussa les épaules.

— La dernière fois, tu m'as traité de merdeux et de gros tas de flemme.

— Oui, mais sur un ton mesuré.

Della remua son maxi-Coca light avec une paille.

— Alors, c'est quoi ta promotion ? Chef adjoint de harcèlement téléphonique ?

— Responsable du service, mentit Boyd gaiement.

Même les railleries de sa mère n'auraient pu gâcher sa bonne humeur radieuse. Il allait s'envoler au loin avec Eugénie Fonda !

— Y a une augmentation à la clé ou c'est simplement pour la gloire ? bougonna Della.

— Deux cents de plus par semaine et un meilleur taux de commission.

Boyd Shreave fut ravi de constater que sa mère était désarmée par son succès fictif.

— Devine quoi encore, fit-il. J'ai battu le record d'obtention de prospects sur l'ensemble des démarcheurs, le mois dernier, si bien que Sans Trêve Ni Relâche m'offre un séjour en Floride aux frais de la princesse.

Della le scruta, suspicieuse.

— Où ça, en Floride ?

— Un endroit appelé les Dix Mille Îles.

— Jamais entendu parler. Combien d'îles, t'as dit déjà ?

— Des milliers. C'est exactement comme les Bahamas, répondit Boyd Shreave.

C'était ce que lui avait dit la télémarketeuse et ce qu'il croyait.

Della enchaîna d'un ton nostalgique : « Avec ton père, on a passé notre lune de miel à Nassau. J'ai tellement aimé ça que j'ai fait en sorte que tes deux beaux-papas m'y emmènent, eux aussi. »

Avec horreur, Boyd Shreave comprit que sa mère envisageait de l'accompagner.

— J'aimerais bien t'emmener mais on ne m'a donné qu'un seul billet, lui dit-il fermement.

— Et tu pourrais pas m'en payer un autre ? Maintenant que tu as obtenu cette si grosse augmentation ?

Shreave sentit la sueur tremper son col.

— Maman, c'est la boîte qui régale, c'est un « junket », tu vois. Je peux même pas faire suivre Lily.

Della Shreave Renfroe Landry grogna dans sa barbe et tendit la main vers les *soup crackers*.

— Boyd, tu baises quelqu'un à ton boulot ?

Il se raccrocha au bord de la table.

— *Quoi ?*

Sa mère rongeait l'emballage cellophane des crackers.

— Oh, ça va, fit-elle. Qui distribue des vacances où l'on ne peut emmener ni sa femme ni même sa mère ? À ce que j'en sais, tu pourrais te tirer avec une pouffiasse débile du centre d'appels.

Boyd Shreave fut interloqué de s'entendre répondre : « C'est pas une pouffiasse, elle fait partie de la famille Fonda. »

Della recracha un demi-biscuit salé sur ses genoux.

— Une cousine de Jane, ajouta Shreave.

Sa sortie impulsive et candide rendit la chose officielle : tel un lézard, il venait d'abandonner son ancienne peau. Il eut envie de danser sur la table.

— Ça n'a rien de *rigolo*, fit sa mère, la respiration sifflante.

105

Elle n'arrivait pas à s'imaginer son fils, démotivé chronique, sous les traits d'un coureur de jupons.

— Si tu le dis à Lily, fit Shreave, je te le pardonnerai jamais.

Le serveur leur apporta les sandwiches. Della se nettoya et fit :

— Bon, cette fille ressemble à Jane, *au moins* ?

— Davantage à Bridget. Seulement en plus grande.

— T'as une photo ?

Il fit non de la tête.

— Je pensais ce que je viens de dire... si jamais tu me balances, tu le regretteras. Chacun a ses sales petits secrets.

Della n'avait pas besoin que son fils lui fasse un dessin. Elle avait trompé Frank Landry, son dernier mari, avec l'un des employés de l'hospice, qui s'était occupé de lui pendant ses tout derniers jours. Si l'épisode venait à être connu, il encouragerait certainement les grands enfants de Landry, très portés sur la chicane. Il y avait encore quelques poignées de dollars qui traînaient, en attendant l'homologation du testament, auxquelles Della n'avait nul désir de renoncer.

— Bien entendu je n'en soufflerai mot. Mais, soyons sérieux, Boyd, qu'est-ce que tu vises avec ce truc-là ?

— À être heureux, maman. Quoi d'autre ?

Il mordit dans son poulet jamaïcain puis lui sourit, des perles de mayonnaise luisant sur son menton.

Pendant que Fry récurait les kayaks, Honey Santana s'attela à la rédaction d'une lettre adressée au *Marco Island Sun Times* à propos de la mésaventure arrivée à Louis Piejack. L'un des anciens thérapeutes d'Honey lui avait conseillé d'agir ainsi chaque fois qu'elle se mettait dans tous ses états. Le thérapeute en question avait précisé que l'écriture était une façon saine et acceptable par la société d'exprimer sa colère.

Jusqu'ici, Honey avait eu quarante-trois lettres publiées dans treize journaux différents, y compris le *Naples Daily News*, le *Sarasota Herald Tribune* et le *St. Petersburg Times*. Une fois, l'une de ses lettres à propos des forages pétroliers en Alaska avait failli paraître dans *USA Today*. Mais le comité de rédaction avait élevé une objection à l'encontre de l'une de ses phrases, où elle suggérait qu'on avait dû laisser tomber l'actuel Président, enfant, sur la tête.

Honey conservait des recueils de toutes ses lettres aux journaux, y compris les cent sept qui avaient été mises au panier. Parfois, elle se sentait mieux après en avoir rédigé une ; parfois, ça ne faisait aucune différence.

> *Au rédacteur en chef,*
>
> *Suite à l'article paru en première page aujourd'hui, concernant la sauvage agression qu'a subie Mr Louis Piejack, je suis entièrement d'accord : ceux qui ont perpétré un tel acte doivent être poursuivis et traduits en justice.*
>
> *Cependant, en tant qu'ancienne employée de Mr Piejack, je me sens obligée de souligner que son comportement a quelquefois frôlé de peu les voies de fait, en particulier dans sa façon de traiter les femmes. J'ai été moi-même victime de harcèlement physique et verbal de la part de cet individu, bien que ses ennuis actuels ne me procurent aucun plaisir.*
>
> *Peut-être que, durant son long et douloureux rétablissement, Mr Piejack se livrera à une introspection sévère et se résoudra à changer d'attitude. Quant au malencontreux imbroglio, survenu lors de la réimplantation chirurgicale de ses doigts, Mr Piejack devrait se féliciter de les posséder encore tous les cinq, peu importe dans quel ordre, étant donné les endroits où il les a fourrés.*
>
> *Sincèrement vôtre,*
>
> *Honey Santana*
> *Everglades City*

Elle glissa la lettre dans une enveloppe et y colla trois timbres tarif rapide, même si elle n'avait que cinquante kilomètres à parcourir.

Fry entra et s'affala devant la télévision.

— Tu as demandé à ton ex-père s'il peut t'héberger ? lui demanda Honey.

Son fils lui décocha un regard noir pour toute réponse.

— Pardon, je voulais dire ton « père », corrigea-t-elle.

— Pas encore, mais je le ferai, dit Fry.

— Précise-lui bien que c'est seulement pour quelques jours.

— Calmos, maman, tu veux ? Ça sera pas un souci.

À l'heure des infos régionales, Honey s'assit près de son fils pour les regarder. Le reportage principal était consacré à une marée rouge qui avait tué des milliers de poissons, dont la majorité avait eu l'inconvenance de venir s'échouer et pourrir sur la plage publique de Fort Myers. Face à des estivants au bord de l'apoplexie, l'office de tourisme avait déclenché en catastrophe le niveau 3 d'alerte militaire[1]. Un panoramique montrait sur des hectares de sable des carcasses de poissons boursouflées, tandis que des touristes pâlichons fuyaient à toutes jambes, une serviette éponge pressée sur le nez.

— Regarde ça, un vrai festival des fruits de mer de l'enfer ! s'exclama Fry.

Sa mère tiqua.

— C'est pas drôle, jeune homme. On est en train d'empoisonner notre sacro-sainte planète, au cas où tu t'en serais pas aperçu.

Comme Fry n'avait pas envie de la voir partir au quart de tour, il se tut.

Le dernier reportage des infos concernait la disparition d'un représentant du Wisconsin du nom de Jeter Wilson. Après avoir fait la fête un soir au Hard Rock Casino, il avait annoncé qu'il se rendait seul en voiture dans la réserve séminole de Big Cypress Swamp. La famille de Wilson, là-bas à Milwaukee, n'avait plus eu de nouvelles de lui depuis des jours et on craignait qu'il ne se soit assoupi au volant et n'ait précipité son véhicule de location quelque part dans le canal longeant Alligator Alley. Des recherches étaient en cours, et entre-temps le Hard Rock avait

1. Au nombre de cinq. Jusqu'à présent, seul le niveau 3 a été utilisé au moment du 11 septembre 2001, c'est tout dire… *(N.d.T.)*

fourni une photographie du disparu, prise au bar de l'hôtel. Sur le cliché, l'ample giron de Jeter Wilson était occupé par une femme à bouche lippue, en débardeur pailleté bleu, que le journaliste télé qualifia de « masseuse locale à temps partiel ».

— Quel genre de touriste à la con filerait tout droit du casino dans une réserve indienne ? dit Fry.

— C'est un représentant, fit Honey Santana. Il voulait sans doute leur vendre quelque chose... comme si on avait pas fait assez de mal à ces pauvres Séminoles.

— Pauvres ? Ils se font des couilles en or avec le jeu.

Honey tapa sur la tête de son fils, lui ordonnant d'entrer le nom d'Osceola dans Google et de lui écrire un essai de quatre cents mots sur ce qu'il apprendrait. Puis elle enfila un jean coupé aux genoux et sortit attendre les moustiques de pied ferme.

Elle menait une expérience, fondée sur un renseignement fourni par le caissier de nuit du Circle K, un aimable vieux monsieur qui avait grandi à Goodland, lieu dit de Marco Island. Quand Honey lui avait parlé de son projet d'écotour, l'homme lui avait conseillé d'emporter en masse de l'antimoustiques au cas où le vent tomberait et la température se réchaufferait, ce qui pouvait arriver même au cœur de l'hiver. Il lui avait aussi recommandé de ne plus se raser les jambes, en lui expliquant que les follicules pileux servaient d'obstacle naturel aux insectes affamés.

Honey n'avait jamais entendu parler de cette théorie. Ayant la faiblesse d'être quelque peu fière de ses jambes, qui lui valaient souvent des sifflets admiratifs quand elle faisait du jogging le long du causeway, elle rechigna à relâcher ses habitudes de toilette. En outre, il était possible que le type du Circle K la fasse marcher, qu'il ne soit au fond qu'un vieux croûton dégénéré porté sur les femmes poilues.

Cependant, Honey ne pouvait pas ignorer son conseil aussi sommairement. Elle avait entendu assez de folklore sur la férocité des moustiques des Everglades pour désirer mettre tous les atouts de son côté quand elle sillonnerait en kayak les Dix Mille Îles avec Boyd Shreave.

Aussi, pour tester scientifiquement la chose, elle avait décidé de laisser pousser ses poils sur la jambe droite et d'observer la réaction des insectes. Assise pieds nus sur les marches de son mobile home, elle gigotait des orteils pour les appâter. Sur les pages jaunes d'un grand carnet, elle nota que c'était le crépuscule, qu'il régnait un calme plat et que la température de l'air, des plus douces, avoisinait les vingt-trois degrés. Le pont de *Breakdown*, une chanson de Tom Petty, tournait en rond dans sa tête, même si elle ne le consigna pas dans son journal de bord.

Le premier moustique se montra à six heures six du soir et se posa sur le genou gauche d'Honey, où elle l'écrasa. Bientôt, un second arriva, puis tout un bataillon aéroporté. Quand Fry émergea de la caravane avec son essai, les jambes bronzées d'Honey étaient maculées de traînées noires et rouges.

Le visage pincé d'inquiétude, Fry scruta sa mère dans la lumière projetée par la porte ouverte. Elle lui parla avec passion de son expérience et lui déclara :

— Tu vois, il n'y a aucune différence statistique, merde ! Onze piqûres sur la jambe rasée et onze sur celle qui ne l'est pas… je tiens un tableau comparatif.

Son fils opina, mal à l'aise.

— Mais peut-être que je devrais attendre, fit Honey, se passant deux doigts sur le tibia droit. C'est encore du duvet pour l'instant. Peut-être qu'il faut que ça pousse dru et frisé pour que ça marche.

Fry lui tendit son devoir sur le chef Osceola. Puis rentra avant de ressortir avec une serviette qu'il avait trempée d'eau chaude au robinet de la cuisine. Pendant qu'Honey lisait son essai, il essuya les cadavres de moustiques sur ses jambes.

— Maman, rentrons. Faut qu'on parle, dit-il.

— C'est tout à fait bien, fit Honey en tapotant de l'ongle les pages qu'il avait rédigées. Sauf que tu n'as pas écrit Jesup correctement. Son nom ne prend qu'un *s*.

— Je corrigerai ça plus tard. Qu'est-ce que tu dirais de dîner ?

— Tu as laissé de côté l'épisode où on vole la tête d'Osceola après sa mort. Et tu ne cites pas non plus ce médecin de l'armée qui l'avait gardée dans son jardin dans un bocal et la sortait pour faire peur à ses gosses.

— Est-ce que tu inventes tout ça ? Parce que c'est incroyable comme c'est tordu, dit Fry.

— Je n'invente rien !

Honey Santana frappa les pages de l'essai qu'elle tenait à la main. Son fils comprit qu'elle disait la vérité.

— Maman, tu es à nouveau tendue comme un ressort. Peut-être que tu devrais aller revoir le docteur.

Elle sourit en s'étirant comme une chatte.

— Oh, mais je vais parfaitement bien, fit-elle. T'es partant pour une pizza ? J'ai un bon quelque part.

Dealey était las de l'affaire Shreave. Il avait rempli son contrat, prenant ce glandu sur le fait. Il avait envie maintenant de viande fraîche à se mettre sous la dent.

— Faites-moi confiance. Votre mari ne vous causera aucun souci pour le divorce, assura-t-il à Lily Shreave. Une fois qu'il aura vu ce que vous avez contre lui, il signera tout et n'importe quoi.

— J'en veux plus, Mr Dealey, fit-elle.

— Mais pourquoi ? J'ai rassemblé pour vous notes de restau, tickets de caisse de fleuristes, photos A4 et vidéos.

Dealey avait du mal à contenir son exaspération.

— Vous m'avez dit que les photos de la pipe ne suffisaient pas. Vous désiriez un «document montrant qu'il y avait véritablement eu rapport sexuel», je vous ai obtenu ça aussi... et sur bande, bon Dieu de bon Dieu ! Que vous faut-il de plus, Mrs Shreave ?

— Une pénétration, lui répondit-elle.

Dealey attendit qu'elle pouffe en lui disant qu'elle blaguait, c'est tout. Quand il devint clair qu'elle était sérieuse, il ferma la porte de son bureau afin de ne pas scandaliser son assistante, qui avait rencontré Dieu tout récemment.

— La vidéo que vous avez faite est bien, lui dit Lily Shreave. Mais je veux quelque chose d'irréfutable à cent pour cent.

— Pardon ? Je vous ai amené une femme à poil qui se frotte à votre mari sur le canapé de son salon et vous venez me dire que ce n'est pas une preuve d'adultère ?

Dealey avait son pourcentage de clients barjos mais Lily Shreave innovait. En la matière, c'était une pionnière.

— Je tuerais père et mère pour être au tribunal, fit-il, quand Boyd le Baiseur essaiera d'expliquer cette petite scène. « Je vous le jure, monsieur le président, ce n'est pas ma petite amie. Mais une chiropraticienne du bassin. »

— Oui, mais sur la vidéo, tout ce qu'on voit de lui en réalité, c'est sa nuque, fit observer Lily.

— La dame le met carrément K.-O. avec ses nichons, Mrs Shreave ! Dans mon boulot, on fait rarement mieux. En dix-sept ans de carrière, j'ai jamais vu une cassette de cette qualité, affirma-t-il, pas qu'un peu fier.

Lily Shreave s'était repassé la vidéo encore et encore pendant sa dernière visite au bureau de Dealey. Il la revoyait assise inhabituellement près de l'écran… ni en colère ni en larmes, mais penchée, avec une attention studieuse. Sur le coup, Dealey avait jugé ça un poil glauque.

— C'est dans la poche, Mrs Shreave, fit-il. Demandez à n'importe quel avocat des divorces du Texas.

Lily ne fut pas ébranlée.

— J'aimerais mieux une pénétration, fit-elle, catégorique. Ça serait une preuve flagrante.

— Non, un vrai miracle, merde, dit Dealey. Et je sais de quoi je parle.

— Je suppose que je pourrais trouver un autre détective.

— Et je le comprendrais parfaitement.

112

Il fit glisser sa facture à la surface du bureau.

— Ça comprend l'essence et les frais.

Tout en lui rédigeant le chèque, l'épouse de Boyd Shreave lui dit :

— Vous ne m'avez jamais dit si cette traînée était une vraie Fonda.

— Pas même éloignée. Aucun lien de parenté, répondit Dealey. Ça figure dans mon rapport.

— Juste. Un de ces jours, faudra que je le lise.

Lily sortit de son sac un tube de baume mentholé et s'en appliqua une couche protectrice sur les lèvres.

Dealey consulta sa montre.

— Mrs Shreave, j'ai un rendez-vous à l'autre bout de la ville.

— Dix mille dollars si vous m'obtenez une pénétration comme preuve, dit-elle en fermant son sac.

— C'est de la folie pure.

— En liquide, ajouta-t-elle.

Dealey se rassit lentement. Cette femme, visiblement, prenait son pied à regarder son époux faire la chose avec une autre. Une fois, un mari avait engagé Dealey parce qu'il s'éclatait de la même façon, sauf qu'il n'y avait pas eu dix mille dollars à la clef.

— Alors ? dit Lily Shreave.

Dealey médita sur l'insignifiance peu appétissante de son affaire suivante : un pompier, ayant déclaré s'être blessé à l'épaule en arrosant au jet un minibus Airstream en flammes, faisait maintenant ses trente-six trous quotidiens au golf, alors qu'il était en congé d'invalidité. L'assureur expert de la ville avait manifesté un intérêt certain pour des planches contact ou une cassette vidéo.

— Réfléchissez-y, Mr Dealey, fit Lily. Vous réussissez ce coup-là, vous devenez une légende dans votre partie.

— Mais sur le plan logistique, ce serait... ce serait...

— Un triomphe ?

— Un calvaire, fit le privé. Autant que vous le sachiez, je ne pratique pas l'effraction de domicile et je ne me déguise pas. Ce

113

qui veut dire que je dois inventer un autre moyen d'introduire secrètement une caméra dans l'appartement de la dame.

— Pas nécessairement, reprit Lily. Pas plus tard que ce matin, mon mari m'a appris que sa société l'envoie en Floride se faire soigner d'une maladie rare du nom d'aphenphosmphobie.

Dealey tiqua.

— Merdouille. C'est mortel ?

— Si seulement, reprit la femme de Boyd Shreave. C'est la peur d'être touché. Et comme nous le savons tous deux, grâce à votre excellent travail de surveillance, mon époux n'a pas la moindre crainte d'être touché. Ni sucé, baisé ou câliné, par-dessus le marché.

— Donc, c'est du pipeau.

— Il y a plus : Boyd s'est fait virer depuis plusieurs jours du centre d'appels. Il était sorti s'envoyer Miss Fonda quand son patron l'a appelé pour demander où poster son dernier chèque de paie... moins le coût de certaines fournitures de bureau dispa-rues.

— Mr Shreave ne se doute pas que vous savez tout ?

— Non, c'est lamentable. Je lui ai donné toute la longueur de corde pour se pendre, fit Lily. Le seul truc sur lequel il ne mente pas, c'est son départ en Floride. Une amie à moi travaille dans une agence de voyages... après vérification par ordinateur, elle a découvert une réservation au nom de Boyd pour un vol à desti-nation de Tampa. Devinez qui occupera le siège près du sien.

— Et où les heureux tourtereaux résideront-ils ?

— Aucune idée. Mais pour dix mille dollars, je parie que vous trouverez.

Lily se leva et se dirigea vers la porte.

— Un instant, fit Dealey. Qu'attendez-vous de moi au juste... que je me cache dans le placard de leur chambre de motel ? La chose que vous me demandez, Mrs Shreave, néces-site certains préparatifs. Sans parler du facteur chance.

Lily lui dit de se louer un porno ou deux s'il avait besoin de tuyaux sur la prise de vues.

— Mais il s'agit d'acteurs. Ils se moquent totalement qu'un inconnu armé d'un caméscope s'accroupisse entre leurs jambes, objecta Dealey.

— Vous trouverez bien quelque chose.

Là-dessus, Lily sortit du bureau.

Dealey, qui ne se rappelait pas avoir accepté son offre, la suivit de près.

— C'est dix mille dollars, plus les frais, hein ?

— Si vous m'obtenez une pénétration, oui. Absolument.

— Et dans le cas contraire ?

— Ben, vous aurez fait un voyage à l'œil en Floride, fit la femme de Boyd Shreave. Ce qui n'est pas une si mauvaise affaire, non ?

8

Sammy Queue de Tigre assurait comme un chef jusqu'à ce que la dénommée Gillian s'avise de tripoter sa guitare. C'est à ce moment-là qu'après avoir dénudé une branche de chou palmiste, il en tressa les feuilles en une corde dont il lui lia les poignets aux chevilles. Bizarrement, elle ne lui opposa aucune résistance.

— T'es pas fringué comme un Indien, observa-t-elle pendant qu'il attachait solidement les nœuds. Vachement sympa, ta tenue.

— Vous êtes pas au courant ? On est tous plus riches que Donald Trump à l'heure qu'il est.

Il se remit à ranger ses affaires dans le canoë volé.

— J'ai eu un petit copain qui jouait dans un groupe de rock. Il avait une Gibson, lui aussi, dit Gillian. Pas aussi cool que la tienne. Son groupe s'appelait The Cankers[1]. Grosso merdo, ils faisaient des reprises de Bizkit et de Weezer. Tu sais quoi d'autre ? Il avait un piercing à ses machins-trucs-choses.

— Attention, lui dit le Séminole.

— À la peau de ses bourses. Ils en avaient tous un... c'est le bassiste qui avait lancé la mode.

Sammy Queue de Tigre s'accroupit juste en face d'elle.

---

1. C'est-à-dire Les Chancres. (N.d.T.)

116

— Si vous continuez avec cette histoire, lui dit-il. Je vous abandonne ici avec les vautours.

Gillian se tortilla comme un ver.

— Tu me fais pas peur, lui dit-elle.

Mais elle n'en laissa pas moins tomber le sujet de son ex-petit copain aux parties piercées.

— Bon, où tu m'emmènes ?

Sammy Queue de Tigre ne lui répondit pas car il n'en savait rien. Il la bâillonna d'une paire de chaussettes de sport roulées en boule et l'emporta jusqu'au canoë, fourré parmi les mangroves. Puis il ramassa son fusil et retraversa l'île au petit trot.

À la clarté de la lune, il nota que les amis de Gillian dormaient là où ils étaient tombés, pas très loin du feu de camp mourant. Sammy Queue de Tigre leva le fusil et tira une fois en l'air au-dessus de la plage. Puis il battit prestement en retraite sous le couvert des arbres. À peine entendit-il des voix qu'il lâcha deux nouveaux coups de feu.

À présent, les étudiants étaient tous sur pied, se bousculant en hurlant pour rassembler leurs affaires. Une voix masculine appela Gillian par son nom, imitée bientôt par d'autres. Le Séminole lâcha une autre salve, alors les jeunes se turent en se hissant tant bien que mal à bord des canoës restants.

Sammy Queue de Tigre attendit qu'ils soient hors de vue et de ne plus les entendre pagayer avec frénésie. Puis il s'avança jusqu'au bord de l'eau et resta planté là, à écouter le bruit des vagues tout en tentant de décider de la suite des opérations. Gillian avait bousillé son plan dans les grandes largeurs. Ses amis, de retour à Chokoloskee, raconteraient à la ronde qu'un tireur isolé les avait chassés de l'île et que Gillian avait disparu. On enverrait avions et hélicoptères à la recherche du canoë mandarine qui — Sammy Queue de Tigre en prit conscience avec morosité — ressortirait telle une torchère sur l'eau couleur de thé des *creeks*.

Il s'empressa de retourner à l'endroit où il avait laissé la fille. Elle s'était débrouillée pour descendre du canoë, mais il la retrouva non loin de là, grognant et se débattant dans les man-

117

groves. Il la traîna en peinant jusqu'à une petite clairière où il trancha ses liens, lui ôta les chaussettes de la bouche puis nettoya les égratignures de ses tibias et de ses bras.

— Arrêtez de pleurer, lui dit-il.

— Tu as tué mes amis ! J'ai entendu les coups de feu.

— Vos amis vont bien. Je me suis contenté de les effrayer pour qu'ils partent.

— Et moi, qu'est-ce que je deviens là-dedans ?

Gillian s'essuya les yeux avec une manche de son sweat-shirt.

— Ils m'ont laissée pourrir ici, comme ça ?

— Je leur ai fichu la trouille en tirant.

— Et Ethan ? Le mec avec qui j'étais ? Je parie qu'il s'est cassé en courant sans même regarder derrière lui.

— Vous me rappelez mon ex-copine, la dernière, dit Sammy Queue de Tigre.

Gillian renifla puis sourit.

— Ah ouais ?

— C'est pas un compliment. Enlevez cette saleté de sweat-shirt.

— Pas question, je me gèle.

Il ouvrit son sac marin, en sortit un pull gris en polaire qu'il lui lança. Elle retira à contrecœur son sweat-shirt FSU.

— Filez-le-moi, lui dit Sammy Queue de Tigre.

— Je vois pas pourquoi ça te fout autant les boules. C'est qu'un nom, rien d'autre, fit-elle en zippant le polaire. Genre les Atlanta Braves.

Dégainant un couteau de chasse, il taillada le sweat-shirt. Gillian en resta bouche bée.

— Ce n'est pas qu'un nom, fit Sammy Queue de Tigre. Vous avez une petite idée de ce que votre peuple a fait à ma tribu ?

— On se calme, O.K. ? lui dit Gillian sans quitter le couteau des yeux. C'était pas mon peuple. Le mien était là-haut dans l'Ohio.

— Ouais, en train de baiser la gueule aux Shawnees et aux Chippewas.

Sammy était déprimé de penser que cette écervelée serait bientôt institutrice. Ça confirmait son point de vue : à chaque nouvelle génération, les visages pâles dégénéraient davantage.

Il rengaina son couteau et lui dit de prendre place dans le canoë.

— On se tire d'ici, lui dit-il.

— On peut pas attendre le lever du soleil ? Et si jamais on chavire ?

Gillian se claquait sans succès contre un moustique.

— D'après Ethan, ça grouille de requins dans le coin. Il prépare un diplôme de biologie marine. Ma meilleure amie est fiancée à son coturne. Enfin, c'est tout comme.

— Je vais compter jusqu'à trois.

Elle tiqua.

— Tu veux que je la ferme, je vais la fermer.

Sammy Queue de Tigre savait que c'était idiot de l'emmener. Si elle restait sur l'île, la patrouille maritime ou les garde-côtes la retrouveraient dans les heures qui suivraient le signalement de sa disparition par ses amis. Elle serait affamée, souffrirait de coups de soleil, mais serait indemne…

À moins que les autres jeunes n'aient des difficultés à retourner vers le continent. Dans ce cas, plusieurs jours pourraient s'écouler avant qu'on ne localise Gillian. À ce moment-là, salement mise à mal par les insectes, elle serait en état de déshydratation avancée, non pas que Sammy Queue de Tigre aurait dû s'en soucier.

Et pourtant, il s'en souciait… pas beaucoup, mais suffisamment pour être mal à l'aise. Il se sentait pourri de sentimentalisme, ce dont il rejetait la faute sur son sang corrompu de métis.

Il pagayait dans l'obscurité aussi vite qu'il le pouvait, le canoë glissant sous un clair de lune faiblard. Il vint à l'esprit de l'Indien que, puisqu'il n'avait aucune idée de là où il allait, il lui était impossible de se perdre au sens strict du terme. Au point du jour, il ferait halte dans l'île la plus proche, dissimulerait le canoë puis bâtirait un abri de fortune qui serait invisible depuis les airs.

La voix de Gillian s'éleva à l'avant.

— Comment je dois t'appeler ? Je veux dire, puisque tu veux même pas me dire ton nom.

— Thlocklo Tustenuggee, fit-il.

C'était le nom séminole de son arrière-arrière-arrière-grand-père.

— Thlocka *quoi* ? fit Gillian.

Sammy Queue de Tigre le reprononça, moins mélodieusement que la première fois. Depuis son retour dans la réserve, il s'était décarcassé pour maîtriser le dialecte traditionnel musko-gee.

— Oublie, marmonna Gillian.

— Queue de Tigre, dit-il entre deux coups de pagaie. C'est mon autre nom.

— Cool. J'aime bien les deux.

Le bout de la pagaie heurta quelque chose de dur sous la surface, faisant cahoter le canoë. Gillian poussa un cri de souris en disant : « Vas-y piano, mec ! »

Sammy Queue de Tigre jura entre ses dents tandis que la coque crissait en franchissant un banc d'huîtres immergé.

Quelques minutes plus tard, la fille lui dit :

— J'ai ramé pendant deux semestres.

— Quoi ?

— J'ai fait de l'aviron. On peut pagayer chacun son tour, lui proposa-t-elle. Sérieux. Ça me fera penser à autre chose qu'à ces saletés d'insectes.

— Pourquoi vous m'avez demandé de vous emmener ?

— Chais pas, Thlocko. Pourquoi tu m'as dit oui ?

Gillian éclata de rire.

— Je suis à moitié paf et complètement stone. Et toi, c'est quoi ton excuse ?

— Je suis faible, fit Sammy tout net.

Il pagaya plus fort et plus profond contre la marée.

— Alors, comme ça, je suis ta toute première otage ? lui demanda-t-elle.

120

Il songea à Wilson, le touriste.

— La première *vivante*, répondit-il.

— Très drôle.

— *Ugh*, fit-il. Moi, Peau-Rouge très drôle.

Honey Santana avait grandi à Miami, où ses parents tenaient une bijouterie, sur Coral Way. Elle avait trois grandes sœurs, chacune mariée à un urologue. Elles avaient franchi le causeway pour s'installer à Miami Beach. Honey était différente d'elles. Déjà enfant, elle étouffait en ville et s'y sentait désorientée. La foule lui donnait le tournis et la circulation la migraine.

Elle avait hérité de l'impatience de son père et du mauvais sens de l'orientation de sa mère, combinaison qui rendit ses années de conduite auto à l'adolescence exceptionnellement mouvementées. Le soir de son bal de fin d'études au lycée, le cavalier d'Honey se torcha à la tequila puis tomba dans les pommes, vautré sur elle et sur la banquette arrière spacieuse de la Lincoln Continental Mark IV de son père à lui. La rude tâche de piloter vers leurs pénates échut à Honey qui, ratant le tournant à Eighth Street, continua plein ouest sur la Tamiami Trail, jusqu'à atteindre la côte opposée de la Floride. Le cavalier d'Honey, qui par la suite devait devenir la star adulée d'un soap opéra latino à succès, reprit connaissance face à la vision irréelle d'Honey sautillant, pieds nus dans sa robe de bal bleu pâle, le long de la plage de Naples.

Pendant le trajet de retour à travers les Everglades, le jeune homme fit maintes pauses dégueulis. Le dernier de ces arrêts au stand eut lieu non loin d'un étang en forme de rein, dans lequel un gros alligator se goinfrait d'un gallinacé violet. Honey descendit de voiture pour regarder ce spectacle, bouche bée mais fascinée. Au bout d'un moment, elle revint à la Lincoln, où elle trouva son cavalier ronflant dans une flaque de son propre vomi. Elle entama une longue promenade méditative autour de l'étang, comptant trois alligators supplémentaires et cinq vieilles canettes de bière, qu'elle récupéra.

Un hurlement de freins s'éleva depuis la route. Honey se retourna et vit un pick-up traçant vers l'ouest s'arrêter en dérapage contrôlé, les pneus fumants. L'homme qui en descendit portait une chemise de flanelle foncée, une salopette claire et des cuissardes en caoutchouc. Il s'approcha d'Honey en lui demandant si elle allait bien. Puis, s'emparant des canettes de bière rouillées qu'elle tenait dans ses bras, il les lança une à une sur le plateau de sa camionnette.

Honey Santana oublia immédiatement le neuneu en smoking tombé dans les vapes dans la Continental.

L'homme aux cuissardes avait de larges épaules, les cheveux décolorés par le soleil, le visage couleur caramel. Honey le trouva d'une beauté rare. Il lui dit qu'il était pêcheur professionnel à Everglades City et aussi pompier volontaire. Il ajouta qu'il revenait de Dania chez lui, Dania où il avait acheté deux hélices neuves pour son crabier. Puis il lui dit qu'il s'appelait Perry Skinner.

— Perry, je peux vous emprunter un stylo, si vous en avez un ? lui demanda Honey.

Dans la console du pick-up, il dénicha un marqueur noir dont il se servait pour numéroter les caisses de pinces de crabe.

— Ça ira très bien, dit Honey.

Elle rejoignit la Lincoln et souleva le bras droit tout mou de son cavalier. Après avoir retiré le bouton de manchette en argent, elle retroussa la manche de chemise. À l'aide du marqueur noir, elle inscrivit le mot NAZEBROCK en capitales, du poignet du jeune homme jusqu'à son coude.

Perry Skinner, qui se tenait derrière Honey, lui dit :

— J'peux pas vous ramener chez vous. Je dois bosser demain.

— J'ai pas envie de rentrer chez moi, lui répondit-elle. Partout ailleurs que chez moi, ça serait délicieux.

— Écoutez, je suis marié, fit-il.

— Menteur.

Il éclata de rire.

— Qu'est-ce que vous en savez ?

Honey crocheta d'un doigt la ceinture de sa salopette.

— Voyez ça ? Vous avez loupé un passant en enfilant votre ceinture. Ma mère ne laisserait jamais mon père sortir de la maison comme ça. Aucune épouse... ni aucune petite amie non plus. Je vous parie dix dollars que vous vivez seul.

Skinner leva les mains en signe de reddition. Honey lui lâcha le pantalon.

— C'est quoi, votre nom ? lui demanda-t-il.

Honey le lui dit. Elle songea qu'il avait un sourire à tomber.

— Vous avez quel âge, Perry ?

— Vingt-neuf.

— Bon, moi, j'en ai que dix-huit et demi, fit Honey. Mais si je dois rester à Miami jusqu'à mon prochain anniversaire, je vais devenir complètement dingo. Promis juré.

Perry Skinner dit qu'il avait déjà vu ça arriver. Il ouvrit la portière passager du pick-up et elle monta.

— Vous ne m'avez même pas posé de question sur ma robe ridicule, fit-elle.

— Et vous, aucune sur mes cuissardes.

Trois semaines plus tard, ils étaient mariés.

En se garant devant la maison de son ex-mari, Honey Santana fut surprise d'apercevoir le skateboard de Fry sur le trottoir. La porte-moustiquaire était entrebâillée, aussi frappa-t-elle légèrement avant d'entrer. Tous deux étaient dans la cuisine, faisant mine de parler d'autre chose que d'elle. Honey ne fut pas dupe.

— T'as pas des devoirs à faire ? demanda-t-elle à son fils.

— Rien que de l'algèbre. Des équations du second degré, trop fastoches.

— Vas-y, dépêche.

Fry jeta un regard à son père pour obtenir un sursis. Mais Perry Skinner lui lança une pomme en lui disant : « On se voit à la réunion d'athlétisme, demain. »

Fry mit son sac en bandoulière, franchit la porte en traînant les pieds, puis s'éloigna en skate.

— Laisse-moi deviner, fit Honey. Il pense que je devrais retourner voir le psy.

— Sois heureuse d'avoir un gamin qui en ait quelque chose à battre, lui dit Skinner. Tu veux boire quelque chose ?

— Ça va bien, Perry.

— Une orange ?

— Non, je veux dire que je vais bien. Que je suis pas *zinzin*, précisa Honey. Fry s'en fait beaucoup trop, comme toi.

Skinner sortit sur la véranda et s'installa dans son rocking-chair. Honey le suivit mais resta debout.

— Il m'a dit que tu avais trouvé des kayaks qui convenaient, fit Skinner.

— Je ne suis pas vraiment venue pour parler de ça.

— Ni me dire merci non plus, j'ai l'impression.

Honey fut piquée.

— Ta gueule, lui dit-elle.

— Je meurs d'envie d'en apprendre davantage sur ces éco-tours. Où prévois-tu d'aller exactement ?

— Là-bas, dans les îles.

Elle agita la main vers la rivière.

— J'ai balisé tout le trajet sur la carte. Fais-moi un peu confiance, d'accord ?

Skinner sortit un joint et l'alluma.

— Oh, voilà qui est *poli*, dit Honey.

Skinner ignora son ton mordant.

— Chacun son médicament. À propos, Fry peut rester chez moi autant qu'il voudra.

— Quoi ?

— Il m'a dit que tu avais besoin de sa chambre pour ces amis qui viennent en ville.

— Ah oui, fit Honey. Merci.

— Tu vois, ça n'a pas été si pénible.

Elle laissa glisser. Puis observa un balbuzard pêcheur qui volait

124

en amont de la rivière, un poisson frétillant dans ses serres. Sous son crâne deux chansons étaient diffusées simultanément. On aurait dit un mélange de *Bell Bottom Blues* de Clapton qu'elle adorait et de *Karma Chameleon*, le tube de Culture Club, qui lui filait des crampes d'estomac. Honey ploya sous une vague de vertige bouillonnante.

— Ça va ?

Skinner se leva et la guida jusqu'au rocking-chair.

Elle attendit que le ghetto-blaster se taise sous sa boîte crânienne. Puis elle lui dit :

— Tu es au courant de ce qui est arrivé à Louis Piejack ?

— Bien sûr.

— Tu as engagé ces truands pour le tabasser ?

Skinner sourit.

— Et pourquoi je ferais une chose pareille, Honey ? Pour venger ton honneur ?

— Tu l'as fait, oui ou non ?

— Va chercher ton sac. Je veux jeter un œil sur ce qu'on t'a prescrit.

— Vraiment très drôle.

Skinner tira une grosse taffe sur le joint.

— Louis devait du fric à des tas de gens, y compris à un vieux bonhomme d'Hialeah qui, je le sais de source sûre, a un sens de l'humour tordu et aucun goût pour les excuses.

— Donc, tu me dis là que c'est pas toi ? T'as pas payé ces types pour nourrir les crabes avec les doigts de Louis ? insista Honey.

Skinner souffla de la fumée vers les poutres de cèdre.

— On dirait que ça te déçoit.

Il pinça le joint et le laissa tomber dans sa poche poitrine.

— Si ça peut te faire te sentir mieux, je lui aurais sans doute fait pire si j'avais été présent quand il a porté la main sur toi.

— Ah ouais, genre ?

— L'étriper du trou de balle aux trous de nez avec la lame la plus crade que j'aurais pu trouver.

Honey s'entendit déglutir.

125

— Tu me dis ça pasque tu penses que c'est ce que j'ai envie d'entendre. Sois pas condescendant avec moi, Perry.

— Incroyable, fit-il calmement.

Elle scruta son expression pour y déceler quelque chose de plus que son exaspération habituelle. Il gagna la porte de la véranda et l'ouvrit.

Honey se leva du rocking-chair.

— Promets-moi une chose, lui dit-elle. Promets-moi de ne recevoir personne pendant que Fry est ici... cette fille qui vend du propane au camping de caravanes ou qui que ce soit d'autre avec qui tu couches en ce moment. Pas avec Fry dans la maison, O.K. ?

— J'essaierai de me retenir.

— Oh et puis, le dentiste veut qu'il se passe un fil dentaire deux fois par jour.

— Bon Dieu, Honey.

— C'est un adolescent. Quelqu'un doit jouer le sergent instructeur.

— Il peut se taper une branlette de temps en temps ? demanda Skinner.

Honey lui fila un direct dans les côtes en sortant.

— Seulement après avoir fait son algèbre, lui dit-elle.

Tout en préparant ses bagages pour la Floride, Eugénie Fonda s'efforçait de se persuader qu'elle n'était pas vraiment une femme revenue de tout. Une instable chronique, peut-être, mais pas endurcie.

Elle espérait que le voyage inspirerait à Boyd Shreave de tels transports qu'il apposerait un cachet romantique sur chaque geste ou soupir fortuits. C'était courant chez les casanovas inexpérimentés. Eugénie était déterminée à ne pas répéter la grosse erreur qu'elle avait commise avec Van Bonneville, à savoir de sous-estimer le pouvoir abêtissant du sexe le plus routinier. Certains hommes pouvaient confondre une branlette exécutée sans la moindre conviction avec la promesse d'une dévotion

126

éternelle. Même si Boyd Shreave n'était pas du genre à se précipiter pour tuer sa femme, il était sans doute capable d'autres inconvenances, soufflées par la folie du stupre.

Eugénie était certaine de pouvoir le garder sous contrôle. À cette fin, elle emporta quatre bikinis, d'un degré croissant en termes d'exiguïté. Elle appliqua la même stratégie peu subtile à sa sélection de petites culottes et soutiens-gorge de voyage. Boyd n'était pas une machine aux rouages complexes.

Tout en se démenant pour fermer sa valise, Eugénie Fonda surprit un aperçu en biais d'elle-même dans le miroir de sa chambre à coucher. Elle fit tomber son peignoir d'un mouvement d'épaules et se livra une minute à un auto-examen sans complaisance. Au final, elle conclut qu'elle en jetait carrément… jolies jambes, seins de première qualité, pas une seule ride sur le visage, rien qu'une légère couche de fond de teint ne puisse dissimuler en tout cas.

Sans doute aucun, elle était la meilleure chose qui soit jamais arrivée à Boyd. Lui, malheureusement, était destiné à ne figurer que sous la forme d'un très court paragraphe dans sa future autobiographie.

Eugénie se laissa choir au bord du lit. *Qu'est-ce qui me prend ?* se demanda-t-elle. *Pourquoi je saute dans le premier avion avec ce glandeur ?*

Bien entendu, il lui avait promis de changer. Ils disent tous ça et ne changent jamais d'un chouïa. Pourtant, Eugénie tentait toujours de se convaincre que les hommes avec lesquels elle sortait n'étaient pas vraiment débiles, rien que des timides trompant leur monde ; qu'au tréfonds de leur âme brillait quelque chose de précieux et de rare, qu'ils attendaient juste le bon moment pour faire partager.

Elle se redressa, décidée à se ressaisir. C'était pas comme si elle faisait le trottoir ; elle partait en vacances avec un mec qui n'était pas répugnant physiquement et dont la compagnie n'était pas totalement insupportable. Et puis la vie est un manège, merde.

D'une boîte à bijoux sculptée main, elle sortit le piercing perle que lui avait donné un homme qu'elle avait rencontré lors d'un talk-show à Denver pendant sa tournée pour son livre. C'était un célèbre gourou du développement personnel — très heureusement marié, bien entendu — qui, ô coïncidence, logeait lui aussi au Brown Palace. À minuit et demi, il s'était pointé dans sa suite à elle, trimballant une bouteille de cabernet à deux cents dollars, une cassette de porno lesbien et une dose d'éléphant de Levitra, dont le moindre milligramme se révélerait nécessaire au final pour lui garantir une érection de six minutes chrono.

Eugénie se tira la langue dans la glace et y inséra adroitement la perle luisante.

Elle comprenait qu'elle devait se tenir sur ses gardes et se montrer ferme. Le voyage dans les Dix Mille Îles signifiait pour elle quelque chose de très différent de ce qu'il signifiait pour Boyd Shreave.

Il voulait devenir un homme entièrement nouveau.

Elle avait simplement envie de quitter le Texas pour souffler un peu.

9

Fry avait beau être assez rapide pour la course de relais, il préférait le quinze cents mètres, car ça lui donnait du temps pour réfléchir. Quand tout se passait bien à la maison, Fry gagnait avec une dizaine de secondes d'avance, en général. Quand il était inquiet au sujet de sa mère, il arrivait d'habitude bon dernier.

Une fois, il ne termina même pas la course. Il était en seconde position avec encore quatre cents mètres à parcourir quand il entendit des sirènes. Sur quoi il quitta la piste et piqua un sprint sur neuf blocs jusque chez lui pour vérifier qu'on n'arrêtait pas sa mère. Ce matin-là, elle avait menacé d'aller trouver le plombier et de l'émasculer pour lui avoir vendu un article sanitaire défectueux qui venait d'inonder la caravane. Sachant qu'elle était peu portée sur les menaces en l'air, Fry supposa, d'après le son des voitures de police, qu'elle avait accompli la mutilation vengeresse. Par bonheur, l'affaire se révéla n'être qu'un froissement de pare-chocs de routine survenu au rond-point. Le plombier fautif, bien vivant et non mutilé, épongeait la caravane F2 sous la surveillance renfrognée d'Honey Santana.

La veille de l'arrivée prévue du couple mystère, Fry, au retour de son entraînement d'athlétisme, surprit sa mère en train de peinturlurer de façon extravagante les parois extérieures de la caravane.

— C'est quoi, ce perroquet ? lui demanda-t-il.

— Un ara écarlate, lui répondit Honey. Et me dis pas qu'il y a pas d'ara dans les Everglades parce que je suis au courant, O.K. ? Y avait pas de peinture rose en magasin, alors, j'ai pas pu faire un flamant.

— Pourquoi pas une spatule ? fit Fry.

— Pareil au même.

— Non, elles ont plus de rouge sur les ailes.

— Merci, Mr Audubon le naturaliste, lui dit Honey. Mais j'avais envie de quelque chose de plus — c'est quoi déjà l'adjectif ? — iconique. Les spatules, c'est bien beau, mais regardons les choses en face, on dirait des canards montés sur des échasses. Alors que, quand on voit un grand ara royal... on pense tout de suite à la forêt vierge.

Honey, radieuse, contempla son chef-d'œuvre haut en couleur. Puis, trempant son pinceau dans le pot de peinture, elle se remit au travail. Fry ne put se retenir de lui dire :

— Maman, on a pas non plus de forêts vierges par ici.

— Va faire tes devoirs, gros malin.

— Je peux te demander pourquoi tu peins la baraque ?

— Pour qu'elle ait pas l'air d'un mobile home, lui répondit Honey. Rien de compliqué, une déco de jungle basique : palmiers, lianes, bananiers. J'ai acheté genre quatre nuances de vert différentes.

Fry s'assit sur son sac à dos et songea à la futilité patente d'ouvrir un écolodge dans un *trailer park*. Vu ce qu'il avait sous les yeux, il ne fondait pas de grands espoirs sur la fresque « nature » de sa mère. Elle avait doté son ara psychédélique des cils fournis d'une vache laitière et de la langue exquise d'une chauve-souris frugivore.

— Le prochain coup, tu feras des singes, lui dit-il.

— En fait, j'bosse déjà dessus.

Elle pivota pour lui faire face.

— Écoute, p'tit père, on est pas au Smithsonian, merde. C'est juste un argument de vente, vu ? Une fois les touristes dans les

130

kayaks puis là-bas, dans ces îles — elle pointa son pinceau vers l'horizon avec enthousiasme —, ils seront tellement bluffés par toute cette splendeur que cette fresque comptera pour du beurre. À la place de gibbons et d'aras, ils auront des aigles chauves et des ratons laveurs. À la place de la forêt vierge, ils auront les mangroves. Et alors ?

— T'as raison, maman, lui dit Fry.

— Et tu sais quoi ? S'ils pigent pas, qu'ils aillent se faire voir. Ils n'auront qu'à retourner à la grande ville et communier avec les pigeons et les rats pasque c'est la seule faune qu'ils méritent.

Fry regretta d'avoir mis en question le réalisme de l'œuvre d'art de sa mère. Une fois Honey Santana lancée dans un projet, une extrême délicatesse s'imposait en matière de commentaires. La critiquer ne serait-ce que légèrement, c'était risquer de provoquer son agitation ou, pire, de déclencher chez elle une initiative encore plus fantasque.

— T'as d'autres questions ? lui demanda-t-elle sèchement.

— Ouais, une seule.

Fry se leva.

— T'aurais pas un pinceau qui traîne ?

Boyd Shreave se dépêcha de faire ses bagages avant que sa femme ne rentre. Il n'avait pas envie qu'elle voie sa garde-robe pour la Floride : sept cents dollars de bermudas à poches et chemises à fleurs Tommy Bahama qu'il avait achetés sur sa MasterCard à elle. Le tout entrait pile-poil dans un sac de voyage Orvis tout neuf, qu'il avait repéré dans une boutique d'articles de pêche haut de gamme du centre-ville.

Il avait terminé quand Lily franchit la porte d'entrée. D'un air franchement sceptique, elle lorgna le sac Orvis.

— C'est quoi déjà le nom de l'endroit où tu vas ?

Se rabattant sur le conseil d'Eugénie, il déterra un autre président décédé.

— La clinique Garfield, dit-il.

— Garfield, comme le chat flemmard de la BD ?

— Non, c'est le nom du médecin qui a découvert ma maladie.

— Ne le prends pas mal, Boyd, mais *la lèpre* est une maladie. La crainte d'être tripoté, c'est du dérangement mental.

— Une anomalie, rectifia-t-il en se raidissant.

— Comment ça s'appelle déjà ?

Shreave prit tout son temps pour venir à bout de la prononciation.

— Aphenphosmphobie... tu peux vérifier. Le Dr Millard Garfield est le premier à l'avoir étudiée.

— Voyez-vous ça, dit sa femme.

— Il est mort il y a quelques années à peine.

Boyd Shreave espéra qu'elle attendrait le lendemain matin, après son départ, pour aller s'assurer sur Internet de la véracité de ses dires.

— Donc, on a donné son nom à la clinique, ajouta-t-il.

— Quel honneur, fit Lily pince-sans-rire.

Shreave soutint le choc.

— Je sens que ça empire de jour en jour. J'espère vraiment qu'on va pouvoir m'aider là-bas.

— Et c'est Sans Trêve Ni Relâche qui paie la note ?

— D'après eux, je représente un investissement, j'ai un bel avenir au sein de la société.

Il lui semblait bosser au téléphone, les mensonges lui venant si aisément au bout de la langue.

— Mais quelle thérapie on pratique exactement pour ce genre de truc ? demanda Lily. On t'installe dans une cellule capitonnée avec une bande d'autres tarés et vous vous entraînez à vous caresser les uns les autres ?

— Très, *très* drôle.

— Mais je ne plaisante pas, Boyd. Je veux savoir si tu iras mieux un jour.

— Pourquoi crois-tu que je fais ce voyage ? reprit-il. La clinique Garfield, c'est l'équivalent de la clinique Mayo pour l'aphenphosmphobie.

— Si tu le dis.

Sa femme mit le cap sur la cuisine.

— Je me prépare un verre. Tu en veux un ?

Boyd Shreave se tenait à la fenêtre à observer le minuscule Jack Russell du voisin poser un étron de molosse sur sa pelouse.

Lily revint avec deux daïquiris fraise et lui en colla un entre les mains.

— Autant te mettre dans l'ambiance tropicale.

Shreave leva son verre en disant :

— Au Dr Garfield.

— Ah ! Au diable ce charlatan, dit Lily. Je parie que je peux te guérir plus vite.

Son ton plein de sous-entendus fit que Shreave toussa pour cacher un gloussement nerveux. Il n'avait pas oublié la pipe avortée de la boutique à bagels ni la tentative de séduction en string rouge sur le canapé.

— Assieds-toi, dit-elle, en lui désignant une bergère. Assieds-toi et profites-en bien.

— Lily, c'est pas un jeu.

— Oh, détends-toi. Je promets de ne pas te toucher, même du bout des doigts.

— T'as intérêt.

— Je le jure sur la tombe de papa.

Quelle tombe ? se dit Shreave. On avait incinéré le bonhomme puis dispersé ses cendres sur un parcours de golf conçu par le pro Fuzzy Zoeller en personne.

— Assis, Boyd, lui dit sa femme.

Il lui abandonna son daïquiri et s'assit.

— Parfait. Maintenant, ferme les yeux, lui ordonna-t-elle.

— Pour quoi faire ?

Lily posa les deux verres.

— Tu la veux cette cure ou pas ?

Shreave serra les paupières très fort, s'attendant à demi à ce qu'elle lui emprisonne l'entrejambe. Il se prépara à exécuter un

133

numéro d'évanouissement si jamais ça se produisait... avec convulsions et éclats de bave à l'appui.

— Vide-toi l'esprit de tout ce qui le distrait, de toute pensée vagabonde, dit sa femme. Sauf une. Je veux que tu mobilises toute ton énergie sur cette simple image jusqu'à ce qu'elle remplisse ton esprit, jusqu'à ce que tu ne puisses plus penser à autre chose, même si tu essaies.

— O.K., Lily.

Shreave supposa qu'elle plagiait Deepak Chopra ou autre allumé du même calibre.

— Boyd, dit-elle, je veux que tu te concentres sur le fait que je ne porte pas de petite culotte.

Voilà qui est *original,* se dit-il.

— Pense au jean serré que je porte. Pense à ce que tu pourrais voir si tu essayais vraiment, dit Lily. Mais t'avise pas de mater.

C'était ce que Boyd Shreave était pourtant tenté de faire. Malgré sa détermination à ne pas être excité, il se surprit à imaginer dans tous ses détails veloutés la chose même que sa femme avait envie qu'il imagine. Elle adorait tellement les pantalons serrés ! « Mettre en valeur le yo-yo », elle appelait ça.

— À quoi bon tout ce cirque ? lui demanda-t-il d'une voix quelque peu aiguë.

— Chut.

Il entendit glisser une fermeture Éclair, puis le glissement caractéristique du tissu sur la peau pendant qu'elle retirait son jean.

— Arrête, Lily, fais pas ça.

— Inspire un bon coup. Laisse-toi aller.

— Tu ne comprends pas. C'est une peur irrationnelle que je ne contrôle pas.

Il lui citait une phrase du site Web non officiel de l'aphenphosmphobie.

— Tu cherches à m'humilier ou quoi ?

— Boyd, ouvre les yeux, lui dit sa femme. Et puis, baisse-les.

Il obéit.

— Dis-moi maintenant que t'as pas envie que je te touche, lui fit-elle. Dis-moi que c'est pas une bite heureuse de faire ami-ami que voilà.

Il était difficile de noyer le poisson. Boyd Shreave, en constatant le piquet de tente révélateur qui soulevait son pantalon, se mit à reconsidérer la loyauté de son engagement monogame au bénéfice d'Eugénie Fonda. L'unique raison pour laquelle il s'était dérobé aux avances de Lily, c'était pour s'éviter les rigueurs et les inconvénients de mener de front deux relations sexuelles simultanées. Cependant, l'ordre du jour domestique de Shreave avait changé récemment, tout comme son point de vue. Demain, il s'envolait pour entamer un nouveau chapitre excitant d'une existence par ailleurs terne et tout sauf mémorable. Quel mal pouvait-il y avoir à saluer sa femme d'un petit coup d'adieu ?

— Boyd ? lui dit Lily.

Il releva la tête et la vit s'étirer sur le tapis persan comme une lionne endormie. Il remarqua d'un air approbateur qu'elle n'avait pas menti concernant son absence de sous-vêtements. Son chemisier et ses talons gisaient en tas sur le blue-jean.

— O.K., t'as gagné, lui lança-t-il.

— Que veux-tu dire ?

Shreave se leva et entreprit prestement de déboucler sa ceinture. Lily l'observait avec curiosité.

— Vas-y, mets le paquet, lui dit-il, laissant tomber son pantalon.

Elle se releva, ramena ses genoux contre elle, masquant à son mari la vue de son trésor ombreux.

À présent, il en lévitait presque de désir.

— C'est O.K., sérieux, l'encouragea-t-il. Tu peux empoigner tout ce que tu veux.

Lily plissa le front de façon peu prometteuse.

— C'est pas comme ça que cette thérapie marche. Le premier stade consiste à regarder, pas à toucher.

— Pardon ?

135

— Comme tu l'as dit toi-même, Boyd, c'est une anomalie très grave. Je ne me le pardonnerais jamais si tu faisais un infarctus ou autre pendant que je te sucerais.

— Je veux bien courir le risque, affirma Shreave avec un stoïcisme assumé. Je me sens bien, Lily… en fait, je me sens en pleine forme. C'est ce qui s'appelle un mieux !

— Non, attendons de voir ce qu'en diront les experts à Garfield. On ne devrait pas faire de folies tant qu'on n'est pas sûrs que c'est sans danger.

— Mais je me sens bien, couina-t-il, voyant tristement sa femme renfiler ses vêtements avec force contorsions.

— On a carrément progressé ce soir, ajouta-t-elle d'un ton enjoué. Il me tarde déjà que tu reviennes de Floride… On fera ça toute la nuit, si le psy te dit que c'est O.K. comme ça. On se touchera jusqu'à plus soif.

— Ouais. Toute la nuit, fit-il.

Lily lui envoya un baiser et disparut dans le couloir.

Boyd Shreave remonta son pantalon, s'assit et, pendant sa débandade, lampa la lie de son daïquiri. N'étant pas de ceux qui appréciaient l'ironie au second degré, à cet instant, tout ce qu'il éprouva fut un sentiment de privation primaire.

Car il n'avait nullement l'intention de revenir de Floride. Il ne reverrait jamais plus sa femme nue sur un tapis persan.

Dismal Key est une île en forme de crabe, située côté golfe, dans la baie de Santina, entre Goodland et Everglades City. D'après les archives locales, son premier propriétaire fut un tenancier de bar de Key West, du nom de Stillman, qui planta des bosquets de citronniers sur Dismal avant de transporter les fruits au marché sur un schooner appelé *L'Oriental*. Stillman mourut en 1882 ou 1883 ; après cela, l'île aux palétuviers fut achetée par un intrépide originaire de Caroline du Sud, un dénommé Newell, qui y résida avec sa femme et leurs quatre enfants. Ils y restèrent jusqu'en 1895, pas un mince exploit sur le plan de l'endurance.

Après le tournant du siècle, Dismal Key devint un relais-étape pour pêcheurs itinérants et le foyer d'une série de soi-disant solitaires, dont le dernier en date fut un hurluberlu appelé Al Seely. Mécanicien-géomètre, on lui diagnostiqua une maladie incurable en 1969 en l'informant qu'il ne lui restait que six mois à vivre. Avec un chien du nom de Fouisseur, il rallia Dismal Key dans un petit bateau et y occupa les deux pièces d'une maison abandonnée munie d'une citerne. Il commença à rédiger là son autobiographie qui remplirait bientôt 270 feuillets tapés à la machine à double interligne. Pour un ermite, Seely était étonnamment sociable, tenant à la disposition de ses visiteurs un livre d'or qu'il leur faisait signer. Toujours bien en vie en 1980, il accueillit un groupe de lycéens du coin qui faisaient des recherches pour un exposé. Il leur avoua qu'il s'était retiré dans les Dix Mille Îles en pensant se nourrir de gibier sauvage, mais avait découvert qu'il n'avait pas le cœur à tuer. Il subsistait grâce à une petite pension d'ancien combattant et la vente occasionnelle de l'une de ses toiles.

« Les gens me demandent souvent d'où Dismal Key tire son nom lugubre[1]. J'aimerais bien le savoir », écrit Seely dans son journal, qu'on retrouva des années après qu'il eut vidé les lieux. « Mais comme jusqu'ici je n'ai pas encore découvert le moindre indice, je leur suggère de me rendre visite pendant les mois de juillet ou d'août, quand la chaleur, les moustiques et les moucherons culminent de façon délirante. Ils comprendront du moins pourquoi on ne l'a pas appelée Paradise Key. »

Le matin de janvier où Sammy Queue de Tigre échoua son canoë volé sur Dismal Key, la température avoisinait les vingt-deux degrés, le vent soufflait du nord à treize nœuds et les insectes n'étaient pas un problème. Gillian, en revanche, oui.

— Je crève de faim, annonça-t-elle.

Sammy Queue de Tigre lui lança une barre de céréales et s'empressa de décharger leurs affaires.

---

1. *Dismal* en anglais est un synonyme de lugubre (*lugubrious*). (*N.d.T.*)

— C'est supposé être le petit déj ? lui demanda-t-elle.

— Et le déjeuner, fit-il. Pour le dîner, j'attraperai du poisson.

Il s'activait car il s'attendait à entendre d'un moment à l'autre l'hélicoptère des rangers en patrouille dans le parc national des Everglades. Savoir qu'il se trouvait à trois kilomètres et demi hors des limites dudit parc aurait été une agréable nouvelle pour Sammy Queue de Tigre qui ne connaissait ni le nom de cette île ni l'itinéraire qui l'y avait conduit.

Gillian engloutit la barre de céréales en se plaignant d'une gueule de bois carabinée.

— T'as pas du paracétamol ?

— Dormez et cuvez, lui conseilla le Séminole sans compatir.

Il tira le canoë dans les mangroves et le recouvrit soigneusement des débris épars d'un appontement pourri, semblait-il. Se servant de la pagaie comme d'une machette, il entreprit de se tailler un chemin en grimpant la colline à travers un fourré de cactus redoutables. Gillian suivait, se coltinant l'étui à guitare. Des coquilles dentelées crissaient sous leurs pas.

Sous un vaste et antique poinciana se trouvait une construction en béton à moitié enfouie que Sammy Queue de Tigre identifia comme une citerne. Avec son toit de tôle cloquée qui semblait intact, elle leur promettait non seulement de l'ombre mais aussi une cachette. L'Indien fut soulagé d'être dispensé de construire un appentis de fortune, tâche de plein air à laquelle il ne s'était encore jamais attaqué.

Un peu plus loin, ils arrivèrent devant un amas de planches, parpaings, armatures et autres cadres de fenêtres décolorés par le soleil… les vestiges de la ferme d'Al Seely. Dans un ravin voisin, ils trouvèrent des centaines de canettes de Busch vides, plus vieilles que Gillian, qui en ramassa une et l'examina comme si c'était un trésor archéologique.

Sammy Queue de Tigre revint sur le rivage pour récupérer le reste du matériel. À son retour, il découvrit Gillian qui entaillait un cactus avec le bout d'une pagaie.

138

— J'ai entendu dire qu'on en mange dans le désert. Et que ça a très bon goût, fit-elle.

— On est pas au Sahara, fillette.

— Bon, c'est toi l'Indien, lui fit-elle. Dis-moi ce qu'on peut manger sans danger par ici.

Sammy Queue de Tigre n'en avait pas la moindre idée. Depuis son retour dans la réserve, loin du monde des visages pâles, il avait été incapable de se débarrasser de son faible pour les cheeseburgers, les côtes de bœuf et les pâtes. Comme le commerce moderne arrivait jusqu'à Big Cypress, il n'avait eu nullement besoin de se familiariser avec l'art de la cueillette de ses ancêtres, qui avaient cultivé la patate douce et fait de la farine à pain avec du *coontie*. Sammy Queue de Tigre n'aurait pas reconnu une racine de *coontie*, même s'il avait trébuché dessus.

— Plus tard, j'irai attraper du poisson, répéta-t-il.

— Je déteste le poisson, déclara Gillian. Une fois, j'avais que quatre ans, mon père a ramené à la maison un saumon qu'il avait pêché dans le lac Érié et on a tous été très, très malades. Notre chat, Mr Tom-Tom, il en a pris deux bouchées et il est tombé raide mort sur le carrelage de la cuisine. Ma sœur et moi, on a gerbé cinq jours d'affilée et, promis juré, le vomi était genre radioactif. Je veux dire qu'il était carrément *fluo*.

— Qu'est-ce que vous pouvez raconter comme conneries, fit Sammy Queue de Tigre.

— Mais non ! C'est vraiment arrivé, protesta Gillian. Et depuis ce jour, je peux plus bouffer de poisson.

— Eh bien, vous allez en manger maintenant. Vous êtes au régime otage de la South Coast.

La citerne était jonchée de feuilles et de déjections d'animaux. Elle avait tout d'une bonne planque, car on n'y voyait aucune trace montrant qu'elle ait contenu de l'eau depuis de nombreuses années. Sammy Queue de Tigre se faufila à l'intérieur par une ouverture sous le toit, fit fuir un mulot et déclara : « On a choisi la bonne île. »

Ne bronchant pas devant le rongeur qui détalait, Gillian répondit :

— On est en haut d'une colline ? Je croyais qu'il n'y avait pas de collines par ici.

— C'est un monticule fait de coquilles d'huîtres. Entièrement.

Sammy Queue de Tigre retira son T-shirt.

— Qui l'a fait ? demanda-t-elle.

— Les Indiens d'Amérique... mais pas mon peuple. Passez-moi le fusil, s'il vous plaît.

Il noua son T-shirt autour du canon et fit méthodiquement le tour de la citerne en enlevant les toiles d'araignée.

Longtemps avant l'arrivée des Séminoles, la tribu des Calusas dominait la Floride du Sud-Ouest. S'ils repoussèrent les Espagnols, ils ne vainquirent pas les maladies apportées par eux. Les vestiges les plus frappants de la civilisation raffinée des Calusas, ce sont les monticules d'huîtres monumentaux ou *middens*, conçus pour empêcher leurs campements d'être inondés et aussi pour attraper le poisson à marée haute. Sammy Queue de Tigre se sentait fier, et inspiré, de camper sur un authentique monticule calusa. Il espérait être visité dans son sommeil par les esprits de leurs guerriers morts depuis longtemps... peut-être même par celui dont la flèche bien visée avait été fatale à Ponce de León, l'envahisseur.

— Ça devait être les Indiens les plus chauds bouillants de tous, rêvassa Gillian, s'ils faisaient que manger des huîtres.

Sammy Queue de Tigre la dévisagea.

— Quel genre de notes vous avez à la fac ?

— Pas mal. J'ai été deux fois sur la liste du doyen.

— Pitié, mon Dieu.

— Je t'emmerde, Tonto.

Une fois qu'ils eurent achevé de nettoyer la citerne, ils y entassèrent leur équipement. Gillian s'allongea sur son sac de couchage sableux en disant qu'elle allait écraser.

— C'est quoi cette musique ? lui demanda Sammy Queue de Tigre. Vous avez un iPod ou un truc comme ça ?

On aurait dit les premières mesures de *Dixie*[1].

Gillian roula sur elle-même en disant : « Merde. Mon portable. » Elle le sortit de sa banane et regarda qui l'appelait. « Ah, géant, c'est Ethan. »

L'Indien lui arracha le téléphone des mains.

— Qu'est-ce que vous allez lui dire ?

— Que c'est un connard. Il m'appelle au bout de sept heures pour savoir si je suis vivante !

— Dites un seul mot sur moi et je vous…

— Je vous quoi ? Je vous tue ? Je vous viole ? Je vous attache à un piquet sur une fourmilière ?

Le téléphone cessa de sonner.

— Eh, vous allez où ? demanda-t-elle.

— Passer un coup de fil, fit Sammy Queue de Tigre.

— Attention à ma batterie. J'ai pas emporté de chargeur.

— Et moi pas installé l'électricité, dit-il en riant.

Il sortit et composa le numéro de sa mère dans la réserve. Son répondeur s'enclencha, il laissa un message disant qu'il campait dans la Fakahatchee Strand, où il ramassait des escargots arboricoles.

Il appela ensuite son oncle Tommy qui répondit à la dixième sonnerie.

— C'est qui Gillian Sainte Croix ? fit-il, en lisant le nom affiché. Et pourquoi t'appelles de son numéro ?

— C'est une longue histoire. On me recherche ?

— Non, mais on est venu dans la réserve poser des questions sur un type de Milwaukee.

Les battements de cœur de Sammy Queue de Tigre s'accélérèrent en pensant à Wilson, au fond de la Lostmans River.

— Ils sont au courant de la balade en hydroglisseur ?

— D'après moi, non. Mais cette tête de nœud bourrée a

---

1. Hymne des États confédérés du Sud (guerre de Sécession). *(N.d.T.)*

emprunté le couloir SunPass au péage d'Alligator Alley, donc on a une photo de sa voiture filant vers l'ouest. Ils s'imaginent qu'il a fichu sa bagnole dans le canal en allant à Big Cypress.

— J'aime bien cette version.

— On fait ce qu'on peut.

— Quel genre de questions on pose ?

— Te fais pas de mouron, lui dit oncle Tommy.

Mais Sammy Queue de Tigre était inquiet. Et si le touriste mort avait des parents haut placés, là-bas dans le Wisconsin ? Les recherches pourraient s'éterniser pendant des mois.

— Où tu es, bon sang ? lui demanda son oncle.

— Dans une île, près d'Everglades City. Je sais même pas son nom.

— Pas de problème. Je vais faire décoller ma force aérienne perso et on te trouvera.

Tommy Queue de Tigre avait été l'architecte financier des tout premiers établissements de bingo de la tribu, ce qui en avait fait un acteur de poids dans la hiérarchie séminole. Sans être un fan des visages pâles, il aimait bien leurs joujoux. Un jet Falcon et plusieurs turbopropulseurs luxueux étaient à sa disposition en moins d'une heure.

— Tu pourras demeurer dans ma maison de ville de Grand Bahama en attendant que la pression retombe, dit-il à son neveu.

— Merci, mais c'est O.K. par ici, lui répondit Sammy Queue de Tigre. J'apprends la guitare.

— Ton frère m'a dit ça. Cette fille, elle est avec toi… Gillian ?

— C'est temporaire.

— Garde la tête froide, mon garçon. Un minou de visage pâle est une « mauvaise médecine ».

Sammy Queue de Tigre pouffa.

— À propos, tu as vu Cindy ?

— Ouais. D'après elle, elle touche plus au *crystal* et sort avec un agent immobilier de Boca Grande. Quand je lui ai appris qu'elle recevrait ton versement elle m'a dit que t'étais un prince.

142

— Quitte pas une seconde.

Sammy Queue de Tigre se plaqua contre le mur de la citerne et scruta le ciel.

— Elle m'a annoncé qu'avec le premier chèque elle se paierait des lolos tout neufs, poursuivit son oncle. Elle m'a dit de bien te remercier.

Sammy Queue de Tigre entendait clairement la chose à présent, s'approchant à toute vitesse, en provenance du sud.

— Faut que j'y aille, oncle Tommy, lui dit-il.

Puis il se précipita à travers l'étroite ouverture.

Il atterrit durement sur le sol de béton nu et resta là, écoutant un petit avion qui survolait l'île à très basse altitude. Une ombre masqua le soleil, celle de Gillian, plantée au-dessus de lui... braquant le fusil sur sa poitrine. Sammy Queue de Tigre remarqua qu'elle avait retiré son T-shirt de l'extrémité du canon, ce qui indiquait que son intention était peut-être sérieuse.

— Vous m'arrêtez ? demanda-t-il.

Gillian poussa un soupir d'exaspération.

— File-moi ce téléphone, merde.

10

Eugénie Fonda ne se plaignit pas de voyager en classe économique, même si elle lâcha à Boyd Shreave que l'éditeur de son bouquin l'avait toujours envoyée en tournée en classe affaires.

— Quel éditeur ? reprit-il.

— Je t'en ai pas parlé ?

Eugénie songea : « Saleté de Valium. »

— Que t'avais écrit un bouquin ? Non, je m'en serais carrément souvenu, lui dit Shreave. C'était quel genre, un livre de cuisine ?

— Pas exactement, chouchou.

L'avion stationnait sur la piste à Dallas Fort Worth, en onzième position pour le décollage. Eugénie aurait tout donné pour une vodka-tonic avant l'envol, mais inutile de compter là-dessus. Pas en classe éco, merde.

— Ça remonte à quelques années, lui expliqua-t-elle. Je fréquentais un homme qui s'avéra être un très sale type. Plus tard, on m'a demandé d'en faire un bouquin... l'idée n'est pas venue de moi.

— C'était quoi, le titre ? Peut-être que je l'ai lu, fit-il.

Eugénie Fonda n'aurait guère été choquée d'apprendre que Boyd Shreave n'avait pas ouvert un livre depuis la terminale.

— *Le Vampire de l'ouragan*, répondit-elle. Ça en jette, hein ? On dirait un film de la série *Halloween*.

144

— Tu t'es fait du blé avec?

— Pas mal. Il a figuré un moment sur la liste des best-sellers.

— Ah bon, dit Shreave en s'affaissant sur son siège en faisant la moue. Je croyais qu'on aurait plus de secrets l'un pour l'autre.

— J'ai aucun souvenir d'un accord de ce genre, Boyd.

— T'as écrit un best-seller! C'est géant, Génie. Pourquoi tu m'as rien dit?

— Parce que ça fait un bail et que tout ce blé, y en a plus.

— Bon. Y a autre chose que je devrais savoir?

— Ouais, fit-elle. Je sors pas avec des gamins de neuf ans ou des types qui agissent comme s'ils avaient cet âge. Alors, tu vas me faire le plaisir de te redresser, de te coller un sourire sur le visage et de montrer à tous les passagers de cet avion combien tu es fier de voyager avec une nana super-sexy comme moi.

Ils n'échangèrent plus un mot jusqu'à ce qu'ils survolent la Louisiane, où Boyd Shreave, prenant son courage à deux mains, la questionna sur l'autre homme.

— Eh bien, il s'est révélé un assassin à l'usage, dit Eugénie en vidant la dernière gouttelette de sa mini-bouteille de vodka dans sa tasse. Son nom, c'était Bonneville. Tous les médias en ont parlé.

— Et tu étais mariée à ce fou furieux?

— Non. Je n'étais que sa petite amie. Il a noyé sa femme et fait porter le chapeau au cyclone.

— Bon Dieu, je m'en souviens maintenant, murmura Shreave. C'est passé sur Court TV, hein?

— Et si on parlait d'un sujet plus gai… genre la famine ou la polio.

Elle fit signe à une hôtesse de lui servir un autre verre.

Ils survolaient Panama City quand Boyd se pencha pour lui murmurer: «Alors, comme ça, en plus d'être belle et sexy ô combien, t'es un écrivain célèbre. Vachement cool.»

Par le hublot, Eugénie apercevait la côte miroitante en croissant du Panhandle de Floride. L'espace d'un instant, fort agréable, elle fut capable d'imaginer qu'elle voyageait seule.

— Je ne suis pas un écrivain célèbre, Boyd, lui dit-elle. Je suis une maîtresse célèbre. Grosse différence.

Il posa sa main sur l'une de ses jambes.

— Mais réfléchis un peu, Génie. Un homme *a tué* pour toi. Combien de filles peuvent dire la même chose ?

— Ma foi, ça ne m'a pas paru si flatteur que ça, à l'époque.

Ça l'irritait que l'idée qu'elle ait fricoté avec un taré criminel le fasse bander.

— Ça n'a pas vraiment été le couronnement de mon existence, ajouta-t-elle, tout en songeant in petto : « Et si pourtant ça l'était ? »

Boyd lui plaqua un baiser dans le cou et, simultanément, expédia ses doigts en reconnaissance sous sa jupe. Eugénie Fonda serra les genoux si énergiquement qu'il retira aussitôt sa main en couinant. Ce qui provoqua un coup d'œil amusé du jeune cow-boy assis de l'autre côté de l'allée centrale.

— Sage, intima Eugénie à Boyd qui, battant en retraite, s'avachit de plus belle.

En vidant ce qu'elle se jura être son dernier cocktail du vol, elle observa à travers le fond transparent du gobelet plastique que le jeune cow-boy lui souriait. Elle ne lui retourna pas la politesse, même si son horizon s'en trouva infiniment éclairé.

Huit kilomètres plus bas, les eaux vertes du golfe du Mexique léchaient la côte. Quelque part vers l'est, humé par la Suwannee River, se trouvait Gilchrist County qu'en lots de cinq hectares en friche Eugénie Fonda et Boyd Shreave avaient tenté de bazarder par téléphone à toutes ces pauvres poires. Vu d'en haut, depuis les nuages, ça ne paraissait plus une si mauvaise affaire.

Eugénie ferma les yeux en suçotant le dernier glaçon, qui tinta doucement contre la perle qui pierçait sa langue.

Dealey voyageait en classe affaires, dépense qu'il se ferait un plaisir de facturer à Lily Shreave, une fois le boulot terminé. Il avait casé son matériel de prise de vue dans des Halliburton étanches. Ses deux cibles étaient seize rangées plus loin, en éco.

146

Il aurait pu réserver sur un autre vol pour Tampa mais à quoi bon, puisque les tourtereaux n'avaient aucune idée de qui il était ni de ce qu'il fabriquait. À leurs yeux, il n'aurait été rien d'autre qu'un cadre d'âge mûr fatigué, feuilletant les pages sportives du *Star Telegram* pendant que les autres passagers gagnaient leur siège à la queue leu leu.

Une pénétration.

Lily Shreave avait beau être tordue comme bonne femme, elle avait raison sur un point : si Dealey obtenait ce qu'elle voulait, il deviendrait une légende dans le milieu des privés.

Consciencieux, il avait consacré un après-midi entier à surfer sur les sites pornos voyeuristes sans rien y découvrir d'instructif. On y mettait l'accent jusqu'au fastidieux sur des plans volés pris sous les jupes ou ceux de caméras de surveillance des toilettes, ni les uns ni les autres n'exigeant une science particulière du cadrage. Quant aux vidéos mettant en scène des couples, les ébats étaient clairement programmés, avec des participants pleinement conscients qu'on les filmait. Comment expliquer autrement que, pris dans les affres du stupre, ils s'arrêtent infailliblement pour se repositionner sous un angle plus propice. C'en était presque comique.

Malheureusement, personne ne serait là pour coacher Boyd Shreave et Eugénie Fonda au lit ni n'éclairerait leurs bas-ventres pour obtenir des gros plans bien juteux. Même si Dealey inventait un moyen pour dissimuler le matériel d'enregistrement, il pourrait bien ne récolter au final rien de plus explicite que deux masses granuleuses, ahanant et gémissant entre les draps.

Même si je vis cent ans, bordel, songeait-il, attristé, *je ne ferai jamais mieux que cette pipe au delicatessen.*

C'était de l'or. Un classique.

Dealey avait flouté les visages sur la photo puis l'avait e-mailée à un magazine professionnel en ligne, qui l'avait postée dès le lendemain. Compliments (et demandes de retirages) continuaient à affluer en permanence des quatre coins du pays. Quelques rares autres privés avaient expédié des photos de surveillance de maris se faisant tailler une pipe par leurs petites amies… mais aucune en plein jour dans un restau bondé.

Certaines femmes mariées auraient payé une prime de dix mille dollars rien que pour le cliché du delicatessen, songea Dealey. Mais il se trouve que ma cliente est une perverse totale. Elle veut une pénétration ou rien.

Histoire de jeter un œil à ses cibles de plus près, Dealey attendit que les toilettes de première soient occupées. Alors il se leva et se dirigea vers l'arrière de l'appareil. Eugénie Fonda et Boyd Shreave étaient assis sur l'une des rangées de la sortie de secours. Elle regardait dehors, par le hublot ; lui feuilletait le magazine de bord.

Ils n'avaient même pas l'air d'un couple, nota Dealey avec inquiétude. Mais de deux parfaits étrangers.

Planté en équilibre devant la cuvette de l'une des toilettes de queue, l'enquêteur envisageait l'éventualité décourageante que l'idylle illicite de Boyd Shreave soit déjà en train de se refroidir. Si c'était vrai, les parties de jambes en l'air en Floride seraient peu fréquentes, brèves et tout sauf démonstratives.

Ce qui rendrait encore plus improbable la quête de Dealey pour le graal coïtal.

Ah bah, se dit-il, il y a de pires endroits pour perdre quelques jours de son temps en plein hiver. Merde, je pourrais être en train de voler vers Little Rock au lieu de Tampa.

Au même instant, l'avion rencontra une zone de turbulence, envoyant balader le détective privé de côté, ce qui dévia sa trajectoire, par ailleurs impeccable.

— Nom de Dieu, marmonna Dealey, arrachant une poignée de serviettes en papier pour éponger l'urine sur la jambe droite de son pantalon. La tache, remarqua-t-il avec amertume, adoptait la forme de l'Arkansas.

En regagnant son siège avec raideur, Dealey ne se donna même pas la peine de jeter un nouveau coup d'œil au mari de Lily Shreave et à Eugénie Fonda.

Le petit avion une fois loin, l'île redevint silencieuse.

Gillian refourgua le fusil à Sammy Queue de Tigre.

— Je t'ai foutu la trouille, hein, Thlocko?

— Allez-vous-en, s'il vous plaît, dit-il. Prenez cette saleté de canoë, je m'en tape.

Il ne savait plus qui, de la fille ou de lui, était vraiment l'otage.

Elle composa un numéro sur son portable.

— Ethan? Salut, c'est moi. Je suis vivante et vraiment saoulée.

Sammy Queue de Tigre fit mine de vouloir sortir de la citerne mais Gillian lui fit signe de ne pas bouger.

— Pourquoi t'as mis si longtemps à appeler? fit-elle à Ethan. Tu sais quoi? Tu déconnes grave. Moi aussi, je suis chez Verizon et je te capte super-clair.

À Sammy Queue de Tigre, elle fit: «Il me dit qu'il avait pas de réseau. C'est pas nul, ça, comme excuse?»

L'Indien s'assit pesamment puis débrancha son écoute du babillage téléphonique de Gillian. Il commençait à avoir mal à la tête. Il frotta ses paumes sur le sol en béton et, un instant, s'imagina que c'était de la terre battue de Louisiane, comme dans la cellule de prison gouvernementale où son arrière-arrière-arrière-grand-père avait peut-être ou peut-être pas péri.

Bien que chagriné par l'histoire sanglante de sa tribu, Sammy Queue de Tigre n'avait jamais cru que tous les visages pâles fussent le mal incarné; son propre père avait été un brave type, honnête et au grand cœur. Pendant son enfance pavillonnaire, Sammy Queue de Tigre était devenu l'ami de plein de jeunes Blancs et avait observé nombre d'attitudes correctes et autres actes de bonté chez les adultes de la même couleur de peau. Il était vrai aussi qu'il s'était heurté à tout un tas de connards, même si déterminer jusqu'à quel degré leur côté odieux pouvait être imputé à leur race restait discutable. Sammy soupçonnait que certains d'entre eux auraient acquis le statut de connard dans n'importe quel contexte culturel et sur n'importe quel continent.

Son oncle Tommy faisait allusion, de temps en temps, à un visage pâle atypique du nom de Wiley, qui avait écrit des articles pour un journal de Miami. D'après l'oncle de Sammy, ce Wiley avait voulu sauver la Floride aussi désespérément que n'importe quel Séminole et y avait perdu la raison. Sammy Queue de Tigre avait eu l'impression que son oncle Tommy et le journaliste fou avaient été amis en quelque sorte. Quand il lui avait demandé ce qui était arrivé à Wiley, son oncle lui avait répondu que le grand Créateur du Souffle avait transmis son esprit à un vieil aigle chauve[1].

Sammy Queue de Tigre se souvenait de cette histoire chaque fois qu'il voyait un aigle en liberté, ce qui n'arrivait pas souvent. Il n'avait pas encore rencontré de visage pâle semblable à Wiley et doutait que cela se produirait un jour. L'esprit sautillant de Gillian était plus proche de celui d'un moineau.

— Oh, un mec que j'ai rencontré, c'est tout, disait-elle à son petit copain, pour le titiller. Tu veux vraiment savoir ? Ben, voyons… un mètre quatre-vingt-trois, bronzage naturel et des yeux bleus à tomber par terre.

Bronzage naturel ?

— Bon Dieu de bon Dieu, fit l'Indien.

— Et je connais même pas son vrai nom, continua-t-elle en faisant un clin d'œil à Sammy Queue de Tigre. Ce qui rend les choses encore plus intéressantes.

Le Séminole lui chuchota de raccrocher. Quand du plat de la main il fit le signe du tranchage de gorge, elle sourit en secouant la tête.

— Ethan veut savoir si tu es le fou dangereux qui a tiré sur eux dans l'île. Que dois-je lui répondre ?

— Dites-lui de laisser tomber la beuh. Personne n'a tiré sur personne.

Gillian fit au téléphone : « Mon nouvel ami est du genre timide. »

---

1. Cf. le final de *L'Arme du crocodile*, op. cit. *(N.d.T.)*

Sammy Queue de Tigre sentait son crâne prêt à se fendre comme un œuf. Il s'étendit, le fusil serré contre sa poitrine. Puis entendit Gillian dire à son petit copain : « Chais pas quand je reviendrai. Tallahassee c'est tellement chiant, tu vois ce que j'veux dire ? »

L'Indien ferma les yeux, sans pourtant nul espoir de dormir. Quand Gillian éteignit le téléphone, elle lui dit :

— T'as sale mine.

— Merci de ne pas m'avoir balancé.

Gillian éclata de rire.

— Comment je pourrais lui dire ton nom quand j'arrive tout juste à le prononcer ?

— Si on savait que je suis un Séminole, on se lancerait à ma poursuite, sûr et certain.

Sammy Queue de Tigre se remit debout. Il espérait que son vertige venait de la faim et non pas d'une fièvre cérébrale de visage pâle.

— Ethan m'a promis de faire cesser les recherches, mais il boude, ça je peux te le dire. Il refuse de croire que je préfère être avec quelqu'un d'autre que lui, fit Gillian. Vous, les mecs avec votre ego.

— À propos de noms, le vôtre, c'est bien Sainte Croix ?

— T'es déjà allé là-bas[1] ? Les plages sont d'enfer... tu devrais y emmener ta copine ou qui ou qu'est-ce.

— Non, je ne quitterai pas les Everglades, répondit l'Indien. Plus jamais.

Ils sortirent. Gillian dénombra quatre espèces de papillons. Sammy Queue de Tigre pouvait distinguer un zébré d'un tigré, mais pas identifier les autres ; Gillian n'en fut pas moins impressionnée. Elle escalada à moitié le vieux poinciana et se percha au bout d'une branche semblable à un tronc, haut parmi le feuillage vert vif.

1. Sainte Croix est l'une des îles Vierges américaines. *(N.d.T.)*

— Eh, Thlocko, le héla-t-elle. Pourquoi j'ai pas envie de rentrer chez moi ?

Sammy Queue de Tigre fut secrètement ravi que Gillian ait retenu son nom séminole, même si elle avait oublié au passage le second *l*. Elle n'était pas la seule à avoir du mal avec Thlocklo. À la bibliothèque publique de Miami, il avait déniché un jour un exemplaire du répertoire des « 99 Indiens et Nègres de Floride » livrés aux baraquements de l'armée US à La Nouvelle-Orléans, le 7 janvier 1843. Parmi ceux figurant sur la liste, il y avait « le groupe d'Indiens, y compris son chef Queue de Tigre ou Thlocko Tustenugee » déportés pour être réimplantés de force à l'ouest du Mississippi. Ce dernier était l'arrière-arrière-arrière-grand-père de Sammy Queue de Tigre.

Quand Gillian redescendit de l'arbre, elle lui dit :

— J'ai besoin de prendre un bain.

— Bonne chance avec la plomberie.

— T'as dit que t'avais envie que je m'en aille. Tu le pensais vraiment ? Parce qu'à te voir, t'as pas l'air chaud-chaud.

Malgré lui, Sammy Queue de Tigre se surprit à être intrigué par son apparence à cet instant précis, avec la brise qui chamaillait ses cheveux et le soleil qui lui colorait les joues.

— Ethan a assez paniqué comme ça, lui dit-il. Vous feriez mieux de partir.

— Rien à battre d'Ethan.

— Vous ne pigez pas. N'importe quoi peut se passer ici.

— Justement ! s'exclama Gillian. C'est bien de ça qu'il s'agit.

Sammy Queue de Tigre ne put s'empêcher de sourire.

— Et si je te disais que je sais jouer de la guitare, hein ? dit-elle.

— Je ne vous croirais pas.

— Bouge pas, Cochise.

Gillian courut et revint avec la Gibson.

— T'as un médiator ?

— Ah ça non, fit Sammy Queue de Tigre, curieux.

— Fait rien. Vise-moi ces ongles.

152

Elle joua. Il écouta.

Ce soir-là, un nouveau télémarketeur appela Honey Santana et essaya de lui vendre une assurance-vie à raison de dix-sept dollars cinquante par mois. Au lieu de morigéner le bonhomme, elle fut d'une patience et d'une politesse effrayantes.

— Dieu vous bénisse, mon frère, lui dit-elle avant de raccrocher.

Fry, atterré, en laissa tomber sa fourchette dans ses lasagnes.

— Je vais carrément en parler à papa.

— Tu feras pas ça. Je vais très bien, on ne peut mieux, dit Honey.

— Tu vas pas bien, maman. Tu deviens bipolaire. Peut-être même *tripolaire*.

— Tout ça, parce que je suis aimable avec un inconnu au téléphone ? Je pensais que c'était ce que vous vouliez, les garçons.

— Ouais, mais *ça*, ça m'a fichu les super boules, dit Fry en débarrassant la table de son assiette.

Honey choisit de passer sous silence l'élan de sympathie aberrant qui l'avait poussée à rendre visite à Louis Piejack chez lui, l'après-midi même. Induite en erreur par un accueil aimable et la proposition pareillement affable d'une limonade, Honey avait pris un siège dans le salon de son ex-employeur, uniquement pour s'entendre annoncer que a) sa femme n'était pas là, mais à Gainesville, pour sa séance de chimiothérapie, et que b) ses testicules s'étaient pleinement rétablis depuis le martèlement qu'Honey leur avait infligé à la halle aux poissons. Piejack avait continué en disant que l'amputation brutale due aux crabes de roche et la redistribution chirurgicale subséquente de ses doigts, tout en rendant problématiques ses ambitions pianistiques, promettaient un nouveau répertoire des plus innovateurs en matière de préliminaires amoureux. C'est alors qu'Honey avait foncé vers la porte, Piejack tâchant de la choper de sa pogne gauche bandée. Honey n'avait pas envie que Fry soit au courant car il

153

en parlerait à son père, lequel Skinner pourrait se porter à de telles extrémités sur Louis Piejack qu'il finirait en prison.

Le garçon alla préparer ses affaires tandis qu'Honey sortait tester son plus récent antimoustiques : un mélange de citronnelle et d'huile d'olive vierge dont elle s'enduisit les deux jambes. Au bout de plusieurs minutes, jugeant que la soirée était trop venteuse pour recenser les insectes, elle entreprit à la place de répéter le sermon qu'elle comptait administrer à Boyd Shreave, l'homme qui l'avait traitée de vieille pouffe aigrie. Elle prévoyait d'attendre le second jour de l'écotour, quand ils seraient en plein cœur de la nature sauvage et que Shreave n'oserait pas se carapater. Il n'aurait d'autre choix que d'écouter Honey Santana lui redresser les bretelles.

Le thème de sa réprimande serait l'érosion des bonnes manières dans le monde moderne, le déclin de la politesse. Honey était prête à assumer la responsabilité de ses propres paroles mordantes pendant l'appel du télémarketeur. Peut-être commencerait-elle par s'excuser d'avoir mentionné la mère de Shreave dans la conversation.

— J'ai eu tort, Boyd, et je m'en excuse. Mais j'étais énervée et maintenant, je veux vous dire pourquoi…

— Maman ?

C'était la voix de Fry, venant de derrière la porte-moustiquaire.

— Tu parles à qui ?

— Personne. Sors et viens t'asseoir ici.

Elle se poussa pour lui faire de la place sur la première marche de la caravane. Son sac à dos en bandoulière, il mangeait une pomme.

— Quand ton paternel va-t-il se montrer ? lui demanda-t-elle.

— Dans dix minutes. Tu parlais à qui ?

— À moi-même. Des tas de gens parfaitement sains d'esprit font la même chose, Fry.

Honey s'appuya contre lui. Il avait les cheveux humides et

sentait son shampooing à elle. Elle eut envie de l'attraper par le cou et de pleurer.

— Un avion est sorti aujourd'hui, dit-il. Pour rechercher une étudiante qui s'était fait soi-disant kidnapper dans l'une des îles. Puis son copain a appelé pour dire que tout était O.K. Elle l'avait largué et s'était tirée avec un braco.

Honey eut un rire étranglé.

— Ça m'a tout l'air d'une véritable histoire d'amour.

Fry se tourna en levant les yeux vers la fresque que sa mère avait peinte sur la caravane et qu'un lampadaire illuminait en partie.

— Ton perroquet est cool au final. Les singes aussi, ça déchire, fit-il.

— Merci, mais les voisins sont pas vraiment impressionnés. Au fait, qu'est-ce qu'elle devient cette fille que t'aimais bien à l'école ? Naomi.

— Elle est partie vivre à Rhode Island. Et son nom, c'était Cassie, fit Fry. Bon, qu'est-ce que t'as prévu de faire avec tes amis ?

— Chais pas, juste traîner dans le coin. J'ai entendu dire qu'il y a un salon de l'artisanat à Naples.

— Mortel comme plan, fit Fry.

— Ou peut-être qu'on rodera ces kayaks, si le temps le permet.

— Comment ça se fait que t'as les yeux tout rouges ?

— Le poil de chat.

Elle montra du doigt le tabby gris éclopé de Mrs Saroyan, qui squattait la clôture grillagée et arrosait leur boîte aux lettres.

Fry fouilla son sac à dos et en sortit un machin qui ressemblait à un Blackberry, en plus petit.

— Tiens, prends ça. C'est un receveur GPS, au cas où tu te paumerais sur l'eau.

Honey fit un grand sourire.

— Laisse-moi deviner d'où tu sors ça… cadeau de mon ancien époux bourrelé de culpabilité ?

— Il en avait un autre qui traînait. L'idée vient de moi.

Il lui montra comment s'en servir et elle parut lui prêter attention.

— Tout le monde s'en fait tellement pour moi, bon Dieu. Je suppose que ça devrait me toucher, fit-elle.

Deux phares apparurent au bout de la rue.

— Ça doit être lui, dit Fry en se relevant.

Honey dit à son fils de prendre du bon temps.

— Mais n'oublie pas de faire tes devoirs. J'appellerai demain pour organiser un dîner, afin que tu puisses rencontrer mes amis.

Bien entendu, il n'y aurait pas de réunion pareille, mais Honey devait poursuivre sa comédie au cas où Fry y croirait.

— Et, par pitié, ajouta-t-elle, lave ton slip coquille après l'entraînement.

— Tu ferais mieux de pas pleurer. Sérieux.

— Je te l'ai déjà dit, je suis allergique.

Quand Perry Skinner s'arrêta en freinant devant la cour, Honey crut le voir lui faire un petit signe. Fry lui plaqua une bise sur la joue en disant :

— J't'aime, maman.

— Moi aussi, j't'aime. Et maintenant, arrête de te faire du mauvais sang, tu veux ?

Elle lui sourit puis le poussa en plaisantant vers le pick-up de son père.

— T'enfuis pas avec un braco surtout, fit-il.

— Eh, je pourrais faire pire, cria Honey après lui.

11

L'atterrissage à Tampa fut chahuté. À l'aéroport, Eugénie
Fonda se rua sur le premier bar ouvert dans le hall. *Margarita-
ville*[1] jouant dans la sono, elle en commanda une.

Boyd Shreave prit une bière. Il leva son verre en disant :

— À la liberté.

— Tu parles, fit Eugénie.

— Allez. C'est le départ d'une vie flambant neuve.

— Tu nous as loué quoi ?

— Une Saturn milieu de gamme.

Eugénie émit un sifflement.

— Wouah, baby.

— Qu'est-ce que ça a de mal, une Saturn ?

Elle sourit.

— T'es plein de bon sens, Boyd. Tu paieras avec la carte
gold de Lily ?

Shreave détourna les yeux, feignant d'être fasciné par un
match de basket diffusé par la télé fixée sur le mur, au-dessus
du présentoir de Budweiser.

— Alors pourquoi ne pas être fou ? Prends un 4 x 4, un

---

1. Chanson de Jimmy Buffet (1977), devenue une sorte d'hymne officieux de la
Floride. *(N.d.T.)*

157

Escalade, disait Eugénie. T'es pas le premier débile venu avec une note de frais, Boyd. Tu es en safari.

— Bon. Je vais louer le plus gros bahut qu'ils ont.

— À moins que tu te sentes coupable de truander ta femme, ajouta Eugénie.

— Ouais, c'est tout moi. Pétri de culpabilité.

Shreave plaqua trois billets de cinq.

— T'as fini ton verre ?

Ils firent la queue pendant trois quarts d'heure au comptoir Avis et repartirent avec une banale Ford Explorer, le dernier Escalade ayant été loué à un type d'âge mûr trimballant deux valises de voyage Halliburton.

La circulation, pour sortir de la ville, était infernale. Eugénie Fonda ferma les yeux et s'appuya contre la vitre. Boyd Shreave se demandait comment l'entraîner dans l'humeur enjouée d'une escapade en Floride. Malgré leurs rapports sexuels exubérants, Eugénie avait toujours maintenu une distance affective avec lui et, pendant ce long trajet, Shreave se retrouva saisi d'une forte envie de la posséder sur tous les plans. Pendant qu'elle sommeillait — tressautant chaque fois qu'il faisait une embardée ou appuyait sur les freins —, Shreave était galvanisé par le désir grotesque qu'elle soit charmée, ensorcelée et affamée au dernier degré de sa présence. En son for intérieur, il se mit à spéculer sur les qualités de Van Bonneville, l'assassin en puissance, qui avaient pu l'attirer cinq ans plus tôt. Même en s'illusionnant comme il le faisait sur son propre pouvoir de séduction, Shreave comprenait qu'il n'avait pas grand-chose de commun avec l'éla- gueur meurtrier, tel que Court TV en avait établi le profil glaçant. Le bonhomme avait fait preuve d'audace et de déci- sion, traits de caractère qu'on n'avait jamais attribués à Shreave.

Il quitta l'interstate au nord de Fort Myers, repéra un centre commercial et informa Eugénie qu'il allait aux toilettes. Elle approuva d'un grognement endormi, inclina le siège et re- sombra dans le coaltar dû au mélange d'alcool et de Valium. Shreave traça direct vers une librairie Barnes & Noble, où un vendeur sidéré le guida jusqu'au dernier exemplaire non défraîchi en poche du *Vampire de l'ouragan* qu'il acheta ainsi qu'une carte routière de la Floride du Sud-Ouest.

Le soleil se couchait quand, avec Eugénie, ils pénétrèrent enfin dans Everglades City, qui n'avait rien d'une ville au sens texan du terme. C'était à peine une grosse bourgade, en fait.

Eugénie baissa sa vitre pour permettre à l'air frais de la réveiller.

— Où est la plage ? demanda-t-elle à Shreave.

— Je sais pas trop.

— Où est *tout et n'importe quoi*, d'ailleurs ?

— Patience, lui dit-il.

Quand il s'arrêta dans un Circle K pour demander la direction du Dancing Flamingo Lodge, l'employé le dévisagea comme s'il était un délinquant sexuel dûment fiché. Il eut plus de chance au Rod & Gun Club où un barman, après avoir étudié l'adresse de la rue fournie par la télémarketeuse, lui dit que c'était à un jet de pierre à pied. Il dessina à Shreave un plan sur une serviette en papier qu'il lui tendit.

— Mangeons d'abord, je dépéris à vue d'œil, dit Eugénie en se dirigeant vers le restaurant.

Admirant son jeu de hanches, le barman dit à Shreave qu'il était un sacré veinard.

— Mais moi, à votre place, je lui collerais au train, ajouta-t-il. Les mecs par ici, ils voient pas des masses de femmes comme ça.

— On en voit pas beaucoup comme ça où qu'on habite, trancha Shreave d'autorité.

Le dîner fut excellent : cœurs de palmier, beignets de conque et tarte au citron vert des Keys. Leur table dominait la Barron River où les poissons volants brillaient tels des jets de mercure sous les lumières du quai. Eugénie dévora avec un bel appétit et Shreave nota une nette amélioration de son humeur. Après le dessert, elle se débarrassa même d'une de ses chaussures d'un coup de pied et lui taquina l'entrejambe de ses orteils nus.

— On va s'éclater comme des bêtes cette nuit, lui annonça-t-elle.

Quasi délirant par avance, Shreave décida de couvrir en voiture les quelques blocs qui les séparaient de l'écolodge afin de ne pas avoir à se coltiner les bagages à pied. Suivant le plan du barman, il tourna dans une rue non pavée du nom de Curlew Boulevard.

Eugénie se raidit sur son siège.

— Boyd ?

— Ouais, je sais.

— C'est qu'un *trailer park* merdique.

— J'ai des yeux pour voir, renchérit-il, d'un ton sinistre.

L'adresse était 543, Curlew Bd, et la résidence était carrément une caravane F-2. Un barjo quelconque avait peint des perroquets et des singes psychédéliques sur toute sa longueur.

— Dis-moi que c'est une blague, fit Eugénie Fonda.

Shreave, hébété, se sentait sur des charbons ardents.

— Boyd, t'imprimes bien tout ça ?

— Je sais pas ce qui se passe. Juré promis, lui dit-il.

Sur ce, la porte de la caravane s'ouvrit à la volée.

Avant son emploi malheureux à la concession d'hydroglisseurs, Sammy avait brièvement tenté sa chance dans le combat d'alligators. Personne n'avait compris pourquoi. Ce n'était pas un boulot prisé, la plupart des dompteurs d'alligators ayant pris leur retraite dès que leurs commissions sur le jeu avaient commencé à rentrer.

Via des publicités dans la presse, la tribu avait recruté une ribambelle de jeunes visages pâles mal dégrossis pour les numéros d'alligators, manquement à l'authenticité culturelle qui ne semblait pas déranger les touristes. Sammy Queue de Tigre se forma auprès d'un ancien mécanicien d'Harley-Davidson qui, en vertu de trois doigts de pied manquants, était finement surnommé « Zorteils ». Il les avait perdus dans une bagarre à la hachette, mais naturellement il disait au public qu'un *bull gator* les lui avait boulottés. En guise d'introduction, Zorteils fit la démonstration à Sammy Queue de Tigre de quelques techniques d'immobilisation rudimentaires et lui conseilla de ne pas manger de poisson-chat les jours de représentation, car « ces diables de lézards peuvent le flairer dans ton haleine ».

Le premier pugilat de Sammy Queue de Tigre se déroula si bien qu'il demanda pour plaisanter qui avait drogué l'alligator... Le spécimen de deux mètres cinquante déploya la férocité d'un sacco. Ce fut détendu et très sûr de lui que Sammy Queue de Tigre attaqua la représentation suivante où figurait un individu encore plus docile, du moins à ce qu'on avait dit au jeune Séminole.

Statistiquement, combattre professionnellement un alligator est à peine plus dangereux que poser du papier peint. Le pourcentage de victimes des plus bas est dû moins à l'agilité des dompteurs qu'à la tolérance invétérée des reptiles. Ayant appris que leur récompense est un poulet faisandé, les alligators se laissent patiemment traîner aux quatre coins d'une fosse à sable et soumettre à une série d'indignités plus idiotes les unes que les autres. De façon évidente, le succès de tels numéros repose sur un certain seuil critique de léthargie de ces animaux. Un alligator fraîchement capturé n'est pas un adversaire idéal dans ce genre de corps-à-corps ; indompté et irritable, même un spécimen maigrichon est capable d'infliger des blessures graves et potentiellement estropiantes.

Pour le deuxième (et dernier, au final) spectacle de la carrière de Sammy Queue de Tigre, ces beaufs de lutteurs crurent faire preuve d'humour en introduisant en douce un sosie dans la fosse aux alligators. Le candidat choisi mesurait dans les deux mètres et pesait grosso modo cinquante-cinq kilos. Plus crucialement, il n'avait aucune expérience du show-biz, ayant été pris au piège la veille au soir dans le lagon d'un parcours de golf. Inconscient du fait, Sammy Queue de Tigre poussa un cri de guerre improvisé et sauta avec panache sur la bête, qui éclata en contorsions furieuses et sifflements de rage. Le public trouva ça fantastique.

Griffé, malmené et fouetté de coups de queue, Sammy Queue de Tigre réussit à éviter les dents du saurien. Pendant qu'ils se démenaient dans la poussière, l'Indien se débrouilla pour verrouiller des deux bras la tête de son ennemi battant l'air comme un fléau ; c'est alors qu'ils roulèrent ensemble dans le bassin cimenté. La profondeur avait beau être d'à peine un mètre vingt, Sammy Queue de Tigre savait que des alligators en avaient noyé certains en eaux moins profondes. Il était aussi conscient que l'animal primitif qu'il tenait sous sa poigne était capable de retenir son souffle pendant des heures. Ce fait, ajouté à la compréhension que le bassin lui-même était sans doute contaminé par la merde d'alligator, incita Sammy Queue de Tigre à desserrer son étau et à donner un violent coup de pied pour remonter à la surface.

En le voyant patauger tout seul pour sortir de l'eau couleur de bile, le public se leva et l'applaudit. Le Séminole salua timidement tandis que l'aboyeur annonçait par haut-parleur que le monstre marin défait demeurerait immergé jusqu'à ce qu'il ait fini de bouder. Trois quarts d'heure plus tard, l'alligator remonta en effet à la surface, le ventre en l'air, posture trahissant un état de santé plus défaillant que celui dû à une blessure d'amour-propre. La démonstration de traite d'un serpent à sonnette fut aussitôt interrompue, et Sammy Queue de Tigre rappelé dans la fosse de combat. Une fois là, sous un chœur de *hou* cinglants et le tic-tic des appareils numériques, il hissa avec morosité le cadavre écailleux hors du bassin.

Une nécropsie révéla que Sammy Queue de Tigre avait accidentellement brisé la nuque de l'alligator pendant leur empoignade sous l'eau, mésaventure qui allait coûter à la tribu de lourdes amendes de la part des autorités tant de l'État que fédérales. Parmi le volume de réglementations régulant la captivité et l'exhibition de l'*Alligator mississipiensis*, aucune n'est considérée avec plus de sérieux que l'interdiction de nuire à l'espèce. Aucun lutteur dans l'histoire de la réserve séminole n'avait jamais buté un alligator pendant une représentation payante. L'appel à la clémence de Sammy Queue de Tigre se heurta à une sourde oreille généralisée. Il fut banni à vie de la fosse à alligators, l'incident servant à renforcer le point de vue tribal qu'il était maudit d'être un sang-mêlé.

Sammy Queue de Tigre choisit de ne pas confier l'épisode de la mort de l'alligator à Gillian quand il refusa de lui donner une leçon de lutte corps à corps.

— Oh, allez, lui dit-elle. Je t'ai bien appris à jouer de la guitare, moi.

En fait, elle lui avait montré les accords de *Tequila Sunrise* des Eagles, l'une des chansons préférées de feu le père de Sammy.

Ce dernier lui en était reconnaissant, mais jusqu'à un certain point.

— Vous croyez que tous les Séminoles luttent contre les alligators ? C'est insultant, lui dit-il. Ça revient à dire que tous les Blacks marquent des paniers au basket.

Le sujet était venu sur le tapis parce qu'ils avaient aperçu un alligator ou un crocodile traverser à la nage la passe près de l'île.

— Me dis pas que t'as jamais essayé, fit Gillian.

— Faut avoir le truc pour ça, répliqua Sammy Queue de Tigre calmement.

— Montre-moi.

— J'ai dit non.

— Imagine que je suis un alligator.

Gillian s'allongea sur le ventre, les bras serrés contre les flancs, sur le sol de la citerne.

— Maintenant, tu t'approches en douce et tu me sautes sur le poil.

— Une autre fois.

— Joue pas les saintes-nitouches. Viens.

Elle portait des tongs pastel, une petite culotte en résille et un haut de bikini blanc, ce qui était devenu sa tenue insulaire officielle. Sammy Queue de Tigre trouvait que ça le déconcentrait. Il ne savait pas trop si Gillian s'amusait à le tourmenter ou si elle était simplement inconsciente de ce qu'il ressentait.

— Je suis vraiment crevé, fit l'Indien.

Toute la matinée, il avait fait des coupes claires dans les cactus noueux qui, du moins, s'étaient révélés juteux et agréablement comestibles.

— S'il te plaît ? dit Gillian. Fais semblant.

Le Séminole se positionna au-dessus d'elle, parallèlement, se calant sur les coudes pour lui soulager un peu le postérieur de son propre poids. Elle était plus chaude qu'un alligator et, dénuée de peau écailleuse, plus douce au toucher.

Gillian éclata de rire sous la contrainte en disant : « Et maintenant, qu'est-ce qui se passe ? »

Il glissa une main sous le menton de Gillian et, lui plaçant fermement l'autre main sur le sommet de la tête, lui maintint efficacement la bouche fermée.

— Le hic, expliqua-t-il, c'est de les immobiliser sans les rendre furax.

Gillian grogna et se mit à se trémousser. Sammy Queue de Tigre roula tout à coup sur le côté. Il espéra qu'elle ne ferait pas de commentaire sur sa bandaison, mais bien évidemment que si.

— T'as mis le temps. Je commençais à me faire du souci pour toi, remarqua-t-elle en se redressant.

— C'est pas un jeu. C'est une affaire sérieuse.

Sammy Queue de Tigre songea : Oncle Tommy a raison. Ces filles-là sont de la « mauvaise médecine ».

— J'arrive vraiment pas à croire que t'aies pas encore essayé de me sauter, dit Gillian. Ethan, ça lui a pris, quoi, trois minutes et demie la première fois qu'on est sortis ensemble. Pas pour le faire, mais pour essayer... à partir du moment où on est entrés dans la bagnole jusqu'à ce qu'il fourre ma main dans son jean.

— Je sais pas m'y prendre aussi bien qu'Ethan, fit Sammy Queue de Tigre.

— J'ai même pas voulu le branler, O.K. ?

— Écoutez.

Il se mit debout et releva vivement Gillian du sol.

— Vous entendez ça ?

164

Un autre avion volait à basse altitude.

— Sortez et faites-lui de grands signes, lui dit-il.

— Tu peux toujours te brosser, fit-elle.

— Qu'est-ce que vous essayez de prouver ?

L'Indien la saisit par les épaules.

— Y a pas une goutte d'eau douce sur cette île… pas de savon, pas de glaçons, pas d'électricité. Vous serez obligée de gober des œufs d'oiseau et de vous nourrir de poisson, ce qui vous fait dégueuler à ce que vous m'avez dit. Donc, retournez chez vous, d'ac ? Rentrez à Tallahassee, larguez Ethan et redémarrez tout de zéro.

Elle se dégagea et lâcha avec colère un truc que l'Indien n'entendit pas à cause du bourdonnement de l'avion tout proche. Une fois qu'il se fut éloigné, elle lui dit :

— Je croyais qu'on était libre dans ce pays.

— Qu'est-ce que vous fichez ici ? lui demanda le Séminole.

— Et toi, d'abord ?

— Un type est mort dans mon hydroglisseur, il fallait que j'aille quelque part. Un quelque part sans visages pâles.

— C'est pour ça que tu veux pas me sauter ? fit Gillian. C'est avoir autant de préjugés que moi, quand je t'ai interrogé sur les combats d'alligators. Tu sais quoi ? C'est même pire.

Sammy Queue de Tigre s'entendit répondre : « Ma petite amie est blanche. »

Gillian se croisa les bras, feignant la surprise.

— Pas possible !

— Mon ex-petite amie, je veux dire.

— Son nom, s'il te plaît.

— Cindy. Elle est accro au *crank*.

— Ah. Alors, toi et moi, on a un point commun. On s'est tous les deux choisi des losers, dit Gillian. Écoute-moi bien, grand chef. Un jour, quand je serai une vieille dame aux cheveux gris, je raconterai à mes petits-enfants que j'ai été kidnappée par un véritable Indien et retenue en otage sur une île à mangroves dans les Everglades. Que je lui ai appris à jouer de la guitare et

165

que lui m'a tout enseigné sur les alligators, qu'on mangeait de drôles de baies de cactus, comptait les papillons et dormait dans une citerne cassée. C'est plutôt génial comme histoire.

Sammy Queue de Tigre ne pouvait en disconvenir.

— Et elle serait encore meilleure, fit Gillian, avec une passion brûlante à la clé. Mais je crois que je pourrais faire marcher mon imagination… t'y trouverais rien à redire, hein ? Ça serait ce qu'on appelle une « licence poétique », non ?

— Délirez sec, fit Sammy Queue de Tigre.

Lily Shreave était en pleine séance de massage quand le téléphone sonna. Son masseur, appelé Mikko, affirmait avoir été formé pendant onze ans à Bali. Lily avait trouvé ce mensonge imaginatif adorable, étant donné ses tatouages des Sooners[1] et son accent de l'Oklahoma à couper au couteau. Elle glissa un billet de cinquante dollars dans l'une de ses larges paumes huileuses, lui fit signe de sortir de la pièce et attrapa son portable.

— Rien à faire, lui dit Dealey à l'autre bout du fil.

— Vous baissez déjà les bras ? Vous venez à peine d'arriver.

— Ils sont à l'intérieur d'une caravane, Mrs Shreave. Impossible de filmer.

Lily descendit de la table de massage.

— Un genre de Winnebago, vous voulez dire ?

— Pas un minibus, fit Dealey, un *mobile home*, précisa Dealey. Je ne pourrai jamais obtenir l'angle voulu.

Lily se drapa dans une serviette.

— Elle est avec lui ? Je ne comprends pas.

— Laissez-moi vous dépeindre le tableau. Je suis au volant d'un 4 x 4 dans le *trailer park* d'un camp de pêche amélioré, dans un bled perdu des Everglades. Je ne peux même pas quitter mon véhicule, car non pas un mais *deux* pitbulls de merde n'attendent qu'une chose : m'arracher les burnes d'un coup de croc. Pendant

---

1. Nom donné aux équipes des dix-sept disciplines sportives de l'Université d'Oklahoma. *(N.d.T.)*

ce temps, votre abruti de mari et sa fausse Fonda de petite amie viennent de transporter leurs bagages dans un mobile home qui a tout l'air d'avoir été fabriqué sous la présidence de Roosevelt et décoré par l'un des singes de Tarzan.

Dealey, à l'entendre, était très découragé.

— Ça n'a pas de sens, lui dit Lily. Boyd descend toujours dans un Marriott.

— Il n'y a pas de Marriott ici, Mrs Shreave. Ils ont de la chance s'il y a l'eau courante.

Lily demanda au détective privé s'il lui était possible de jeter un coup d'œil furtif dans la caravane.

— Négatif. Il y a des rideaux à toutes les fenêtres, lui signala-t-il. Et, comme je vous l'ai dit, les chiens ne veulent pas me laisser descendre de bagnole de toute façon. Je suis garé cent mètres plus loin sur la route.

— Alors, quel est votre plan ? fit Lily.

— Mon plan, c'est de retourner à la civilisation en voiture, me prendre une chambre d'hôtel climatisée avec un lit *king size*, commander un steak d'aloyau et regarder la boxe sur HBO. Puis, demain, à mon réveil, je rentre à Dallas par le premier vol. Voilà mon plan, Mrs Shreave.

Lily sentit que Dealey n'était pas un enthousiaste des grands espaces.

— Vous ne pouvez pas me lâcher maintenant. Accordez-vous un jour de plus.

— Je regrette. Ça dépasse tout et au-delà.

— Ça ne peut pas être si terrible ? Vous êtes en Floride, bon Dieu.

Dealey ricana.

— C'est ça, je me trouve peut-être à Disney World et je m'en suis pas aperçu. Peut-être même que je suis sur une des attractions : La Caravane Crade des Caraïbes.

Si Lily n'arrivait pas à imaginer pourquoi son mari avait traîné sa maîtresse dans un endroit pareil, elle était intriguée. Peut-être qu'il s'agissait d'un club échangiste « grunge » qu'il avait déniché sur Internet.

— Vous ne *pouvez* pas repartir encore, dit-elle à Dealey.

— Ah ouais ? Vous m'avez bien regardé ?

— Supposons que je gonfle vos honoraires à vingt-cinq mille ?

À l'instant où elle prononça ce chiffre, Lily sut qu'elle avait dépassé les bornes. Ça n'avait plus rien à voir avec l'humiliation d'un mari volage ; il s'agissait de prendre purement et simplement son pied.

— Quoi ? fit Dealey.

— Vingt-cinq mille.

— Vous êtes complètement malade… soit dit sans vouloir vous offenser.

— Je prends ça pour un oui.

Lily entendait les pitbulls aboyer en fond sonore.

— Boyd et sa pouffe sortiront bien de cette caravane tôt ou tard, fit-elle à Dealey. Je parie qu'ils feront ça sur la plage au lever du soleil. Étaler une couverture et y aller comme des bêtes… ça lui ressemble assez à elle, pas vrai ?

— Je ne suis pas certain qu'il y ait une plage par ici, Mrs Shreave.

— Ne soyez pas ridicule. La Floride n'est qu'une longue plage.

— Vingt-quatre heures. Puis je me casse, fit Dealey.

— Rien à dire. Mais faites-moi confiance pour la chose au soleil levant.

— Je vais mettre mon réveil, répondit le détective. Vous ne me menez pas en bateau avec vos vingt-cinq mille ?

Lily Shreave sourit à l'autre bout du fil.

— La pizza est un bizness qui rapporte, Mr Dealey.

Boyd Shreave n'était pas, et de loin, aussi cool qu'Honey Santana l'avait prévu.

— Aimeriez-vous une orange fraîchement pressée, Mrs Shreave et vous ? demanda-t-elle.

La femme qui accompagnait Boyd Shreave commença à dire quelque chose, mais il la coupa.

— Un jus d'orange, ça le ferait, hein, Génie ? lui dit-il.

Honey savait, via son expédition sur Google, que le prénom de la femme de Shreave était Lily. Quelques jours plus tôt, en lui faxant le renseignement pour les réservations aériennes, Shreave avait inscrit sa femme sous le nom d'Eugénie Fonda, en expliquant entre parenthèses qu'elle préférait voyager sous son patronyme de jeune fille. Ce mensonge tarabiscoté ne surprit pas Honey. Que Shreave emmène avec lui une petite amie ne faisait qu'entériner la sévérité de son appréciation initiale du personnage.

— Alors, c'est ça l'*écolodge* ?

Il scruta l'intérieur de la caravane F-2.

— On s'attendait à quelque chose de différent, fit-il.

— Logement à titre temporaire en attendant que les nouvelles installations soient terminées, le baratina Honey joyeusement. On les construit tout en haut des arbres, comme ça se fait au Costa Rica.

Shreave était sceptique.

— Quand on se voit offrir un voyage gratuit au paradis, on ne vous installe pas d'habitude dans un *trailer park*. Je me trompe ou quoi ?

— Ma foi, je croyais que vous seriez ravis.

Honey était piquée que pas plus Shreave que sa compagne n'aient fait de remarques sur sa fresque tropicale extérieure.

— Bon, quand est-ce qu'on est bons pour le grand argumentaire ? lui demanda-t-il.

— Pardon ?

— Concernant le terrain marécageux que vous êtes censée nous vendre. Les Hammocks royaux du golfe, vous vous rappelez ?

Shreave gloussa de façon acerbe.

— C'est une opération immobilière carrément quatre étoiles que vous gérez là.

— Ah oui… les Hammocks, bien sûr, fit Honey Santana. Nous parlerons de tout ça plus tard.

Elle avait presque oublié qu'elle était censée faire partie d'une arnaque à la vente de terrains.

La dénommée Génie prit la parole.

— Il n'y a pas une plage quelque part dans les environs ? Ou un bar paillote, au moins ?

— Là où nous allons, c'est mieux qu'à la plage… demain matin, nous partirons dans les îles.

Honey sourit.

— Vous voulez bien m'excuser ?

La caravane ayant la taille d'une caravane, Honey entendit le couple se disputer à voix basse pendant qu'elle était dans la cuisine. Elle était soulagée que Shreave ne l'ait pas identifiée comme étant la voix de Pia Frampton, la télémarketeuse fictive qui lui avait offert le voyage. Son accent traînant à la Laura Bush semblait avoir fait des merveilles.

Bien qu'Honey possédât un presse-agrumes électrique, elle choisit de presser les fruits à la main. L'exercice était thérapeutique, tenant en respect pour un moment les deux airs… *Smoke on the Water* de Deep Purple et *Rainy Days and Mondays* des Carpenters qui n'avaient cessé de se heurter dans sa tête, de façon intolérable, depuis sa visite malavisée chez Louis Piejack. Un peu plus tôt dans la soirée, avant l'arrivée des Texans, Honey avait cru apercevoir Louis au volant d'un pick-up sombre, en maraude dans sa rue. Elle n'en était pas sûre à cent pour cent car la moitié des types de la ville possédaient un véhicule du même genre.

La dénommée Génie se matérialisa dans la cuisine et lui proposa de l'aider avec le plateau. Honey lui dit que ce n'était pas nécessaire.

— Mais merci quand même, Mrs Shreave.

— Je ne suis pas Mrs Shreave, s'empressa de chuchoter Génie.

170

— Je sais, lui répondit Honey du tac au tac en chuchotant, elle aussi.

— Vraiment? Qu'est-ce qui m'a trahie?

— La perle que vous avez dans la langue, pour commencer.

La femme acquiesça avec tristesse.

— Je m'appelle Eugénie Fonda. Je crois que j'ai fait une terrible erreur.

— Oh, ne vous frappez pas, lui dit Honey. Je ne vais pas essayer de vous vendre un terrain ni quoi que ce soit.

— Non, vous ne comprenez pas…

Shreave héla Génie et Honey mit un doigt sur ses lèvres. Les deux femmes revinrent dans le salon où Shreave avait fourré son nez dans la bibliothèque d'Honey, qu'elle avait négligé de purger de ses souvenirs personnels.

— C'est qui le champion d'athlétisme? fit-il en désignant une série de coupes.

— Mon fils.

— Ah ouais, il doit courir plutôt vite.

Honey voulut changer de sujet.

— Vous prendrez bien un jus d'orange, Mr Shreave.

— Ouais, il est vraiment très bon, fit Eugénie Fonda, agrippée à son verre comme à la corde d'ouverture d'un parachute. Vous auriez pas de la vodka pour aller avec?

— Moi aussi, j'étais vachement rapide à la course de relais, à l'époque, dit Shreave.

Honey crut d'abord qu'il plaisantait mais elle fut renseignée par l'expression méprisante d'Eugénie.

— Jusqu'à ce que je m'explose les genoux, poursuivit Shreave sur sa lancée.

Bientôt la tour de Babel qui s'édifiait sous le crâne d'Honey lui rendit impossible de suivre ce qu'il disait. Elle envisagea la possibilité d'avoir fait elle aussi une terrible erreur. Boyd Shreave ne semblait pas un individu facile à corriger, émouvoir ou transformer. Il n'exprimait aucune conviction personnelle ni ne trahissait une vraie connaissance de soi. Il avait fait le voyage des

171

Everglades juste pour prouver à sa petite amie qu'il n'était pas une mauviette.

Honey se prépara à trois jours de galère.

— Vous savez faire du kayak tous les deux, n'est-ce pas ?

12

Le vrai nom de famille de Gillian était Tremaine, mais en fac elle l'avait changé en Sainte Croix pour faire enrager ses parents. C'était pour la même raison qu'elle préparait un diplôme d'institutrice ; ses parents, eux, auraient préféré qu'elle opte pour économie et gestion, mention finance, et devienne leur associée dans leur maison de courtage discount de Clearwater. C'était ce qu'avait fait la sœur aînée de Gillian et son mal-être se manifestait actuellement sous la forme de molles coucheries.

Même si Gillian était en théorie acquise à l'idée de devenir institutrice, il ne s'agissait pas chez elle d'une véritable vocation, mais d'un boulot qu'elle pensait pouvoir supporter jusqu'à ce qu'elle fasse l'expérience d'un éveil cosmique ou la rencontre avec le bon poète-musicien. Elle s'était arrêtée sur le nom Sainte Croix après avoir visité cette île avec son petit ami d'alors, le guitariste de rock auto-piercé. Même si le séjour n'avait rien eu en lui-même de particulièrement enchanteur, Gillian comprit qu'elle n'était pas facile à distraire. L'ennui l'avait toujours minée comme une maladie. La moindre jupe qu'elle choisissait, elle la trouvait tarte dès qu'elle la rapportait chez elle. Le moindre CD qu'elle achetait lui paraissait une vieille rengaine dès la deuxième écoute. Le moindre livre qu'elle ouvrait, pleine d'espoir, virait en eau de boudin aux alentours de la page cent. Idem pour ses histoires d'amour.

— J'ai vingt ans et, à part toi, je n'ai rien d'intéressant dans ma vie, informa-t-elle Sammy Queue de Tigre.

— C'est flippant, dit-il.

— Te prends pas la tête. Ça durera pas.

En bons loups qu'ils étaient, Len et Ginger Tremaine avaient suivi dans le Sud la horde de retraités à taux plein du Midwest. Gillian était une ado quand la famille quitta l'Ohio pour la Floride. Le premier jour de classe, Mr Hodgman, son professeur de français de seconde, dit à Gillian qu'elle était trop jolie pour être honnête, ce qui lui inspira de passer sa main sous son chemisier et de retirer son soutien-gorge devant toute la classe. Elle allait devenir si familière de ce genre de hauts faits bouffons que ses camarades finiraient par la baptiser, non sans affection, « Psycho Bombe ». Elle obtint son diplôme avec de bonnes notes, mais aussi avec assez de mauvaises observations sur le plan discipline pour ruiner toutes ses chances auprès de Wharton School et des trois autres facs privées, triées sur le volet par ses parents. Ceux-ci furent atterrés quand elle leur montra, ô surprise, une lettre d'acceptation de l'Université d'État de Floride, établissement à la réputation sulfureuse situé à Tallahassee, ville à la réputation non moins sulfureuse et, par ailleurs, capitale de l'État.

Peu après leur arrivée en Floride, les Tremaine avaient lu dans le *St. Petersburg Times* un article sur un retentissant scandale politique : un puissant élu faisait verser par l'État un salaire fictif à sa serveuse préférée de chez Hooters. Ils redoutaient qu'un sort d'une ignominie similaire ne guette leur cadette, mais c'était mal connaître Gillian. Le pouvoir, les hautes positions et l'argent ne l'impressionnaient pas ; ce qui l'impressionnait, c'étaient les rebelles.

— Mon téléphone portable a fini par rendre l'âme, dit-elle à l'Indien. Ethan ne m'a pas rappelée du tout.

— Grosse surprise.

— Ça me va comme ça.

— Combien de temps vous allez rester perchée sur cet arbre ? lui demanda Sammy Queue de Tigre.

174

— Tu sais pourquoi je suis sortie avec lui ? Un soir, lui et d'autres mecs ont roulé jusqu'aux Keys pour libérer les dauphins d'un parc aquatique. Ethan m'a raconté qu'ils se sont fixé des bouteilles de plongée et puis qu'avec des cisailles ils ont fait un trou dans la clôture qui entourait le lagon, expliqua Gillian. Ça a fait la première page du journal de Miami. Il m'a montré les coupures de presse. Il m'a paru un total hors-la-loi.

Le Séminole faisait frire du poisson qu'il avait pêché. Il dit à Gillian qu'il allait le manger en entier si elle ne descendait pas vite fait du poinciana.

— Plus tard, il m'a raconté ce qui s'était passé, continua-t-elle. Les dauphins ont nagé à travers le trou dans la clôture, mais dès le lendemain matin, à l'aube, ils étaient tous revenus, juste à temps pour le petit déj. Et ils sont plus jamais repartis ! Ils se sont contentés de zoner dans le lagon en faisant ces tours concons à la Flipper et de mendier du poisson. Entre-temps, les proprios ont réparé la clôture et, bof, fin de la grande évasion. Bien sûr, Ethan ne m'a mise au parfum qu'après avoir couché avec moi.

Sammy Queue de Tigre leva vers elle des yeux scrutateurs.

— Vous prenez de la dope ?

Gillian ferma les yeux.

— J'aimerais bien passer la nuit ici, là-haut. C'est d'une perfection d'enfer.

— Allez, descendez. Faut que vous mangiez, lui dit Sammy Queue de Tigre.

Gillian se leva, se tenant en équilibre, pieds nus, sur la longue branche.

— Je suis pas si à la masse que ça. J'attends seulement qu'un truc énorme, phénoménal, m'arrive.

— Sur cette île ?

— Et pourquoi pas ?

Elle sauta d'un bond à terre, le rejoignit près du feu de camp et mangea même un peu de brochet de mer, dont le goût lui parut plus fin que celui de n'importe quel autre poisson.

175

L'Indien lui dit qu'elle se montrait trop dure envers Ethan.

— Au moins, il a fait une tentative. C'est pas sa faute si les dauphins n'ont pas voulu de la liberté.

— Mais il aurait dû me le dire dès le début, fit Gillian. J'me serais pas trimballée pendant des semaines une super pêche à cause d'un truc qui s'était pas vraiment fini comme je croyais.

— Peut-être qu'il voulait vous faire plaisir.

— C'est ça, pour que je baise avec lui.

Elle se tut pour ôter une arête d'entre ses dents de devant.

— Parle-moi de Cindy.

— Rien à dire. C'est une catastrophe ambulante.

— Tout ça parce qu'elle est blanche ?

— C'est une erreur que j'ai commise, fit Sammy Queue de Tigre. Je n'ai pas été assez fort.

— Bon, alors, qu'est-ce que tu es venu chercher par ici ?

— Je vous l'ai déjà dit. La tranquillité, la paix.

Il versa soigneusement la graisse chaude de la poêle à frire dans une canette de bière rouillée.

— Pas la paix dans le monde. La paix intérieure, c'est tout… j'ai besoin de me sortir cette dinguerie de la tête.

— Arrête tes conneries. Tu te planques.

— C'est vrai, fit le Séminole.

— Le type qui est mort sur ton bateau… c'était ta faute ? lui demanda Gillian.

— Je ne l'ai pas tué. Il le sait, lui aussi. Il me l'a dit dans un rêve.

— C'est zarbi, moi, je rêve quasiment plus, constata Gillian.

— Vous rêverez si vous restez ici trop longtemps.

— C'est quoi ça, un truc des Indiens ?

Elle laissa tomber le sujet sensible du type mort. Sammy Queue de Tigre partit ramasser des baies de cactus qu'ils mangèrent comme dessert.

— Pendant mille cinq cents ans, cet endroit a appartenu aux Calusas. Les esprits ne s'en vont jamais, lui dit-il.

Le peuple des huîtres, songea Gillian. Si elle n'avait jamais

176

cru à la vie après la mort, elle ne demandait pas mieux que d'être persuadée.

— Il pleut jamais par ici, en hiver ? dit-elle. Parce que je crève d'envie de boire de l'eau.

— On ira en chercher ce soir, si les nuages ne cachent pas la lune.

— Mais où ça ? demanda Gillian.

Sammy Queue de Tigre lui répondit qu'il n'en savait rien.

— Mais si on peut pas en trouver par nous-mêmes, on pourra toujours en voler.

Gillian songea au fusil chargé et s'inquiéta. Il n'avait pas l'air d'un mec prêt à abattre quelqu'un pour de l'eau, mais que savait-elle de ce genre d'individus ? Parfois l'Indien jouait au dur, parfois c'était juste l'inverse.

— C'est pas grave. J'ai pas soif à ce point, lui dit-elle.

— Ben, moi, si, lui répondit-il.

La première fois que j'ai posé les yeux sur Van Bonneville, il abattait un pamplemoussier devant l'Elks Lodge, sur Freeman Street. Il portait un bandana indigo fané et une médaille de Saint-Christophe en argent que la police retrouverait après l'ouragan, dans la voiture immergée de sa défunte femme.

Pendant que Van travaillait, de la sueur ruisselait le long des tendons de son cou et faisait briller son torse nu. Ses bras étaient noueux comme des cordages et il avait les épaules carrées, comme un congélateur à viande. Mais ce furent ses mains foncées, burinées, qui m'intriguèrent : elles étaient couvertes de longues cicatrices livides à l'aspect délicat. Van dut remarquer que je le matais, car il m'a souri.

J'étais sortie promener Tito, le caniche de ma voisine, qui avait quatorze ans et souffrait de problèmes urinaires. Il tentait vaillamment de se soulager sur les arbustes ornementaux de l'Elks Lodge (Van me précisa plus tard qu'il s'agissait d'une haie de ficus) et moi, j'étais là à le traîner comme un boulet sur le trottoir. Le pauvre cabot jappait, sautillait et luttait pour garder une patte en l'air, mais je ne l'avais même pas remarqué. Je ne pouvais détacher mes yeux de cet inconnu craquant, armé d'une tronçonneuse.

Soudain, l'arbre s'effondra et Van se recula juste à temps. Un pamplemousse voltigea et le frappa à la tempe, mais il frémit à peine et reposa simplement la tronçonneuse.

« Chancre ! » Ce fut le premier mot qu'il m'adressa.

« Quoi ?

— Le chancre des agrumes, m'expliqua-t-il. Voilà pourquoi ce vieil arbre devait mourir. »

Cette nuit-là, je touchai ces mains magnifiques pour la première fois et, pour la première fois elles me touchèrent en retour.

Boyd Shreave ferma le livre et tourna un regard plein de désir vers l'auteur de ces lignes qui roupillait comme une masse près de lui. Il eut envie de réveiller Eugénie Fonda et de lui faire follement l'amour en se cabrant pour mieux hurler à la lune. Il eut envie de faire trembler la caravane F-2 sur ses parpaings. C'est ce que Van Bonneville aurait fait, du moins Shreave le croyait-il, après avoir lu (et relu) le prologue à couper le souffle d'Eugénie. S'il n'arrivait pas à se rappeler la dernière fois où un livre sans illustrations lui était tombé sous la main, aucun de ceux (à peine une poignée) qu'il avait vraiment lus ne l'avait frappé aussi puissamment que celui-ci. Il espérait à demi qu'en ouvrant les yeux Génie apercevrait l'exemplaire du *Vampire de l'ouragan* sur le lit. Il se moquait de sa réaction, tant qu'elle en avait une. Depuis leur arrivée à l'écolodge craignos, c'était un vrai glaçon.

Et maintenant, la voilà qui ronflait, roucoulement mouillé que rehaussait son piercing dans la langue. En s'apprêtant à la toucher, Boyd Shreave, découragé, remarqua ses propres mains, tout sauf magnifiques, qui ne présentaient ni blessures viriles ni même le moindre cal de la taille d'une pièce de dix cents. C'étaient des mains qui n'avaient connu depuis toujours que les havres de paix boulochés de poches diverses et variées. Shreave n'avait qu'une cicatrice véritable... le pointillé faiblement violacé de sa zone pubienne, causé par son atterrissage forcé d'autrefois sur le cactus en pot... mais jusqu'ici l'intérêt manifesté par Eugénie lui avait semblé davantage clinique qu'érotique.

Alors qu'il tentait de l'attirer entre ses bras, elle grimaça dans son sommeil et le repoussa. Musclée comme femme, songea Shreave, mort de désir. Ayant investi tellement d'espoir dans leur escapade illicite aux Everglades, il pouvait difficilement supporter l'idée qu'Eugénie puisse déjà être fatiguée de lui. Elle était son avenir, sa liberté. Pour Shreave, rentrer à Fort Worth — et, en particulier, auprès de sa femme — paraissait hors de question. Lily n'était pas une idiote. Elle aurait tôt fait de comprendre qu'il avait perdu son boulot chez Sans Trêve Ni Relâche et que n'existait aucune luxueuse clinique traitant l'aphenphosmphobie en Floride du Sud ; ce qui dénoncerait le voyage de Boyd pour l'équipée amoureuse sournoise qu'il était. Lily le paupériserait lors du divorce qui s'ensuivrait, pendant que sa mère piétinerait ses dernières miettes d'amour-propre. Encore plus tragique, être à la fois fauché et au chômage réduirait à néant ses chances de trouver une nouvelle maîtresse aussi belle plante et excitante qu'Eugénie Fonda.

Après avoir laissé tomber *Le Vampire de l'ouragan* dans son sac Orvis, Shreave se leva pour s'esbaudir sur la décoration naze de la chambre. Honey, leur guide loufoque, l'avait refaite dans le genre intérieur de tente de safari : drapés de mousseline ondulante punaisés au plafond et lampe-tempête rougeoyant sur une table de nuit en faux rotin. Détail incroyable, il n'y avait ni téléviseur ni lecteur CD.

Le Dancing Flamingo Lodge, tu parles, songeait Shreave, caustique. Le Flamingo Sac à Puces, plutôt. Pour lui, il était clair que la promotion des Hammocks royaux du golfe était condamnée d'avance ; seul un attardé mental certifié achèterait un terrain à une équipe aux arguments aussi boiteux et balbutiants.

Il emporta sa brosse à dents NASCAR et son tube de voyage de dentifrice Colgate dans la salle de bains et entreprit de travailler son sourire. Quand il ressortit, Eugénie, droite dans le lit, se dépouillait de ses vêtements.

— J'ai fait un horrible cauchemar, lui dit-elle. J'étais au centre

179

d'appels et j'avais Bill Gates au bout du fil, chaud bouillant pour acheter un appart en time-share à Port Aransas. Mais alors, cet enfoiré de Sacco rampait sous mon bureau et se mettait à me lécher les genoux… Boyd, ça veut dire quoi ce gros trois sur ta brosse à dents ?

— Tu me fais marcher, c'est ça ?

Eugénie se débarrassa de sa culotte d'un coup de pied.

— O.K. Laisse tomber.

— Allez. Le numéro trois, c'est celui de Dale Earnhardt !

— Et c'est qui ?

— Génie, t'es même pas drôle, fit Shreave. Le pilote de course.

— O.K. Faut que je me démaquille.

Dans un regain d'espoir, Shreave se passa de l'eau de toilette sur la nuque et baissa la lumière de la lampe-tempête. S'agenouillant sur le sol, il fouilla en hâte le sac Orvis à la recherche de ses préservatifs. Un objet noir sous le lit attira son regard : ça avait tout l'air d'un flingue.

Shreave l'agitait en tous sens quand Eugénie Fonda sortit de la salle de bains. Elle s'immobilisa net. Il était prêt.

— À quoi ça sert, *ça* ? lui demanda-t-elle.

— Juste au cas où. Il y a des panthères dans le coin, tu sais.

— Et comment t'as fait pour prendre l'avion avec ?

— Je l'avais pas au départ. Je l'ai acheté quand on s'est arrêtés dans ce centre commercial.

Quand Eugénie demanda à le tenir, il lui dit : « Non, il est chargé. »

Certain qu'à sa voix il paraîtrait aussi calme et au fait des armes à feu que Van Bonneville l'aurait été.

Elle sourit.

— Tu m'avais caché que t'étais porté sur les flingues, Boyd.

— Ça paie toujours d'être prêt.

— C'est quoi… un calibre .38 ?

— Bien vu, fit-il, n'en sachant fichtre rien.

Si Boyd Shreave avait été « porté sur les flingues », il aurait su que ce qu'il avait découvert sous le lit d'Honey Santana était en réalité un Taser, le pistolet électrique que la police utilise pour maîtriser les alcoolos et les accros à la meth. Au lieu de cracher des balles, ça décharge cinquante mille volts comme rien.

Shreave le planqua avec désinvolture dans son sac sous une pile de caleçons Tommy Bahama.

— Et cette bricole de rien du tout fait le poids face à une grosse panthère affamée ? demanda Eugénie.

— Eh ouais.

Elle se mit au lit et se remonta les couvertures jusqu'aux seins.

— T'es fatigué, Boyd ?

— Pas vraiment.

— Excellent. Ramène ton cul par ici.

Dealey roula jusqu'à un Winn-Dixie à Naples où il acheta un kilo de viande hachée, dans lequel il fourra ses quatre derniers somnifères. À son retour au *trailer park*, les pitbulls étaient toujours lâchés, mais ils tournèrent de l'œil vite fait après avoir englouti la viande saignante.

Le détective privé se gara à une rue du mobile home où séjournaient Boyd Shreave et sa petite amie. À minuit et demi, il émergea de l'Escalade et se mit à marcher. Il portait une petite caméra vidéo équipée d'un dispositif infrarouge. Il l'avait louée à l'un de ses concurrents, là-bas à Fort Worth.

S'approchant de la caravane, Dealey vit une lueur rougeâtre filtrer à travers les rideaux pendouillant à l'une des fenêtres. Il quitta rapidement la route et passa dans l'ombre. À l'aide d'une torche-crayon, il découvrit des parpaings en vrac près de la paroi. Il les empila sous la fenêtre puis grimpa dessus pour jeter un œil.

Dealey ne distingua que de vagues formes et des silhouettes indécises ; les rideaux, qui s'avérèrent des draps de lit déployés avec art, ne ménageaient aucune ouverture à travers laquelle on pouvait zieuter. À cause du bourdonnement du climatiseur corrodé qui surgissait de la paroi, il n'entendait pas non plus un seul bruit à l'intérieur.

— Elle est à moi, chuchota une voix âpre, faisant perdre l'équilibre à Dealey qui bascula en biais sur un monticule de terreau.

Il s'était quand même débrouillé pour garder la caméra en l'air, lui épargnant tout dommage. Il fut d'abord trop stupéfait pour parler.

— Bouge pas, murmura l'homme.

Il semblait porter un gant blanc et braquait carrément un fusil de chasse à canon scié sur la brioche de Dealey qui se soulevait. Pas rasé, échevelé, le type empestait l'alcool, la sueur et le poisson.

— C'est pas ce que vous croyez, mon vieux, lui dit Dealey une fois qu'il eut repris son souffle.

— Ben, elle est à moi. Comme je t'ai dit.

— Qui est à vous ?

— Honey. Donc tu peux ranger popaul dans ton froc et l'oublier. Honey Santana est à moi, à personne d'autre.

Dealey s'assit lentement.

— Je ne sais pas de qui vous parlez, mon ami, et ça c'est la vérité.

Il se présenta et entreprit d'expliquer ce qu'il faisait là.

— J'ai été engagé par une dame riche du Texas pour filer son mari.

Le type renifla.

— Il est venu ici se taper Honey, lui aussi ?

— Non, mon vieux, il a amené sa petite amie perso.

— Ben, je m'en fous de croire un mot de ce que tu dis. Pour moi, t'es rien qu'un dégénéré sexuel. Ce qu'on appelle un « prédateur », fit le type. Mais, gros manque de bol pour toi, j'étais ici le premier.

Dealey surveillait de l'œil le canon scié, secoué au gré de l'agitation de l'énergumène. Il était manifeste à présent que ce n'était pas un gant qu'il portait ; sa main gauche était totalement bandée sauf le bout des doigts, dont l'un était posé sur la détente du fusil de chasse.

— Je peux vous demander votre nom ? fit Dealey.

— Louis Peter Piejack.

— Qu'est-il arrivé à votre main ?

L'homme l'entendait avec difficulté à cause du climatiseur, si bien que Dealey répéta sa question.

— Des crabes, lui répondit le dénommé Louis.

Dealey comprit qu'il avait dû prendre une mine dégoûtée car le type lui jeta avec colère :

— Pas ce genre de *crabes*[1], ducon. Des vrais crabes, vu ? De roche, genre énormes, vu ?

— Oh.

Dealey songea : j'aurais dû me tirer de ce trou perdu tant qu'il en était encore temps.

— Tout ça à cause des sentiments que j'ai pour Honey, poursuivit le bonhomme. Son ex a engagé des salopards de Cubains, des vicelards, pour me fiche la trouille, mais moi, je renonce pas facilement. Il va regretter d'avoir déconné avec moi. Voyons voir cette p'tite caméra.

Dealey remarqua que la fenêtre de la chambre s'était obscurcie. Il baissa la voix...

— Cette caméra n'est pas à moi, Louis.

— L'avez volée ou quoi ?

— Non, je l'ai empruntée pour ce boulot.

Piejack ordonna au détective privé de se mettre debout et d'avancer. Dealey ne discuta pas. Il guettait l'occasion de sauter sur le râble de ce débile profond alcoolisé et de lui subtiliser son arme. En arrivant au pick-up de Piejack, ce dernier prit la caméra vidéo des mains de Dealey et lui commanda de se mettre au volant.

Une demi-heure plus tard, ils étaient garés sur une longue route de terre dans l'obscurité la plus complète. Dealey faisait à

---

1. *Crabs*, en anglais, signifie aussi les morpions. *(N.d.T.)*

183

Piejack une démonstration de prise de vue nocturne, dans l'espoir de détourner son attention de son fusil de chasse, niché négligemment au creux de son bras droit pour l'instant.

Piejack cligna dans le viseur en exprimant un respect craintif.

— C'est ce que nos *boys*, y z'ont en Irak — il prononçait « y raquent » — pour tirer sur les enturbannés dans le noir !

— Cool, hein ? fit Dealey.

Piejack gloussa.

— Mate-moi un peu Mama Opossum !

À cinquante mètres devant eux, un opossum traversait la route cahin-caha, suivi d'une dizaine de petits, leurs yeux brillant comme des rubis dans la lumière infrarouge.

Piejack se dandinait dans la cabine, mis en joie par cette vision. Dealey exécuta alors ce qu'il estima être une manœuvre habile pour s'emparer de l'arme, mais Piejack la lui balança en travers de la figure et l'alluma bien comme il faut, au-dessus de l'œil droit. Avec un gémissement, Dealey perdit connaissance en s'effondrant sur le volant.

Ce qui le fit revenir à lui fut quelque chose de chaud qui lui coulait le long des joues et le canon pointu de l'arme coincé tout contre ses côtes. D'une manche de sa chemise, il étancha le sang sur son visage.

— Quelles photos 'zactement cette dame au Texas t'a engagé pour prendre ? lui demanda Piekjack.

— À votre avis.

— Sérieux ? C'est un job super-classieux que t'as là, mon pote.

Dealey haussa les épaules. Il avait un mal de tête carabiné et n'était pas non plus d'humeur à recevoir une leçon de morale.

— Et moi qui croyais que vendre des crevettes, c'était un boulot qui puait, fit Piejack.

— Je peux y aller maintenant ? demanda Dealey. Gardez cette caméra si ça vous chante.

Le bonhomme eut un grand sourire.

— Je vais te dire, moi... je verrais pas d'inconvénient à avoir des films de famille intimes de Miss Honey Santana.

— À vous de jouer, Louis.

— Mais comme tu vois, j'ai un problème.

Il leva sa paluche bandée.

— Je peux pas appuyer sur tous ces mini-boutons vidéo avec ma mimine empaquetée comme ça... le point, le zoom et je ne sais quoi encore. Merde, j'ai déjà du mal à trouver la détente de cette saleté de flingue.

Détournant le fusil de chasse, il explosa avec désinvolture la vitre côté conducteur. Dealey poussa un cri en se bouchant les oreilles à deux mains.

Piejack lui-même parut stupéfié par la force de la détonation. Il entrebâilla la portière passager pour faire s'allumer le plafonnier, puis contempla le verre brisé avec aigreur.

Dealey, qui comme de nombreux privés avait développé l'aptitude à lire sur les lèvres, vit Piejack articuler « Merde, j'croyais que cette saloperie de vitre était baissée ».

— Laissez-moi partir ! supplia Dealey. Prenez la caméra vidéo, mes cartes de crédit, tout ce que vous voudrez, bordel. Mais laissez-moi juste m'en aller.

— Pas tant que tu m'auras pas fait des films sexy d'Honey. Alors, tu seras libre de partir. Mais jusque-là, Mr Dealey, tu bosses pour moi.

— Faites pas ça, s'il vous plaît.

— Bienvenue à bord, fit Louis Piejack.

13

À l'aube, Fry se leva pour aller courir. Il faisait le temps idéal pour ça : dégagé et frais. Il se rendit jusqu'au feu clignotant de la Tamiami Trail, où une famille de touristes avait déserté son 4 x 4 pour prendre en photo un python mort sur la route. En revenant vers la ville, Fry tourna dans le *trailer park* où habitait sa maman. Il dépassa deux pitbulls détachés qui dormaient près d'un Escalade noir vide. Il y vit un bon présage : d'habitude, les chiens, bien éveillés, n'attendaient qu'une chose : lui donner la chasse.

Fry atteignit la rue de sa mère et alla s'asseoir sous le manguier d'un voisin. De là, il avait une vue imprenable sur la caravane peinturlurée et le jardin, devant, où se tenaient trois silhouettes qui devaient être celles de sa mère et du couple venu lui rendre visite. Ils fixaient — essayaient du moins — les kayaks avec des sandows sur le toit de sa voiture.

Fry se tâta pour savoir s'il allait leur donner un coup de main, puis décida de ne pas bouger. Dès que sa mère l'apercevrait, elle se précipiterait sur lui, le serrerait dans ses bras et commencerait à vanter à ses hôtes ses trophées d'athlétisme ou autres. Fry n'était pas partant pour ce genre de plan de si bon matin.

L'idée de sa mère, chef d'une expédition dans les Dix Mille Îles, l'inquiétait. Le premier idiot venu pouvait annoter une carte marine sur la table de la cuisine, mais une fois sur place, là-bas, on se retrouvait dans une jungle labyrinthique ; même des plaisanciers chevronnés pouvaient s'y perdre. Fry savait que sa mère n'avait pas fait de kayak depuis des années, bien avant son divorce, même si elle lui avait assuré s'être entraînée pendant qu'il était en classe. Il espérait qu'elle n'entretenait pas d'ambitions exagérées. Une journée de balade tranquille autour de Chokoloskee Bay serait parfaite... de là, même un crétin aveugle retrouverait son chemin jusqu'au continent.

En regardant les visiteurs monter en voiture, Fry fut tenaillé par le soupçon qu'ils n'étaient pas du tout de vieux amis de sa mère. Elle ne s'était pas étendue sur cette relation. Il ne voyait pas pourquoi elle mentirait sur leur identité, mais il avait en même temps la quasi-certitude qu'elle mijotait un nouveau tour.

Après le départ de sa mère en voiture, Fry quitta l'ombrage du manguier et se remit à courir, cette fois dans la direction opposée. Arrivé à l'angle de la rue, il faillit se faire écharper par un pick-up vert sapin. Il y avait deux hommes dans la cabine. Fry se tira de leur route vite fait, mais non sans bien regarder le passager.

C'était Mr Piejack.

Fry ne voyait pas pour quelle raison ce pervers merdique viendrait rôder dans la rue où vivait sa mère. Il vit clignoter les freins du pick-up quand il ralentit brièvement devant la caravane peinturlurée, avant de s'éloigner à toute vitesse.

Sur un coup de tête, Fry courut derrière le pick-up. Il continua sur sa lancée longtemps après qu'il eut disparu.

Honey Santana s'était réveillée au son d'harmonies lointaines. Après avoir rempli la machine à café, elle était allée réveiller l'odieux télémarketeur et sa petite amie.

Vingt minutes plus tard, tous trois s'attablaient pour le petit déjeuner. Boyd Shreave lança, avec un sourire en coin puant: «J'espère qu'on vous a pas empêchée de dormir, hier soir. Les cloisons de cette boîte de conserve sont plutôt minces.»

Ah, quelle classe, songea Honey. Mais elle lui répondit d'un air innocent: «J'ai bien entendu un peu de tapage, mais ça n'a pas duré plus de deux minutes.»

Shreave rougit tandis qu'Eugénie Fonda étouffait un glousse-ment.

— Quelqu'un veut un *muffin* ? leur demanda Honey.

Shreave se fit plutôt taiseux après ça. Il avala une assiettée d'œufs brouillés puis passa au salon pour se reconnecter avec le monde via la télévision. Pendant que Génie faisait la vaisselle, Honey se faufila à l'extérieur et revérifia l'équipement : deux tentes individuelles, trois sacs de couchage, boîte d'allumettes étanche, trousse de premiers secours, poêle à frire, cuillères et fourchettes plastique, hache à manche court, une dizaine de barres de céréales, six repas pseudo-thaïlandais sous vide, huit litres d'eau distillée, une demi-douzaine de paquets de pommes et de figues sèches, de la Gatorade en poudre, de l'antimoustiques (à savoir une bouteille de Cutter, additionnée d'ail et de clous de girofle) et un énorme sachet Ziploc de Cheerios. Le tout devant entrer dans deux sacs de toile, un par kayak. Charger autant de matériel était en outre compliqué par le fait que Boyd Shreave et sa petite amie ignoraient qu'ils passeraient une nuit à camper dans la nature et que Honey désirait leur en faire la surprise.

Dès qu'elle rentra dans la caravane, Eugénie la tira à part en chuchotant :

— Y a pas de plage par ici, hein ? Dites-moi la vérité.

— Ça reste de toute beauté, lui dit Honey. Faites-moi confiance, vous n'avez jamais rien vu de pareil.

La petite amie de Boyd Shreave parut démoralisée. Elle se retourna et dit : « Boyd, je peux te parler un instant ? Eh oh, Boyd ! »

Ce dernier, jubilant, était scotché par un spot commercial sur lequel il était tombé en zappant de chaîne en chaîne. Un acteur télé fossile du nom d'Erik Estrada, l'ancienne vedette de la série *CHIPS*, y vendait de l'immobilier en front de lac dans un « para-dis » nouvellement découvert, plus connu sous le nom d'Arkan-sas.

— Tu sais ce que ça prouve ? Qu'absolument *tout* est pos-sible ! exulta Shreave. On est dans le plus grand pays qu'ait jamais existé depuis que le monde est monde. Erik Estrada, tu te rends compte ? Bon Dieu, Génie, ça vaut le coup d'œil !

Elle traversa la pièce et éteignit le poste. Puis l'entraîna dans le couloir. Même une fois la porte de la chambre fermée, Honey put l'entendre qui disait : « J'ai pas envie de rester ici. Je veux aller à Sarasota et descendre au Ritz-Carlton. J'ai envie d'un massage, Boyd. J'ai envie d'une plage de sable où je puisse étrenner mon nouveau string. Puis j'ai envie de rentrer dans ma chambre, commander du vin français et mater des films pornos sur Pay-per-View. »

Honey Santana se précipita à l'extérieur et entreprit de fourrer tout l'attirail dans les sacs de toile. L'intégralité de son plan tomberait à l'eau si Shreave cédait, ce qui semblait hautement probable. S'il était capable de résister à la vision d'Eugénie Fonda en train de bronzer en bikini, il se rallierait sûrement à la promesse d'un fesse-tival aux bougies.

Honey redoutait d'être à ramasser à la cuillère si jamais Shreave se cassait maintenant. Bossant tard dans la nuit, elle avait peaufiné son sermon au feu de camp. Un type tel que lui — qui téléphonait aux gens à l'heure du dîner puis les insultait grossièrement quand ils élevaient une objection — méritait une leçon de bonnes manières et de politesse. Quelques jours passés dans la nature sauvage le débarrasseraient de toute cette suffisance. Un tour dans les îles lui élargirait les idées, lui ouvrirait les yeux et dégonflerait ses grands airs. Boyd Shreave en reviendrait plus humble et plus riche. Honey s'en était persuadée et il était accablant de penser que sa mission ferait long feu sur la rampe de lancement si sa petite amie se tirait ailleurs.

Boyd et Eugénie émergèrent alors de la caravane. Lui arborait un chapeau style Indiana Jones, elle, l'air tristounet, s'enduisait l'échancrure d'écran total. Honey en fut presque ivre de soulagement. Sans un mot, le couple l'aida à hisser les kayaks sur la voiture et, après moult efforts, à les sangler. Shreave déploya une inaptitude frappante à faire des nœuds, mais Honey ne vit pas d'inconvénient à repasser derrière lui. Elle s'étonnait que

Shreave ait rejeté le scénario décadent du Ritz-Carlton au profit des ampoules et autres piqûres d'insectes. Elle se demanda si elle l'avait mal jugé. L'avenir le lui dirait.

— C'est vachement de matos pour une excursion d'un jour, observa-t-il tandis qu'ils fourraient les sacs de toile sur la banquette arrière.

— Faut toujours être prêts, répondit Honey d'un ton léger.

Eugénie murmura à son petit ami : « Là, elle parle comme toi. »

Ils lancèrent les kayaks près du Rod & Gun Club. Si Eugénie accepta de bon gré le gilet de sauvetage que lui offrait Honey, Shreave lui dit qu'il n'en avait pas besoin, citant plusieurs records battus au sein de son équipe de natation au lycée. Eugénie ne fit même pas semblant de croire à ces histoires et Honey eut du mal à garder son sérieux, en particulier quand, le pied lui manquant, Shreave glissa sur le cul, comme sur une luge, le long de la rampe à bateau. La lueur craintive dans ses yeux n'était pas celle d'un homme faisant corps avec l'eau.

Sans tergiverser, sa petite amie et lui choisirent le kayak jaune. Honey le maintint stable pendant qu'ils montaient à bord, empotés comme des cigognes. Après quelques instants périlleux, ils finirent par se poser — Boyd à la poupe, Eugénie à la proue — et Honey les poussa dans le courant. Puis elle grimpa rapidement dans l'autre kayak et les suivit.

La marée descendait vite, ce qui était prometteur. Un pagayage vers l'aval sur une rivière large et profonde aurait dû être sans effort, même pour des amateurs. Pourtant, le kayak jaune se mit aussitôt à zigzaguer au petit bonheur. Avant qu'Honey ait pu le rattraper, il emplafonna un enchevêtrement de mangroves sur l'autre rive. Shreave jurait si fort qu'il effraya et fit s'envoler un héron blanc plus une troupe de pélicans gris. Quand Honey arriva sur les lieux, Eugénie faisait tournoyer follement sa pagaie contre les toiles d'araignée, Shreave se servant de son chapeau neuf pour se protéger le visage de la grêle de rameaux brisés et de feuilles.

Honey était gênée de ce raffut venu souiller une matinée par ailleurs délicieuse. Elle attacha la proue du kayak des Texans à la poupe du sien et, avec quelques efforts, les remorqua hors des griffes des arbres. Il n'y avait qu'une centaine de mètres jusqu'à l'embouchure de la rivière, au-delà de laquelle s'étalait Choko-loskee Bay aussi lisse qu'un miroir.

Une fois au large, Honey détacha l'autre kayak et le regarda reprendre une trajectoire erratique sous l'impulsion de Shreave. Elle se rappelait, de ses sorties sur l'eau avec Perry Skinner, que le pagayeur le plus faible doit toujours se mettre à l'avant, et c'était de là que venait le problème : la petite amie de Shreave était nettement la plus forte des deux. Sachant qu'il n'était pas assez dégourdi pour changer de place sans faire chavirer l'embarcation, Honey suggéra à Eugénie Fonda de retenir ses coups de pagaie.

— Ouais, j'ai tenté de lui montrer la bonne façon de faire, mais elle n'a rien voulu écouter, la ramena Shreave.

— C'est parce que tu es un manche, souligna Eugénie.

Elle retirait encore de ses cheveux des filaments de toile d'araignée, humides de rosée.

— Ma grand-mère de quatre-vingt-dix ans pagaye mieux que toi, Boyd.

Honey Santana se mit à entendre des échos lointains, alors elle se boucha les oreilles et ferma les yeux. Bientôt, la musique redoutée s'éleva — on aurait dit Celia Cruz, que ses parents adoraient, avec peut-être Nine Inch Nails en fond sonore. Honey respira profondément, comme de nombreux thérapeutes le lui avaient conseillé. Si seulement ces deux-là arrêtaient de se disputer, songea-t-elle. Ils gâchent tout.

— Qu'est-ce que vous fichez là-bas ? cria Boyd Shreave.

Honey ne comprit pas d'abord qu'il s'adressait à elle.

— Z'êtes malade ou quoi ? Me dites pas que vous êtes malade, fit-il.

Elle leva la tête, sourit d'un cœur léger et fit signe du bras aux Texans de la suivre. Où, elle n'en savait trop rien. Les cartes étaient bien rangées dans l'un des sacs de toile et elle ne se sentait pas l'envie de s'arrêter pour les en extirper. Elle pourrait faire ça plus tard, quand ils feraient une pause pour déjeuner.

À coups de pagaie vifs et sans bavure, elle traversa la partie la plus large de la baie, en direction du nord-nord-ouest, si son estimation était correcte. Pas très loin devant, il y avait une passe bien balisée, se rappela-t-elle, qui les conduirait vers le golfe du Mexique.

Qui serait aussi calme qu'une baignoire à oiseaux ce matin, songea Honey.

Dans l'autre kayak, elle entendit Eugénie Fonda dire : « Boyd, s'il te plaît, tu veux bien découvrir où cette bonne femme nous emmène ? »

Ce qui fut suivi aussitôt du beuglement de Shreave : « Eh, la sauvageonne, où on va ? Faut que je m'arrête pour me vidanger d'une partie de ce café. »

Honey augmenta la cadence. Pagayer plus fort atténua les chansons dans sa tête.

— Suivez-moi de près et attention aux bancs d'huîtres, cria-t-elle par-dessus son épaule. On sera bientôt arrivés.

Fry prit une petite douche, enfila des vêtements à demi propres, puis attrapa son sac et gagna en skateboard les quais à crabiers. Perry Skinner démontait le moteur diesel de l'un de ses bateaux. Fry grimpa à bord et lui raconta ce qu'il avait vu un peu plus tôt au *trailer park*.

— Je vais aller vérifier, lui dit son père, apparemment peu soucieux. File à l'école maintenant, si tu veux pas être en retard.

— Mais si Mr Piejack s'en prend à maman ?

— Te bile pas à cause de ce connard.

À peine son fils parti, Skinner sauta à bas du bateau et revint chez lui en voiture, où il retira un calibre .45 semi-automatique chargé du coffre-fort de la buanderie. Même en Floride, la loi n'autorise pas les ex-détenus à posséder une arme, mais en tant que maire adjoint de la ville (qui avait réclamé et obtenu qu'on lui rende ses droits civiques), Skinner s'était exempté de lui-même. Aucun des agents de police n'oserait l'arrêter et il était pote de poker avec les adjoints du shérif local. Seuls les rangers du parc fédéral posaient un problème potentiel, mais ils se tenaient à l'écart la plupart du temps.

Skinner enfourcha sa moto et se mit en quête de Louis Piejack. Personne n'était difficile à trouver à Everglades City qui, sur le plan géographique, était aussi casse-tête qu'un timbre-poste. Le pick-up vert de Piejack était garé près de la rampe à bateaux, non loin du Rod & Gun Club. De loin, Skinner fut incapable d'identifier les deux hommes assis à l'avant, même s'il supposa que l'un d'eux était Louis. Aucun signe de vie d'Honey Santana et de ses invités. Skinner gara la moto près du restaurant et flâna le long de la digue, où Piejack le remarquerait à coup sûr. Le flingue était fourré dans son pantalon et dans son dos, dissimulé sous le pan de sa chemise de travail.

En regardant vers l'aval de la rivière, il aperçut deux kayaks, un rouge et un jaune, se dirigeant plus ou moins vers Choko-loskee Bay. Vue de loin, la femme dans le kayak rouge ressemblait à Honey, ce qui voulait dire que c'était sans doute elle. Personne d'autre dans tout le comté ne ressemblait à Honey. Dans le second kayak, il y avait un homme en chapeau à large bord et une femme en débardeur couleur de papaye. Leur tandem avec les pagaies n'était pas d'une fluidité à toute épreuve.

Skinner, entendant un crissement de pneus, jeta un coup d'œil derrière lui... La camionnette de Louis Piejack s'éloignait sur les chapeaux de roue. Skinner s'assit au bord de la digue et laissa pendre ses jambes dans le vide. Les kayaks se réduisaient lentement à deux points brillants qui fendaient l'eau. Il se convainquit qu'il faisait ça non parce qu'il tenait encore à son ex-femme, foldingue certifiée, mais parce qu'elle était la mère de son seul et unique fils, et par conséquent digne qu'il s'en préoccupe.

Après avoir rapporté son arme chez lui, il revint sur les quais à crabiers où Randy, l'un de ses jeunes mécaniciens, s'escrimait sur le moteur diesel en panne. Skinner lui dit de se pousser. À l'heure du déjeuner, une femme avec qui sortait Skinner passa avec de la bière fraîche et des sandwiches cubains. Elle s'appelait Debbie, mais préférait qu'on la nomme Sienna. Skinner lui avait demandé un jour pourquoi elle s'était rebaptisée comme un tube de gouache, ce qui l'avait froissée. Elle n'avait que vingt-six ans et conduisait un camion-citerne de propane, faisant la navette depuis Port Charlotte. Son frère, *tight end* des Jacksonville Jaguars, leur fournissait, à Skinner et à elle, au moins un sujet de conversation pendant la saison footballistique. Le reste de l'année, c'était genre débit d'eau tiède.

— Je suis tout excitée à propos de ce soir, fit Sienna. Pas toi ?

Skinner étudiait les bulles de sa bière. Il faisait de gros efforts pour tâcher de se souvenir de ce qui était au programme.

— Green Day, tu te rappelles ? fit-elle. Bon Dieu, Perry, me dis pas que…

— Si, je me souviens. Ils jouent à Fort Myers.

— Tu disais que tu les aimais bien.

— Je le pensais aussi.

À sa connaissance, Skinner n'avait jamais entendu une seule des chansons du groupe ; il était country music jusqu'à l'os.

— On est pas obligés d'y aller si t'as pas envie. Je peux revendre ces billets à la con sur eBay en trente secondes chrono.

— Ne boude pas, s'il te plaît. Je t'ai déjà dit qu'on irait.

— Moi je suis allée voir Willy Nelson avec toi, deux fois. *Deux fois.*

— Oui, c'est vrai.

Skinner n'était pas d'humeur à assister à un concert de rock, mais il s'imaginait que se distraire lui ferait du bien.

— Hank Williams Jr, aussi, continua Sienna, ou bien t'as oublié ?

— Non, j'ai pas oublié.

Skinner avait hâte que le déjeuner finisse. Il aurait préféré que Sienna s'en aille avant qu'il soit obligé de la passer par-dessus bord.

194

— Excuse-moi un instant, lui dit-il en entrant dans la timonerie.

Randy y feuilletait un magazine de moto-cross, ses bottes en caoutchouc appuyées sur la console. Skinner acheva sa bière en silence et observa un vieux canot venant de l'amont de la rivière. À l'avant se trouvait un type ventripotent, mal à l'aise, avec un coquard. Il portait un costume gris d'homme d'affaires froissé, tenue inhabituelle pour une partie de pêche, et sur ses genoux il étreignait deux valises métalliques.

À l'arrière de ce même canot, Louis Piejack barrait de sa main valide. Tout à son petit train-train, il ne jeta pas un seul coup d'œil aux quais à crabiers en passant devant, si bien qu'il ne remarqua pas qu'on l'observait. Dans le cas contraire, il aurait pu faire l'effort de dissimuler le fusil de chasse à canon scié, posé bien en vue sur le pont du bateau, entre ses pieds.

— Nom de Dieu, marmonna Perry Skinner.

Randy leva un œil de son magazine.

— Qu'est-ce qu'il y a, patron ?

Il n'avait pas le temps d'appeler les gars à Hialeah. Skinner allait devoir régler la chose lui-même, ce qui tombait bien.

— Tu fais quoi ce soir, Randy ?

— Que dalle, patron.

— Tu veux aller voir Green Day avec Sienna ? C'est moi qui offre, précisa Skinner.

— À fond, bordel !

Dealey n'était pas un dur. Il n'avait jamais été un flic ni un fédé, comme tant d'autres détectives privés. Il avait travaillé dix-huit ans dans une compagnie d'assurances à traquer les demandes d'invalidité bidon avant de se mettre à son compte.

D'habitude, ce n'était pas un boulot dangereux que d'épier des conjoints infidèles. Dealey n'avait été blessé qu'une seule fois par un vibromasseur volant. C'était arrivé pendant qu'il photographiait subrepticement les acrobaties d'un jeune couple à Candleridge. La femme, qui avait repéré Dealey, s'emparant du missile de vingt-trois centimètres sur la table de nuit, l'avait expédié en spirale avec une précision troublante à travers la fenêtre ouverte de son appartement de plain-pied. Frappé à la gorge, le détective avait couru sur une longueur de cinq blocs avant de s'effondrer dans une haie de cerisiers du Surinam. Il avait été dans l'incapacité de parler et d'absorber la moindre nourriture solide pendant trois semaines. Le vibromasseur avait dégringolé dans le sac de son appareil et Dealey conserva l'instrument couleur chair sur son bureau comme un rappel dégrisant des dangers de sa profession. Il en avait balancé les piles à la poubelle.

Au cours de ses nombreuses années à surveiller adultères, glandeurs et artistes de la fraude en tout genre, personne n'avait jamais braqué Dealey avec un flingue, et encore moins tiré de balle à portée de sa tête. Mais Louis Piejack était à la fois barjo et revanchard, combinaison peu prometteuse.

— Je ne suis pas un champion de natation, avait prévenu Dealey en montant dans le canot.

— Pas de bol.

L'ouïe de Dealey étant revenue à la normale, la réponse de Piejack n'eut rien d'indistinct.

— Pourquoi ne pas attendre le retour d'Honey ? suggéra le détective. Quel genre de photos sexy vous espérez que je fasse d'elle pendant qu'elle pagaie en kayak ?

— Ferme ton clapet, gros lard, fit Piejack.

Dealey avait positionné les volumineuses Halliburton sur ses genoux pour protéger ses organes vitaux de tout nouveau coup de feu, accidentel ou prémédité. Pendant que la petite embarcation à fond plat se dirigeait vers l'aval, il déploya une stratégie de feinte amabilité envers Louis Piejack afin de lui faire baisser sa garde.

— Que s'est-il passé exactement avec ces crabes de roche ? lui demanda Dealey sur un ton de compassion plausible.

Il ne pouvait détourner son regard de l'extrémité des doigts du bonhomme, qui dépassaient de la gaze comme des bouts de craie sale. Quelque chose clochait.

196

— Ces salopards de Cubains engagés par l'ex-mari d'Honey, l'enfoiré de sa race, m'ont fourré la main dans une nasse pleine de crabes et ces saloperies, elles y sont pas allées mollo, dit Piejack. Je sais qu'c'est lui qu'est derrière tout ça, primo, pasqu'il parle cubain vachement bien. Deuzio, pasqu'il est jaloux que je craque sur Honey.

— Ça tient debout, convint Dealey.

— Puis, quand on m'a emmené en chirurgie, un docteur de mes deux a merdé et m'a recousu les doigts en se plantant grave. Mate-moi un peu ça.

Louis Piejack leva ce qui avait tout l'air d'un auriculaire là où on se serait attendu à un pouce. Cette vision rendit Dealey nerveux, même s'il n'était pas certain de croire un mot de l'histoire de l'énergumène (du détail des crabes à celui du chirurgien). Il voyait assez bien Piejack en adepte de l'automutilation.

— Je me suis pris un avocat, une vraie flèche, te fais pas de souci. Reviens l'an prochain et ça sera moi le proprio de cet hosto.

— Vous ne pourriez pas trouver un autre médecin pour vous remettre les doigts au bon endroit ?

— Je suppose que oui, fit Piejack. Mais je vais attendre un chouïa pour voir comment cette nouvelle disposition fonctionne.

— C'est-à-dire ?

— Ben, Honey pourrait me préférer comme ça.

Piejack tenta, mais sans succès, d'agiter son petit doigt mal transplanté.

— Vous me suivez ?

Dealey abonda dans son sens d'un signe de tête, songeant : givré de chez givré.

Même s'il était tentant de rejeter la faute de cette fâcheuse situation sur Lily Shreave, Dealey savait que c'était entièrement la sienne. Lily n'était qu'une femme riche doublée d'une allumée aux goûts très spéciaux ; il aurait pu facilement dire non à ce voyage en Floride. L'appât du lucre, pur et simple, l'avait attiré dans ce guêpier.

— J'ai qu'une chose à dire : ces toubibs m'ont mis sous une

dope géniale contre la douleur, observa Piejack comme ils teuf-
teufaient devant une enfilade de bateaux de pêche.

— Ah ouais, quel genre?

— Vicodine, fit-il. Mais j'm'suis gobé tout le flacon, le premier jour, merde! Encore heureux que j'connaisse ce pharma-
cien là-haut à Naples Est... il m'a échangé une centaine de
comprimés contre deux kilos et demi d'espadon.

Magnifique, se dit Dealey. Ce type n'est pas seulement
dérangé, mais en surdose médicamenteuse. Le fusil de chasse
chargé en prime, c'est la fête.

— Si vous ne vous sentez pas bien, je peux tenir la barre un
petit moment, lui proposa Dealey.

— Ouais, c'est ça.

Piejack toussa un bon coup et cracha par-dessus bord.

Dealey pivota sur son siège pour voir où ce fou furieux
l'emmenait. Bientôt la rivière brune se déversa dans une large
baie aux eaux calmes, bordée d'arbres drus. Aucun hôtel ni tour
d'habitation en vue, ce que Dealey jugea surprenant. Piejack
poussa la manette et le canot prit de la vitesse. Dealey serra ses
valises caméras contre lui en frissonnant sous l'afflux d'air frais.

— Bordel, où ils sont passés? se demanda Piejack, sa voix
couvrant en partie le gémissement du moteur.

Dealey aperçut des oiseaux qui plongeaient, des poissons
argentés qui sautaient, mais aucun kayak sur l'eau.

— Peut-être qu'ils ont déjà fait demi-tour, dit-il, gonflé
d'espoir.

Louis Piejack se marra.

— Nân, y sont kek'part par icite. Je vais te les trouver, moi.
Tu peux compter dessus, solide.

14

Le plan, c'était de voler de l'eau à d'autres campeurs, pas des vivres. L'eau était essentielle à la survie, fit Sammy Queue de Tigre. Les chips Pringles, non.

— Et pour la bière, tu dirais quoi ? demanda Gillian.

— Ça le ferait.

Ils eurent beau chercher pendant des heures, ils ne repérèrent pas d'autres feux de camp et ne rencontrèrent personne sur l'eau. Quand la lune disparut derrière une crête de nuages gris-bleu, Sammy Queue de Tigre remit le cap sur l'île. Il craignait de s'égarer dans la toile d'araignée des cours d'eau non balisés, même s'il n'en dit rien à Gillian.

De l'avant du canoë, elle lui demanda :

— Tu connais une danse de la pluie ?

— Il me faut une vierge pour commencer.

— Je ne plaisante pas, fit Gillian.

Sammy Queue de Tigre n'aurait pas juré que les Séminoles eussent une danse pour faire tomber la pluie. Il avait une connaissance de première main de la danse du Maïs-Vert, un rituel de purification festif qui remontait aux origines creek de la tribu. Sa célébration, qui avait lieu chaque printemps, imposait aux participants d'avaler des décoctions de couleur noire qui provoquaient des vomissements copieux. Sammy Queue de Tigre y assistait avec sa mère et son oncle Tommy qui avait coutume d'apporter

199

une flasque de Johnnie Walker pour se rincer la bouche du goût de ces breuvages noirâtres.

— Puisqu'on parle de vierges et de virginité, dit Gillian, t'as envie de savoir comment j'ai perdu la mienne ? Je te raconte si toi, tu me racontes.

— M'intéresse pas.

— C'était sur une tondeuse à gazon.

— Stop.

— Au seizième trou du parcours sud du Firestone Country Club, précisa-t-elle.

— Je vois le tableau.

— Qui se trouve être le joyau d'Akron, dans l'Ohio. Et toi ?

— M'en souviens pas, fit Sammy Queue de Tigre.

Apercevant leur île au détour du prochain méandre, il accéléra la cadence de ses coups de pagaie, sans plus se soucier de sa soif ou de la cloque qui enflait dans sa paume gauche.

— C'était le meilleur ami de mon grand frère. Une saleté de cliché, bordel, non ? Toi aussi, tu t'en souviens ? poursuivit Gillian.

— On y est presque, fit le Séminole.

— Alors… c'était quoi son nom ?

— Sally Otter[1].

— Excellent !

Après avoir arrimé le canoë, ils mangèrent des baies de cactus et sortirent leurs sacs de couchage de la citerne pour dormir en plein air, où ils pouvaient voir les étoiles. Ils s'allongèrent côte à côte, leurs épaules se touchant.

— Eh, Thlocko, murmura Gillian.

— Je suis fatigué.

— Tu vas à la fac ?

— J'ai même pas fini le lycée.

Une semaine après la naissance de son fils, le père de Sammy Queue de Tigre s'était rendu à la banque et avait ouvert le

_____

1. Autrement dit, Sally la Loutre.

« fonds universitaire Chad McQueen », où il déposait régulièrement cent dollars chaque mois. Quand Chad/Sammy eut douze ans, sa belle-mère persuada son père de fermer ledit compte et d'investir le solde accumulé — à savoir 16 759,12 dollars — dans 307 Beanie Babies, lesquelles, lui prédit-elle solennellement, auraient quintuplé de valeur à l'époque où le garçon finirait le lycée. Chacune était affublée d'un surnom guilleret et insipide ; le plus rare, partant le plus précieux, de ces petits animaux en peluche passait pour être Leroy le Lemming : la belle-mère de Sammy en possédait quatre. La collection était sous clé dans un coffre de marin qui occupait de nombreux mètres cubes dans la chambre du garçon. Après le décès soudain du père de Sammy, sa belle-mère brada aussitôt sa collection entière de Beanie Babies pour 3 400 dollars, qu'elle consacra à l'achat d'un coupé Lexus flambant neuf.

L'Indien choisit de ne pas confier ce souvenir à Gillian. Son passé de demi-Blanc ne regardait que lui.

— Au fait, qu'est-ce que t'as contre la fac ? lui demanda-t-elle.

— Chut, lui fit Sammy Queue de Tigre.

— Eh, et les Fighting Irish, au fait ?

— Qui ça ?

— Tu te souviens du cirque que tu m'as fait à cause de mon maillot des Séminoles. Et Notre Dame, hein ? Comment ça se trouve que le nom de *cette* équipe-là ne gonfle pas tous les Irlandais ?

Sammy Queue de Tigre tendit la main et la plaqua sur la bouche de Gillian.

— Fermez-la, par pitié.

Elle repoussa son bras et se retourna.

— C'est comme ça que tu parlais à Sally Beaver ?

— Otter, c'était son nom.

— Bof, du pareil au même[1], fit Gillian.

---

1. *Beaver* veut dire castor (et désigne aussi le sexe féminin). *(N.d.T.)*

L'Indien ferma les yeux, aspirant à un sommeil paisible. Mille ans auparavant, les guerriers calusas s'étaient étendus sous le même ciel d'hiver. Quand il était en quatrième (et encore Chad McQueen), Sammy Queue de Tigre avait écrit un devoir sur les Calusas, qui avaient précédé de douze siècles l'arrivée en Floride des Séminoles assiégés. La société hautement structurée des Calusas tournait autour de la pêche, ces derniers maîtrisaient la fabrication des filets en fibre de palmier, des lances, des barbillons et des hameçons. Ils voyageaient à grande distance en pirogue, dominant par la force et le commerce toutes les autres tribus disséminées dans la péninsule. Sammy Queue de Tigre se souvenait d'avoir vu des photographies de masques tribaux complexes, de bijoux en coquillage et de délicats oiseaux sculptés dans le bois qu'on avait déterrés lors des fouilles d'un *midden* calusa sur Marco Island. La peinture corporelle en faveur chez les braves Calusas était mélangée à de l'huile de foie de requin, pour repousser les moustiques. (Sammy Queue de Tigre demanda un jour à son oncle pourquoi les Séminoles n'appliquaient pas la même recette et son oncle lui répondit qu'il préférait écraser un insecte que tuer un requin.)

Mais le trait le plus remarquable des nobles Calusas, dont se souvenait Sammy Queue de Tigre grâce à son devoir de collège, c'était la façon dont ils avaient été rayés de la carte… effacés du paysage, deux cents ans à peine après leur premier contact fatidique avec des soldats espagnols porteurs de maladies plus mortelles que leurs mousquets.

Le brave Calusa qui avait frappé Ponce de León d'une flèche était dans le vrai, songea Sammy Queue de Tigre. Il savait que ces enfoirés de visages pâles étaient la peste et le choléra.

À la toute fin, des groupes décimés de Calusas furent traqués par des Creeks mercenaires et autres Indiens fraîchement armés, qui les vendirent à des esclavagistes. Sammy Queue de Tigre se rappela qu'on croyait que quelques centaines de Calusas s'étaient échappés avec leur cacique à La Havane, vers 1750, et se demanda ce qu'il était advenu d'eux. Il avait toujours trouvé triste que les Calusas eussent disparu des territoires sauvages le plus à l'ouest de la Floride avant que les Séminoles — fuyant une autre horde de visages pâles rapaces — ne s'y fussent installés. Comme les sentiers de ces deux tribus ne s'étaient jamais croisés, il n'y avait aucune chance qu'une seule gouttelette de sang calusa coulât dans les veines de Sammy Queue de Tigre. Dans ses moments sombres, la possibilité qu'il soit le descendant de l'un de ces Creeks chasseurs d'esclaves qui avaient fait leur proie des Calusas l'inquiétait vraiment, car, ironie du sort, c'étaient de ces clans creek déplacés et autres *cimmarones* que surgirait plus tard la nation séminole.

Sammy Queue de Tigre respira profondément plusieurs fois en se pressant les flancs. Il espérait capter le pouvoir et la sagesse de centaines de guerriers, émanant des antiques ossements et des coquilles d'huîtres en dessous de lui...

Pourtant, en ouvrant les yeux, il ne ressentit aucune différence avec ce qu'il ressentait auparavant... il était toujours cet homme qui ne s'assimilait à aucun monde, pas plus à celui des Peaux-Rouges qu'à celui des visages pâles.

Il cilla vainement vers les cieux laiteux. Le soleil s'était levé et consumait la brume matinale. Il était couché, torse nu sur le sac de couchage, la Gibson serrée sur son cœur. Quelque part en contrebas, près du rivage, Gillian disait : « À droite, Boyd, à droite *toute*. Attention à ces souches, Génie. »

Ce qui n'avait aucun sens, jusqu'à ce que l'Indien comprenne que ce n'était pas la voix de Gillian qu'il entendait, venant du côté de l'eau. Cette dernière, nichée entre les branches du poinciana, lui faisait signe de se lever.

Sammy Queue de Tigre bondit sur ses pieds et déballa le fusil. Gillian se laissa tomber en douceur de l'arbre.

— Tu crois qu'ils ont de l'eau, Thlocko ? dit-elle en lui effleurant le bras.

— Il est temps d'être sage, lui conseilla-t-il. Sinon, je vais vous laisser mourir ici toute seule.

— Je sais me taire, je te le jure.

Elle lui fit un salut fringant, en mimant qu'elle se zippait les lèvres.

Eugénie Fonda reconnut, sous l'autométamorphose de Boyd Shreave de blaireau ambivalent en chieur condescendant, une sorte de baroud d'honneur dans l'espoir d'améliorer son score. Ce n'était pas la première fois que l'un de ses amants essayait de se réinventer lui-même, mais sur un certain plan, celui de se rendre détestable, Boyd avait battu allégrement tous les autres. Il le lui payerait cher, bien sûr. Au lieu de se prélasser sur une plage, des *rum runners* glacés à la main — l'idéal de vraies vacances en Floride pour Eugénie —, ils ramaient à travers un marais infesté d'insectes, et qui plus est nauséabond. Pire, elle se coltinait tout le sale boulot ; comme partenaire de kayak, Boyd ne valait rien, il pagayait avec force éclaboussures et sans rythme. Et rejetait en se haussant du col les instructions de leur guide qui — Eugénie l'avait remarqué à la lumière du jour — était tout à fait séduisante. La plupart des ex-petits copains losers d'Eugénie auraient été en train de draguer Honey Santana à l'heure qu'il était, mais pas Boyd. Il avait décidé d'affirmer sa virilité en se comportant comme un glandu prétentieux.

— Faut que je pisse encore un coup, annonça-t-il au monde entier.

Eugénie Fonda l'ignora. Honey fit pivoter son kayak.

— Tout va bien, derrière ?

— Non, tout va pas bien. Faut que je repisse un coup, répéta Shreave.

— On va s'arrêter pour déjeuner un peu plus loin.

Honey leur montra une île à huit cents mètres à vol d'oiseau.

— Vaudrait mieux te grouiller, grommela Boyd à Eugénie, si tu veux pas te retrouver jusqu'aux chevilles dans un truc dégueu.

Il reprit son pagayage d'empoté, déviant aussitôt le kayak de son cap. Pour le neutraliser, Eugénie se dépouilla de son gilet de sauvetage et délaça froidement son débardeur.

— Qu'est-ce que tu fais ? entendit-elle Boyd lui demander.

— Je mets en application ma résolution du nouvel an : plus de marques de maillot sur mon bronzage.

— Et si un autre bateau passe par là ?

— Et puis après, Boyd ? C'est rien que des lolos.

À partir de là, il fut si préoccupé qu'il ne donna plus que de rares coups de pagaie, ce qui avait été l'objectif d'Eugénie. Libérée de ses gesticulations maladroites, elle guida sans effort le kayak avec la marée. En se rapprochant de l'île aux mangroves, Honey leur cria : « À droite, Boyd, à droite *toute*. Attention à ces souches, Génie. »

L'avant n'avait pas plus tôt frôlé la côte que Shreave mit pied dans les hauts-fonds, se hissa péniblement sur le rivage et disparut. Honey Santana et Eugénie Fonda tirèrent les kayaks au sec sur la terre ferme.

— Je peux vous demander quelque chose ? fit Honey.

— Ouais, mais j'ai pas de bonne réponse. Je me faisais chier, je crois, dit Eugénie. Et quand je dis chier, c'est *vraiment* chier.

— Il n'a pas l'air d'être votre type, ça c'est sûr.

— J'en ai jamais rencontré un de mon type. C'est bien le problème, dit Eugénie. Et vous ?

Honey fit oui de la tête.

— Une fois. On a vécu longtemps ensemble.

— Je m'en contenterais. Vous n'avez pas idée.

Shreave réapparut. Son chapeau était de travers et il bataillait pour retirer une brindille de la fermeture Éclair de son pantalon.

— Mesdames, dit-il, vous ne croirez jamais ce que votre humble serviteur a découvert en haut de la colline.

— Un soupçon de charme ? hasarda Eugénie.

— Un feu de camp !

— Par ici ?

Honey eut l'air soucieuse.

— Il est encore tiède, rapporta Shreave. Et ça sent la graisse de poisson.

Honey leur dit qu'ils devaient passer sur une autre île immédiatement.

— De quoi vous avez peur ? Ils sont partis maintenant.

Shreave balaya l'objection d'Honey d'un mouvement de bras dédaigneux.

— En plus, je meurs de faim.

— Eh bien, voilà qui règle tout. Sa Majesté veut son souper.

Eugénie ouvrit son sac à dos et en tira un léger pull de coton, qu'elle enfila malgré les protestations d'ado de Boyd. Elle n'avait aucune intention de marcher seins nus à travers les toiles d'araignée.

Fry se réveilla en pouffant. Il ignorait où il était et s'en fichait pas mal. Il entendit la voix de son père.

— Beau boulot, champion.

— Quouah ?

— Tu as emplafonné un camion-poubelle.

Fry tâcha de se rappeler.

— En skateboard, précisa son père.

— Merde, marmonna Fry.

En temps normal, il s'efforçait de ne pas jurer devant ses parents, mais il ne contrôlait plus rien en ce moment. Le soleil était aveuglant et son cou l'élançait quand il tournait la tête.

— Le camion était à l'arrêt, soit dit en passant, ajouta son père. Six tonnes d'acier compact et tu n'y as vu que du feu.

— Je m'excuse, papa.

Fry se remit à rire puis s'efforça de se calmer.

— Je sais que c'est pas drôle. Vraiment, je sais que ça l'est pas.

— T'es défoncé, fit son père. T'y habitue pas trop.

— Ohhhhhh.

Fry ferma les yeux, flottant entre deux eaux. Il prit conscience qu'il se trouvait dans le pick-up de son père et qu'ils fonçaient le long de la Tamiami Trail.

— On t'a filé des antidouleur costauds, fit Perry Skinner.

— Pourquoi ?

— Trois côtes cassées. Commotion cérébrale avec fêlure du

crâne. Et pour couronner le tout, tu as une bosse sur la tête grosse comme une fraise.

Fry tâcha de la toucher mais tout ce qu'il sentit, ce fut du plastique lisse.

— C'est quoi ce plan ? demanda-t-il.

— L'hôpital voulait te garder en observation, mais fallait qu'on aille de l'avant, alors je me suis arrêté au centre commercial et je t'ai acheté un casque de footballeur.

— Des Buccaneers ou des Dolphins[1] ?

— Des Dolphins, répondit son père. Au cas où tu aurais le tournis et que tu tomberais, j'ai pas envie que tu répandes ta cervelle un peu partout.

Fry retrouvait la mémoire par vagues embrouillées.

— Où j'allais quand c'est arrivé ? À l'école, hein ?

— Ouaip.

— Papa, tu conduis super vite ou bien c'est les médicaments ?

— Les deux.

Fry se rappela avoir relevé la tête et vu le camion-poubelle en panne, pile sur son chemin, inévitable. Il se demanda à quoi il pensait à ce moment-là, ce qui l'avait distrait si totalement.

— Où on va ? demanda-t-il.

— Faire un tour en bateau, répondit Perry Skinner.

— Pourquoi ?

Fry n'avait pas trop envie de monter en bateau. Il avait plutôt envie de rentrer chez lui, de baisser les stores et de ramper sous les couvertures.

— Parce que je peux pas te laisser seul, les médecins m'ont dit. Au cas où tu te paierais une crise de convulsions ou autre, lui fit son père sèchement. À part moi, y a personne d'autre pour veiller sur toi.

— Et maman ?

Skinner ne répondit pas. Fry se souvint alors d'avoir vu Louis

1. Respectivement, les équipes de Tampa et de Miami. *(N.d.T.)*

207

Piejack zoner en voiture devant la caravane le matin même. Il se rappela aussi avoir foncé vers les quais à crabiers pour prévenir son père.

— Et maman? redemanda-t-il, en ouvrant les yeux cette fois. Papa?

— C'est là qu'on va, retrouver ta mère.

— Mais où elle est?

— Je ne sais pas trop.

— Mr Piejack en a après elle? demanda Fry.

— C'est possible.

Fry s'écroula sur le côté, le casque de foot vint cogner avec un bruit sourd contre la vitre du pick-up.

— J'aurais dû les laisser te garder à l'hôpital. Merde, qu'est-ce qui m'a pris?

— Je me serais sauvé et j'aurais fait du stop.

— Ouais, je te crois.

Ni l'un ni l'autre ne reparla jusqu'à ce qu'ils arrivent à hauteur des feux jaunes clignotants qui signalent l'embranchement d'Everglades City.

— Ta planche s'en est mieux sortie que toi, dit alors son père à Fry. Une des roues a sauté, mais c'est tout.

— Papa, tu vas emporter ton flingue?

— Quoi?

— Quand on va partir chercher maman. Tu prendras ton flingue?

— Oui.

Perry Skinner s'éclaircit la voix.

— Bonne idée, dit Fry.

Louis Piejack regarda dans les jumelles et dit: «Jackpot!» Puis il le répéta six ou sept fois.

— Qu'est-ce qu'il y a? demanda Dealey, malheureux comme les pierres, depuis la proue.

— Prépare ton appareil photo. Je vois des nichons pointer à l'horizon.

Dealey plissa des yeux vers l'avant. La baie n'était qu'une flaque d'ondes éblouissantes et les deux kayaks étaient à cinq cents mètres de là, au moins.

— Ça ne sert à rien, dit-il à Louis Piejack. C'est trop loin, en plus, ils sont à contre-jour.

— C'est pas ceux de Honey, mais c'est des nibards de première classe. Allez, sors ton appareil, putain.

Dealey ouvrit d'un coup sec l'une des Halliburton et en retira le boîtier d'un Nikon qu'il fixa sur un petit trépied. Dans l'autre valise, il s'empara d'un téléobjectif de 600 mm. Dealey termina l'assemblage, les mains tremblantes de peur de faire tomber à l'eau son coûteux équipement.

Louis Piejack relâcha la manette des gaz en cocoricant : « Jackpot ! Jackpot ! Ils se sont arrêtés dans l'île ! » Il tenait les jumelles de sa main droite valide tout en dirigeant le canot à moteur de sa paluche gauche emmaillotée.

— C'est toujours à contre-jour, vous ne comprenez pas ? On peut pas shooter d'ici, se plaignit Dealey.

— C'est Dismal Key. Je connais une autre façon d'y accéder.

— Allez-y doucement, O.K. ? fit Dealey. Si jamais l'appareil est éclaboussé, on l'aura dans le baba.

Et moi, j'aurai deux mille dollars dans le baba, songea-t-il.

— Mais je veux des films, pas des photos, fit Piejack.

Dealey rangea le Nikon en disant qu'il leur fallait s'approcher bien davantage pour enregistrer quelque chose d'utilisable.

— Pas de prôôôôblème.

Les comprimés de Vicodine que Piejack avait avalés en guise de déjeuner le rendaient incohérent. Il n'était guère facile d'entretenir une dépendance de haut niveau à des antidouleur prescrits, avec une main dominante langée de façon si encombrante. Piejack avait assigné à Dealey — en menaçant de l'exécuter — la tâche d'ouvrir le flacon et d'en sortir en les comptant cinq comprimés qu'il avait lapés dans la paume de son captif à petits coups de langue pleine de croûtes, genre lézard. Dealey, humilié dans l'âme, s'était abstenu de tout commentaire.

Piejack contourna l'île par l'autre côté et engagea le canot le long d'un cours d'eau envahi par les mangroves. Telles des serres, leurs branches griffaient la peau de Dealey et perforaient la veste de son costume, mais ça semblait le dernier souci de Piejack. Il échoua rudement le bateau, saisit son fusil et sauta à terre. Dealey le suivit en charriant son matériel de prise de vue.

— Va pas te faire des idées, l'avertit Piejack.

— Vous me prenez pour un dingue ?

En fait, Dealey n'avait pensé à rien d'autre qu'à s'échapper depuis qu'ils avaient quitté Everglades City. À présent, s'enfonçant au cœur de l'île à la traîne de Piejack, Dealey attendait que son kidnappeur siphonné défaille. Avec un peu de chance, Piejack tomberait bientôt dans les pommes sous l'excès des calmants, ce qui offrirait deux, trois possibilités à Dealey. S'enfuir comme un dératé serait quasi en tête de liste, mais pour aller où ? Même s'il réussissait à faire démarrer le canot, Dealey n'était pas sûr à cent pour cent de pouvoir retrouver le chemin du continent.

Une idée plus praticable était d'arracher le fusil de chasse à Louis Piejack pendant son sommeil, puis d'obliger cet abruti à le ramener en ville. Même avec ce plan en tête, Dealey restait anxieux, car rien dans les rues de Fort Worth ne l'avait préparé à une situation pareille, à savoir se retrouver piégé dans les Everglades avec un poissonnier mutilé, énervé de la gâchette.

— La ferme, lui aboya Piejack.

— J'ai pas dit un mot.

— Alors qui, bordel ?

Piejack fit halte, en levant sa main engazée. Dealey n'entendait rien à part sa propre respiration très rapide ; les valises caméras étaient lourdes.

— Là-bas.

Piejack lui désigna un monticule d'environ cinq mètres de haut, parsemé de broussailles et de cactus.

— Toi d'abord.

— Lâchez-moi.

— Qu'est-ce tu dirais d'une volée de plombs dans le trou de balle, à la place?

La pente, constituée entièrement d'huîtres et de coquillages brisés, crissait sous les chaussures de Dealey. Piejack l'aiguillonna brutalement avec le canon scié. En approchant du sommet, Dealey entendit des voix provenant de l'autre côté. Piejack le dirigea vers un fourré entrelacé de plantes grimpantes, où ils s'abritèrent.

Les trois kayakeurs se trouvaient dans une clairière sous un gros arbre, à cinquante mètres de là. Boyd Shreave et Eugénie Fonda, assis sur un sac de toile, mangeaient le contenu de boîtes en plastique en se partageant un jerricane d'eau de quatre litres. Honey, la femme du *trailer park*, la dulcinée de Louis Piejack, debout, se vaporisait les bras d'antimoustique.

— Mon Dieu, si c'est pas un trésor, soupira Piejack. Sors ta caméra, Œil d'Aigle.

— Elle est habillée. Ils le sont tous.

Dealey était certain qu'un peu plus tôt Piejack avait halluciné les seins nus.

— Fais-moi juste un film, bordel, lui chuchota Piejack, d'un ton menaçant.

Dealey monta le caméscope et lança l'enregistrement, Piejack penché au-dessus de son épaule gauche. Dans le viseur, Boyd Shreave semblait parler constamment, aucune des deux femmes ne lui prêtant la moindre attention.

Dealey sentait le souffle chaud de Piejack à son oreille. Puis, d'une voix chantante:

— Mais où donc ma p'tite Honey Pie s'en va-t-elle de ce pas?

— Comment je le saurais?

— Reste sur elle! Reste sur elle!

— Du calme, Louis, lui dit Dealey.

Il garda la caméra braquée sur Honey pendant qu'elle se frayait un passage dans un bouquet embroussaillé de petits arbres.

— Je parie qu'elle va pisser, fit Piejack, tout excité.

Il a sans doute raison, songea Dealey, appuyant discrètement sur la touche pause.

— Tu filmes toujours ? Continue à filmer !

Piejack haletait comme un chien en bout de course.

— T'arrives à la voir ? Moi, je la vois plus.

Ce givré ne s'était pas aperçu qu'il avait arrêté le défilement de la bande, si bien que Dealey aurait pu facilement simuler. Il aurait pu se taire et faire semblant d'enregistrer Honey s'accroupissant dans les buissons, Piejack sautillant près de lui, au comble de l'euphorie.

Cependant, même Dealey, dont le travail dans la vie était d'envahir et d'exploiter les instants les plus intimes d'autrui, avait des barrières morales. Une cassette où on baisait, c'était une preuve ; une cassette où on pissait, c'était trash.

Suite à une décision artistique, le privé pivota, effleura la touche enregistrement et s'avança avec hardiesse, l'objectif carrément braqué sur son ravisseur.

Louis Piejack se mit à reculer.

— Qu'est-ce qu'tu fous, là ?

— Je filme l'enfoiré le plus tordu que j'aie jamais rencontré, lui répliqua Dealey.

Au sommet du monticule d'huîtres, l'expression de Piejack passa d'une confusion en dents de scie à la rage pure. Enfonçant ses talons dans les coquilles en vrac, il visa le bas-ventre de Dealey du fusil à canon scié.

— T'approche pas plus. Et t'arrêtes ça, fit-il.

— J'sais pas trop.

Dealey corrigea le diaph et continua à tourner.

Piejack fixait le point rouge clignotant au-dessus de l'objectif.

— Éteins-moi cette saloperie.

— Vous avez pas envie d'être célèbre ?

— Célèbre pour quoi ?

— Empuantir la planète, répondit Dealey.

— C'est ça. Prépare-toi à mourir, fils de pute.

— Alors, bonne chance, Louis. Vous allez en avoir besoin.

Piejack tiqua.

— Ça veut dire quoi, ça, bordel ?

— Bonne chance pour ouvrir votre précieux flacon de médocs sans mon aide, fit Dealey.

Piejack se mordilla pensivement la lèvre du haut.

— La faute à ces vacheries de capsules à l'épreuve des gosses. C'est la galère à ouvrir d'une seule main.

— Oh, vous trouverez bien un moyen.

Dealey nota le moignon brun taché de teinture d'iode sur la détente de la carabine. C'était un pouce, bourgeonnant de la gaze en lieu et place d'un index. Il zooma dessus brièvement.

— Décidez-vous, Louis.

Piejack grogna.

— Tu crois que je tirerai pas ? Ha !

Dealey entendit alors un craquement sourd et son kidnappeur disparut du champ. À sa place se tenait un jeune homme musclé, armé d'un fusil. Dealey abaissa la caméra et aperçut Piejack face contre terre, inanimé dans un carré de cactus.

— À charge de revanche, mon vieux, dit le privé à l'inconnu qui récupéra l'arme de Piejack et la fourra sous son bras.

Puis s'approchant de Dealey, il lui pinça le nez fort impoliment.

— Vous n'êtes pas réel, lui fit le jeune type d'un ton accusateur.

— Mais si, répondit Dealey en nasillant et en se débattant pour se libérer du pinçon.

— Regardez-moi ce costard que vous portez.

— Je peux vous expliquer !

— Me mentez pas, lui dit l'homme au fusil. Vous êtes le fantôme d'un mort.

Parfait, songea Dealey. Nouveau spécimen de barjo made in Floride.

Le type lâcha le nez de Dealey en lui disant : « Enlevez vos chaussures et vos chaussettes. »

Dealey rangea la caméra vidéo puis fit ce qu'on lui demandait. Le type, roulant en boule les chaussettes cuites dans leur jus, en bourra les joues de Dealey.

— Vous avez de l'eau ? lui demanda-t-il.

Dealey fit non de la tête d'un air contrit.

— Merde, dit le jeune homme.

Puis il lui fit signe avec le fusil.

— Levez-vous et suivez-moi.

Quand Dealey lui montra ses Halliburton, le type haussa les épaules. Dealey souleva les deux valises et suivit l'inconnu d'un pas lourd. Les débris de coquilles d'huîtres entaillaient la plante des pieds du détective et très bientôt il s'entendit geindre.

C'est le pire contrat que j'aie jamais accepté, se dit-il. *De loin.*

15

Elle crut avoir entendu des voix. Mais rien de nouveau sous le soleil, non ? Il y avait rarement du silence dans son monde. Ni paix ni calme. Nat King Cole y croonait en duo avec Marilyn Manson, un tireur trébuchait et déclenchait une alarme incendie à la maison de retraite, une perruche atterrissait dans un mixeur à cocktails…

Un jour de plus dans la tête d'Honey Santana.

— Ça, des vacances, râla Boyd Shreave, l'homme qui lui avait téléphoné en plein dîner sous le nom d'Eisenhower et tenté de lui refiler à elle, pauvre poire, une parcelle de terrain surévaluée.

Celui-là même qui l'avait traitée de pouffe.

— Rien à voir avec ce qu'on avait en tête, ajouta-t-il. Hein, Génie ?

— C'est pas tout à fait les Bahamas, reconnut sa maîtresse.

— Qu'est-ce que vous espériez ? fit Honey. À part une plage et un bar paillote, je veux dire. Ici, c'est de la nature vierge, sauvage, enfin, ce qu'il en reste. C'est ce que les gens viennent voir en écotour.

Boyd Shreave gloussa froidement.

— Balancez-nous votre baratin de vente à la con et ramenez-nous en ville.

— Y a pas de baratin qui vaille, fit Honey.

— Ouais, c'est ça.

215

Eugénie Fonda s'étira.

— Comment elle s'appelle cette île, au fait ?

— J'en sais rien, dit Honey. Mais elle fera l'affaire.

Shreave tiqua.

— Elle fera l'affaire pour quoi ?

Il s'approcha vivement d'elle et lui fit sauter de la main une barre de céréales à demi mangée.

— Elle fera l'affaire pour quoi ? insista-t-il.

— Très grossier de votre part, lui dit Honey.

Elle ramassa les morceaux sur le sol puis les mit dans un sac-poubelle.

— Plus que grossier, en fait.

Eugénie Fonda demanda à Shreave de cesser de se comporter comme un con.

— Y a pas de baratin de vente, elle a dit ?

Il dispersa d'un coup de pied les cendres du feu de camp précédent.

— On va où, là, merde ?

Honey Santana jugea qu'il était inutile d'attendre plus long-temps. Elle était prête et lui, plus que mûr.

Elle se leva et dit : « Il n'y a pas de baratin de vente pour la bonne raison qu'il n'existe pas de projet immobilier du nom des Hammocks royaux du golfe, *Mr Eisenhower*. »

Le sourcil de Shreave s'inversa en une image simiesque de la contrariété. Il vacilla légèrement, en tricotant des mâchoires.

Eugénie Fonda avait réuni les pointillés.

— Merde, Boyd. Merde, merde et *merde*.

— Je vous connais ? demanda-t-il à Honey.

Ces mots sortirent avec un bruit de crécelle.

— Me dites pas que c'est vous qui avez appelé chez moi ?

— Vous m'avez appelé le premier, Boyd. Histoire de me faire l'article pour un bout de maquis sans valeur dans Gilchrist County, vous vous souvenez ? Je vous ai donné une petite leçon d'histoire sur Stephen Foster, qui n'avait jamais posé les yeux sur la Suwannee River. Pourquoi ne pas prendre un siège ?

216

Shreave pirouetta sur lui-même. Bégaya. Battit des bras. Pour finir, Eugénie le chopa par la ceinture et le força à se rasseoir à ses côtés.

— Refaites-moi sa voix, dit-il à Honey. Si vous êtes vraiment la même, imitez sa voix au téléphone.

Elle s'était bien préparée.

— Bonsoir, Mr Shreave. Pia Frampton à l'appareil, je vous appelle pour vous faire une offre très spéciale...

— Ah merde, fit Shreave, dont la mine s'allongea.

— Vous m'avez dit que j'étais trop « onctueuse » à entendre, vous vous rappelez ? Vous m'avez filé plein de tuyaux pratiques qui m'ont bien aidée.

— Non, j'y crois pas, fit Eugénie Fonda.

Honey perçut chez elle une inflexion de lassitude, d'espérances revues à la baisse et insatisfaites. *Qu'est-ce que je fous avec ce minable ?* Honey elle-même s'était plus d'une fois posé cette question avant de se jurer de ne plus accepter aucun rendez-vous.

— Mon vieux, elle t'a bien eu, fit Eugénie à Shreave.

— Des conneries, tout ça. Y avait un voyage gratuit en Floride à la clé !

— Rien n'est gratuit, Boyd. Me dis pas que tu l'as oublié.

— Ouais, mais elle m'a envoyé les billets d'avion !

— Tu t'es fait piéger, point barre. Remets-toi.

Eugénie regarda Honey et lui dit : « Au pif, je me lance : deux, trois ploucs baraqués sont tapis dans les buissons et guettent le moment de nous dépouiller. »

Honey Santana ne put s'empêcher d'éclater de rire.

— Alors, à quoi ça rime tout ça ? Attendez, je sais... une demande de rançon ! hasarda Eugénie. Peut-être que vous avez découvert que la femme de Boyd a de la thune.

— Ferme ta bouche, Génie, lui dit Shreave.

Honey goba un Tic Tac. Son attention fut attirée par les débris d'une maisonnette — bois de charpente écaillé, poutres carbonisées, encadrements de fenêtres brisés — qu'autrefois quelqu'un avait appelée son chez lui. Une construction trapue, genre bunker, en parpaings nus, avait été édifiée sur l'une des pentes du monticule de coquillages, peut-être pour servir de citerne.

Honey remarqua un affolement de mouettes et de pélicans au-dessus de leurs têtes et se demanda ce qui les avait fait s'envoler. Ils partaient sans doute pêcher, se dit-elle. C'était une belle journée.

— Pourquoi vous avez fait ça ? demanda Shreave d'une voix éraillée. Les billets d'avion et tout le reste, merde, vous devez être cinglée.

— Elle n'est pas cinglée. Pas vrai, Honey ? lança Eugénie.

Cette dernière ouvrait un paquet de figues sèches. Leur campement était surplombé par un antique poinciana royal et elle envisagea de l'escalader pour avoir une meilleure idée de l'endroit où ils se trouvaient. Elle avait l'impression d'être très loin de son fils.

Un coup de feu retentit, suivi d'un autre.

Eugénie sursauta. Shreave ouvrit de grands yeux et s'exclama :

— C'est un piège !

— Chhhttt. Ce sont des braconniers, c'est tout, fit Honey, songeant : ce doit être eux qui ont fait du feu.

Shreave péta les plombs suite à la fusillade. Se ruant sur les genoux d'Honey, il la plaqua au sol et lui cloua un avant-bras poisseux sur la gorge.

— Sortez-nous de là ! fit-il d'une voix rauque.

Avec quelque difficulté, Eugénie Fonda lui fit lâcher prise et le tira en arrière. Honey, tout en ôtant des éclats de coquilles d'huîtres de ses cheveux, se rappela la fois où Perry Skinner lui avait fait l'amour sur la plage à Cape Sable, tous deux encroûtés de grains de sable humides. C'était sous une averse torrentielle de printemps et ils étaient seuls, sauf un lynx qui les épiait depuis un bouquet de choux palmistes. Honey avait envie de croire qu'elle avait conçu Fry cet après-midi-là.

— Qui a tiré ces coups de feu ? demanda Shreave.

— Je n'en ai aucune idée. Et c'est la vérité, fit Honey.

Ils restèrent silencieux plusieurs minutes, l'oreille aux aguets. Plus de fusillade. Shreave retrouva son calme.

Quand Honey commença à déballer les tentes, Eugénie dit : « Euh-oh. »

Et Shreave de ricaner.

— Pas question qu'on passe la nuit ici. Je vais appeler pour qu'on nous vienne à l'aide.

— Comment ? demanda Eugénie.

Ils avaient laissé leurs portables dans l'Explorer de location car ils avaient eu peur de les faire tomber par-dessus bord en kayak.

— On est des campeurs, Boyd, fit-elle.

— Tu parles, tu nous as vus ?

Il leur fallut une demi-heure pour monter les tentes. Une fois qu'Honey eut terminé, elle se tourna vers les Texans.

— J'ai un fils, le garçon que vous avez vu en photo à l'éco-lodge. J'ai essayé d'en faire quelqu'un de bien, de positif... on vit à une époque tellement cynique, vous savez, que ça brise le cœur. On regarde les infos ensemble chaque soir parce que c'est important qu'un jeune soit conscient de ce qui se passe, mais il y a des fois, je vous jure, où j'ai envie de balancer un pavé dans le poste. Ça ne vous arrive jamais ?

— Pas à Boyd, répondit Eugénie. Il adore sa télé.

— Sauf les infos, intervint-il. Je regarde jamais ces saletés d'infos, même pas Fox News. Bon, nous, on s'en va tout de suite.

— Laisse-la finir, Boyd, lui dit Eugénie. Il est évident qu'elle s'est donné beaucoup de mal.

Honey la remercia puis continua :

— J'ai toujours dit à mon fils : « Bon, le monde grouille de salauds et de rapaces. Ne t'avise pas d'en devenir un en grandissant. » Et ce que je veux dire, c'est : sois un individu responsable et compréhensif. Est-ce si difficile ? Être généreux, désintéressé. Montrer de la compassion, pas de l'indifférence. Mon Dieu, y a-t-il un péché plus grand que l'indifférence ?

Shreave souleva un jerricane d'eau et lampa bruyamment. Il s'essuya les lèvres et grommela :

219

— Vous voulez bien en venir au fait, si fait il y a.

— Il y en a un, oui.

Honey prit le temps de trier les chansons dans sa tête. L'une d'elles, c'était *Yellow Submarine* qu'elle avait souvent fredonnée à Fry quand il était bébé. Même Perry Skinner, qui préférait les chanteurs country, Merle Haggard ou Waylon Jennings, en connaissait toutes les paroles.

— J'ai une tendance à la surexcitation, je l'admets, dit-elle. À être obsédée par certaines choses, quoique d'une façon non clinique. À être « hyper focalisée », comme dit mon fils. L'heure du dîner est importante pour moi. C'est le seul moment où l'on ait encore l'occasion de se parler vraiment.

— Vous et votre fils ? fit Eugénie.

— Oui. Cette partie de la journée *nous appartient*, vous comprenez ? Fry grandit si vite… il a son entraînement d'athlétisme, ses devoirs, son skateboard. En plus, il va chez son père deux trois fois par semaine, ce qui est aboslument son choix. Bref… où en étais-je ?

— À l'heure du dîner, lui souffla gentiment Eugénie.

— Ah oui. Pratiquement tous les soirs, le téléphone sonne au milieu du repas et un parfait inconnu, à des centaines de kilomètres de là, essaie de me vendre quelque chose dont je n'ai pas besoin, pas envie et que je ne peux pas me payer. Le nom de votre société est bien Sans Trêve Ni Relâche, hein ? Comme s'il y avait de quoi être fier de ne jamais cesser de harceler autrui.

Honey sentit qu'elle faisait de grands gestes. Elle s'entendit hausser le ton.

— Vous avez appelé chez moi, Mr Boyd Shreave, et n'avez même pas eu la décence, ou le cran, de me donner votre vrai nom !

— Strictement POS, fit Shreave avec un reniflement de dédain.

— Procédure opérationnelle standard, expliqua Eugénie. On n'utilise jamais nos véritables noms de famille. Aucun de nous ne le fait.

Honey Santana en resta déconfite.

220

— Vous travaillez là-bas, vous aussi ?

— La prochaine fois, raccrochez simplement, point final, dit Eugénie. On ne vous rappellera pas. La liste des numéros qu'on a en main fait des kilomètres de long.

Honey se pressa les tempes.

— Quelle horreur ! Je parle de politesse à l'ancienne et d'un minimum de respect vital. Cet individu m'a dit d'aller me faire mettre. Il m'a traitée de vieille pouffe aigrie.

Shreave se raidit.

— Vous avez d'abord insulté ma mère.

— Je n'ai pas fait une chose pareille !

Honey mit au rancart les excuses qu'elle avait répétées. Shreave ne les méritait pas.

— Tout ce que j'ai fait, c'est de vous poser une question simple, tout ce qu'il y a de raisonnable : est-ce que votre mère vous a élevé pour être un fléau ? A-t-elle souffert et saigné à votre naissance, Boyd, pour qu'une fois grand vous deveniez un enquiquineur et un faux jeton ? D'après moi, la réponse est non. D'après moi, vos parents fondaient de plus grands espoirs sur vous. Et que faites-vous de Lily ?

Shreave accusa le coup, mis à nu une fois encore.

— La *vraie* Mrs Shreave, poursuivit Honey. Dites-moi qu'elle est heureuse que votre carrière culmine de cette façon. Dites-moi qu'elle est fière et satisfaite d'être mariée à un démarcheur téléphonique ?

Eugénie Fonda l'interrompit.

— O.K., chérie, on est tous les deux dans le coup. Boyd s'excuse vraiment d'avoir appelé et de vous avoir dérangée. Il ne le refera plus. Maintenant, vous pouvez nous sortir d'ici ?

— Non, je crois qu'il s'en fiche royalement.

Honey examina Shreave avec attention pour déceler chez lui ne serait-ce que l'ombre d'un remords.

— Il n'a carrément rien pigé au truc.

Shreave confirma la chose en lui disant : « Mais si, bien sûr. Vous êtes folle à chier. »

Eugénie le fusilla du regard.

— Très élégant.

— Mais putain, elle nous a kidnappés !

— J'ai pensé que ça vous plairait de venir dans le coin, fit Honey. Soyez francs... vous avez déjà vu un endroit aussi incroyable ?

Shreave se tordit de rire.

— Chaque semaine, dans *Survivor*.

— Son émission préférée, fit Eugénie, claquant une araignée sur sa cheville. Avec le *Jerry Springer Show*.

Honey était paumée. Elle se sentait toute bête.

— Vous pouvez vous en aller maintenant, fit-elle, plongeant la main dans la réserve de Cheerios.

Boyd se leva d'un bond et redonna du volume à son chapeau Indiana Jones.

— Sois pas ridicule, lui dit Eugénie Fonda. On se perdrait en cinq minutes sans elle.

Elle se tourna vers Honey.

— Allez, ça va. Vous avez bien rigolé.

— Continuez vers l'est et ça le fera pour vous.

— Ça le fera pas pour nous. Ça le fera carrément pas pour nous.

— Alors, restez avec moi.

Shreave grogna.

— Merde à tout ça. On y va.

Honey les regarda dévaler le sentier vers le cours d'eau. Elle posa sa tête sur l'un des sacs de toile en espérant qu'en dépit de tout ils se débrouilleraient par leurs propres moyens pour rentrer à Everglades City. Elle n'avait vraiment plus envie de les voir. Son speech avait échoué lamentablement, et à présent tout son plan lui paraissait mal inspiré de façon déprimante. Elle détestait baisser les bras, mais il semblait bien que Boyd Shreave était une cause perdue.

Le ciel avait changé de couleur. Honey sentit que le vent avait fraîchi. Elle ne voyait aucun inconvénient à passer la nuit

222

toute seule ; les braconniers avaient pour habitude d'opérer en secret et ceux armés du fusil étaient sans doute loin depuis longtemps. Elle allumerait un feu et, avant le coucher du soleil, irait faire trempette toute nue. Au matin, elle regagnerait le continent, puis attendrait Fry à la sortie de l'école. Elle prévoyait de trouver son chemin de retour grâce au GPS de Perry Skinner dans lequel elle avait validé plusieurs points de référence, tout en menant les Texans à travers les îles.

Elle entendit un avion vrombir au loin, et bientôt le bruit de son moteur se transforma en léger chœur à bouche fermée. L'air, bien qu'agréable, lui était inconnu. Elle tenta de le fredonner mais ne put mettre le doigt sur la tonalité. Il y eut un bruissement de feuillage non loin d'elle et Boyd Shreave réapparut, des fils soyeux de toiles d'araignée lui pendant des deux lobes. Il surgit dans la clairière d'un pas lourd en disant : « O.K. Magnez-vous le cul. »

Honey s'assit. Génie émergea d'entre les arbres.

— Vous avez gagné. La plaisanterie s'est retournée contre nous.

— Quelle plaisanterie ? Vous m'avez dit que vous rentriez.

— Ah oui ? À la nage, je suppose, fit Shreave.

Honey en eut l'estomac noué.

— Les kayaks ont disparu ?

— Surprise, surprise, dit Eugénie d'un ton aigre.

Boyd Shreave sortit brusquement un pistolet à canon court et le pointa sur le cœur de Honey.

— Ne restez pas là à faire l'innocente. Dites à vos potes de nous ramener ces saletés de bateaux.

Honey lui répondit qu'elle n'avait aucun pote sur l'île.

— J'ignore qui a volé les kayaks, promis juré.

Eugénie Fonda lorgna d'un œil sceptique l'arme que tenait Shreave en main.

— J'ai des doutes, Boyd. En plein jour, ça m'a vraiment l'air d'un jouet.

Il le posa à plat sur sa paume pour examen.

— C'est pas un jouet, lui dit-il avec une confiance tout sauf débordante.

— Peu importe. Range-moi ce machin, lui fit Eugénie. Elle nous dit la vérité.

— Super. Maintenant, t'es plus dans mon camp.

— Je sais où il l'a trouvé… sous mon lit, dit Honey Santana. Et il a raison, c'est pas un jouet.

Shreave fit un sourire en coin à Eugénie.

— Qu'est-ce qu'je t'avais dit. Ah mais !

Avec arrogance, il fourra à nouveau l'arme dans son pantalon, qui s'éclaira avec un crépitement sourd. Shreave brama en basculant en arrière, comme si un train de marchandises venait de le heurter. Pendant trente secondes, sembla-t-il, il tressauta et frissonna sur le sol, en s'agrippant l'entrejambe de ses doigts recroquevillés, blancs comme de l'os.

Eugénie Fonda assista à la scène sans faire de commentaire. Honey lui expliqua : « En fait, c'est pas un flingue non plus. C'est un Taser électrique. »

Eugénie soupira.

— Ah le con.

— À votre place, je le toucherais pas tout de suite.

— Oh, pas de souci.

Les kayaks volés en remorque, Sammy Queue de Tigre se réinstalla sur la pointe sud-ouest de l'île. Il alluma un nouveau feu de camp pendant que Gillian faisait joujou avec Dealey.

Quand elle lui retira de la bouche les chaussettes qui le bâillonnaient, il lui demanda :

— Qui êtes-vous ?

— L'otage de Thlocko.

— Alors, je crois qu'on est deux.

— Non, pour vous, c'est juste temporaire. Genre prisonnier de guerre, précisa-t-elle. On l'appelle aussi « Queue de Tigre ». C'est un chef séminole.

— J'aurai pas une chance de m'expliquer ?

— J'en doute. C'est une tête de pioche.

Gillian ouvrit l'une des Halliburton et se mit à bricoler avec le Nikon.

— Ne faites pas ça, lui dit Dealey.

Quand il tendit la main vers l'appareil, elle lui donna une tapette.

Sammy Queue de Tigre releva la tête du feu et menaça de les jeter tous les deux dans Pumpkin Bay, qu'il avait identifiée à tort comme la plus proche étendue d'eau. C'était, en fait, Santina Bay, erreur qui ne tirait pas à conséquence, dans l'immédiat.

— Dix mille îles et il a fallu que ces connards choisissent celle-là, fit le Séminole.

Battre en retraite lui avait gâché l'humeur. L'endroit était infesté de visages pâles et de leurs fantômes. Deux coups de fusil n'avaient pas réussi à faire fuir les kayakeurs, forçant Sammy Queue de Tigre à abandonner le campement du monticule de coquillages, sur lequel il avait espéré communier avec les anciens Calusas. À présent, les trois touristes s'installaient et Sammy Queue de Tigre était coincé à la fois avec l'étudiante et le fantôme de l'homme d'affaires visage pâle.

— Je suis pas un spectre, nom de Dieu! protesta Dealey, exhibant ses pieds ensanglantés comme preuve de sa mortalité.

Gillian prit quelques gros plans et reposa le Nikon. L'Indien lui tendit sa guitare en lui demandant de jouer quelque chose de doux. Elle attaqua lentement *Mexico* de James Taylor, que Sammy Queue de Tigre reconnut en approuvant. Le rendu aurait été meilleur avec une guitare acoustique, mais il ne pouvait pas se plaindre. Pour la première fois, il remarqua que Gillian avait une jolie voix et craignit que cela n'ajoute à ses pouvoirs sur lui. Il ne lui demanda pas d'arrêter de chanter, cependant.

Une fois, la chanson terminée, Dealey déclara qu'il avait soif.

— Bienvenue au club, dit Gillian, ça fait des jours qu'on vit de baies de cactus et de poisson frit. Je ferais une pipe à Dick Cheney pour une Corona.

— Qu'attendez-vous de moi ? demanda Dealey au Séminole qui reprit la Gibson à Gillian et se mit à pincer la corde de *si*, sans se lasser.

Gillian, se penchant tout près de Dealey, lui chuchota :

— Thlocko ne veut pas vous parler parce qu'il croit que vous êtes un fantôme. À l'entendre, il en a sa claque de se faire harceler par des visages pâles morts.

— Dites-lui de me laisser partir alors.

— Pour aller où ? fit Gillian en souriant. Pitié. Vous avez tellement le profil à *pas* pouvoir vous tirer d'ici. Eh, au fait, c'était qui ce connard avec sa main pleine de sparadrap ?

Dealey répondit qu'il ne connaissait pas l'individu.

— Un barjo du nom de Louis qui court après une bonne femme du *trailer park*. Il m'a frappé avec ce fusil à canon scié puis m'a obligé à le suivre.

— Ça, c'est fort de café, dit Gillian. Se faire kidnapper deux fois dans la même journée, ça pourrait être un record du monde.

— J'invente pas. C'est lui qui m'a collé cet œil au beurre noir !

Gillian dit à Dealey qu'elle le croyait. Sammy Queue de Tigre lui ordonna de cesser de parler au fantôme.

— Mais je pense qu'il pourrait bien être en chair et en os, répondit Gillian, en faisant à Dealey un clin d'œil en douce.

— Ça pourrait être mauvais pour lui, fit le Séminole, qui avait déjà envisagé cette possibilité.

Contrairement au fantôme de Wilson, Dealey ne s'était pas évaporé quand Sammy Queue de Tigre avait ouvert les yeux. De façon encore plus suspecte, il s'était rendu visible et audible à Gillian, qui n'était pas indienne, rien de plus évident.

Sammy Queue de Tigre plaqua un accord en *ré* puis se mit à gratter fiévreusement. Il aurait aimé avoir un ampli. Gillian sortit le Nikon numérique de Dealey et prit des photos du Séminole en train de jouer, qu'elle lui montra ensuite dans le viseur.

— Bon Dieu, bonhomme, t'as tout pour devenir une rock star.

Le Séminole aima bien de quoi il avait l'air en tenant la Gibson, même s'il tâcha de ne pas trop montrer son contentement.

— J'ai pas envie d'être une rock star, fit-il.

— Bien sûr que non, dit Gillian. Le cul et la dope à gogo, qui aimerait vivre comme ça ?

— J'ai besoin de silence. Je n'arrive pas à penser.

Sammy Queue de Tigre essuya soigneusement la guitare et la rangea. Puis déroulant son sac de couchage, il commanda à Dealey de ramper à l'intérieur.

— Zippez-le. Jusqu'en haut, je veux dire, fit Sammy Queue de Tigre à Gillian.

— Tête comprise ?

— Surtout sa tête.

Dealey rosit.

— Non, pas ça ! Je suis claustrophobe !

— Où sont passées ces saletés de chaussettes ? demanda Sammy Queue de Tigre.

— Non… non, pas ça ! Je ne dirai pas un mot, je le jure.

— Enfin, Thlocko, lui dit Gillian, tu vois pas qu'il a une trouille bleue ?

— Alors, vous allez vous enfourner là-dedans avec lui. Ça lui tiendra compagnie, fit Sammy Queue de Tigre. Y a de la place pour deux.

— Dégueu.

— Il ne peut rien tenter. Il est mort.

— Nân-nân, dit-elle.

Dealey se tourna sur le flanc pour lui faire de la place. Gillian se glissa dans le sac de couchage derrière lui, positionnant ses coudes de façon à garder ses distances. Le Séminole zippa le tout, les cloîtrant dans une chaude obscurité sentant le moisi. Puis il fit : « Je vous l'ai dit, j'ai besoin de réfléchir. »

Au bout de quelques instants, il entendit leurs respirations devenir régulières. Il s'assit non loin de cette masse bosselée. C'était pas sympa de fourrer Gillian dans le même sac qu'un fantôme possible, mais au final, ça lui remettrait peut-être les

227

idées en place et lui ferait abandonner celle de rester sur l'île. Aucune jeune femme normale ne tolérerait d'être traitée ainsi, mais bon, la normalité et Gillian, ça faisait mille.

Une partie de Sammy Queue de Tigre n'avait pas envie de la chasser loin de lui ; la partie faible, solitaire. Mais à quoi lui servirait-elle ? Certainement pas à lui apprendre à jouer de la Gibson. Il pouvait apprendre dans son coin, comme tant d'autres grandes pointures. Son père lui avait dit que Jimi Hendrix n'avait pris qu'une seule leçon de guitare de toute sa vie et que les Beatles étaient même incapables de lire une partition.

— Hep, fit Dealey d'une voix étouffée, à l'intérieur du ballot.

— Quoi, hep ? lui répondit Gillian.

Sammy Queue de Tigre se rapprocha pour écouter.

— Il y a un bateau à moteur, disait Dealey.

— J'entends rien du tout.

— Non, il y a un bateau sur l'île. C'est comme ça qu'on est arrivés ici.

— Vous et Sparadrap Man ? fit Gillian.

— Ouais, c'est son bateau, chuchota Dealey. Je crois que je pourrais le retrouver.

— Où vous voulez en venir ?

Un court silence suivit. Le plus gros des deux tas s'agita dans le sac de couchage. Sammy Queue de Tigre se massa les muscles de la nuque et attendit la suite.

— Là où je veux en venir, fit Dealey avec impatience, c'est qu'avec le bateau, on peut *lui* échapper !

— Et pourquoi, grand Dieu, je voudrais faire ça ? murmura Gillian en retour, avec un sérieux qui fit sourire malgré lui le Séminole qui jouait les indiscrets.

16

L'adjoint au maire d'Everglades City emprunta à son voisin un skiff équipé d'un moteur hors-bord de 35 chevaux et d'une perche en graphite de cinq mètres et demi pour se propulser à travers les hauts-fonds. Perry Skinner emporta aussi une glacière, remplie d'eau et de nourriture, un projecteur, deux sacs de couchage et le calibre .45 semi-automatique. Fry, encore assommé par les antidouleur, roupilla à la proue pendant une heure, pendant que son père fouillait Chokoloskee Bay. Aucune trace nulle part de Honey et de ses invités ni du canot de Louis Piejack.

Fry se réveilla au coucher du soleil.

— On fait quoi maintenant ? demanda-t-il à son père.

— On continue à chercher.

— Je peux retirer ce casque ? Je me sens bien.

— Tu mens.

Perry Skinner savait qu'Honey lui en tiendrait rigueur si jamais quelque chose arrivait à leur garçon. En fait, elle perdrait complètement la boule.

Fry se tâta les côtes en grimaçant.

— La nuit tombe, constata-t-il.

— C'est mieux pour nous.

— Mais on va nous entendre arriver à un kilomètre.

— Fais-moi un peu confiance, fiston.

Perry Skinner n'avait rien oublié de l'art de la navigation

nocturne, essentiel pour un contrebandier de beuh prospère dans les îles. On ne l'avait jamais poissé sur l'eau parce que les fédés ne pouvaient pas le trouver, encore moins l'attraper. Ils l'avaient arrêté sur la terre ferme au point du jour, en compagnie de la moitié de la population masculine d'Everglades City. Cinq types de la DEA avaient enfoncé la porte-moustiquaire, Honey demi nue avait balancé un caquelon à fondue à la tête de l'agent-chef qui, au comble de l'amusement, avait oublié de l'embarquer elle aussi.

Pendant sa carrière de hors-la-loi, Skinner s'était montré d'une discrétion et d'une prudence exceptionnelles. Sa seule erreur avait été de se fier à un type qu'il connaissait depuis la maternelle. Pour sauver sa propre peau, ledit ami avait balancé Perry et le frère de Perry, la trahison étant le dénouement cliché de la plupart des entreprises de narcotrafic. Skinner n'avait envisagé que fugitivement de se venger de celui qui l'avait dénoncé. Après tout, c'était son cousin germain.

Toute cette merde s'était passée avant la naissance de Fry et il ne serait pas né du tout si Honey Santana n'avait pas attendu Skinner à sa sortie de prison. En robe bain de soleil citron et sandales blanches. Ce fut une surprise totale, en particulier son sourire. Elle avait envoyé cent quarante-sept lettres à Skinner pendant qu'il était sous les verrous ; rares étaient celles qui se montraient conciliantes, aucune n'était indulgente. Et pourtant, elle se tenait là, radieuse et en grand tralala, sous le soleil de Pensacola, quand il avait franchi les portes d'Eglin. Les premiers mots à sortir de sa bouche furent les suivants : « Si jamais tu passes en contrebande une autre cargaison d'herbe, je te tranche la queue, je la hache menu et je la donne à bouffer aux poissons. »

Perry Skinner avait repris l'existence d'un honnête pêcheur de crabes et dans son foyer, les choses avaient bien roulé, un certain temps.

— Tu as donné le GPS à ta mère ? demanda-t-il à Fry.

— Ouaip.

230

— Et tu lui as montré comment s'en servir?

— J'ai essayé, dit Fry.

— Quelles sont ses chances?

— Cinquante-cinquante. Déjà qu'elle calcule toujours pas le régulateur de vitesse de sa voiture.

Plus ça change, moins ça change, songea Skinner.

— Comment tu te sens? Et dis-moi la vérité.

— Patraque.

— Ça se tient davantage.

Skinner était toujours tracassé d'avoir emmené Fry. Il n'était pas fan des hôpitaux, laisser son garçon avec des inconnus aux urgences lui avait paru impensable sur le coup.

— Tu vas le descendre, papa?

— Piejack? Si ça doit en venir là, ouais.

— Mais si on arrive trop tard? S'il a déjà fait du mal à maman?

— Alors là, sûr et certain, c'est un homme mort, dit Skinner.

Fry opina. C'était la réponse qu'il avait espérée.

Louis Piejack n'avait entendu personne se faufiler derrière lui. Le coup l'avait cueilli à la nuque et il était dans les pommes avant même de toucher le carré de cactus.

Il reprit conscience au crépuscule, sous l'effet d'une violente douleur digne des tortures du Moyen Âge. Il se libéra avec force moulinets des griffes des raquettes, perdit l'équilibre et glissa en arrière dans un ravin plein de canettes de bière Busch. Son atterrissage fit un boucan pareil à une collision frontale sur Krome Avenue à Miami.

Dans la pénombre, Piejack, prostré et haletant, repéra sur ses habits sentant le poisson et sa peau rougie par le soleil un semis hérissé de fines épines. Une sensation urticante continue lui permit de dresser mentalement le plan d'un schéma de perforations, se déployant de son front à ses tibias. Étaient miraculeusement épargnées les extrémités sensibles qui dépassaient de la gaze crasseuse de sa main gauche. Malheureusement, suite à la bourde chirurgicale, son index et son pouce étaient à présent si éloignés l'un de l'autre et adoptaient des angles si fâcheux qu'ils rendaient impossible le mouvement de pince le plus simple. Par conséquent, Piejack dut se fier à sa main droite plus faible et moins habile pour retirer les minuscules épines de cactus dont le nombre, d'après ses calculs, dépassait la centaine.

Un dégénéré moins inspiré aurait certainement été abattu par un tel handicap, mais Piejack se ressaisit vite fait. Il ne se souciait guère de qui l'avait assommé ni pourquoi. Il ne s'inquiétait pas outre mesure d'avoir perdu son fusil ni d'avoir oublié où il avait échoué son canot. Il ne se sentait pas non plus particulièrement motivé de pourchasser son ancien captif, le mec en costard au gros cul avec sa caméra vidéo, avant que la loi ne vienne y regarder de plus près.

Louis Piejack n'avait qu'une chose en tête : Honey Santana.

Sur des charbons ardents, il se payait une fixette pathologique du genre de celle des « prédateurs » pur jus et, vautré avec des élancements partout, au milieu de canettes de bière rouillées, il se surprit à revivre avec délices la seule et unique palpation, brève comme l'éclair, qui l'avait catapulté dans cette aventure ; l'ingénieuse visée de sa main, sinuant pour englober au creux de sa paume le magnifique sein droit d'Honey à l'instant où penchée, sans rien soupçonner, sur le rayon réfrigéré, elle disposait sur des copeaux de glace un plateau de steaks de maquereaux frais. Qu'elle ait porté un soutien-gorge n'avait en rien diminué l'excitation de Piejack ; bien plutôt, le froissement intime du tissu sous le bout de ses doigts n'avait fait qu'accroître sa bandaison.

Si le coup de maillet de représailles d'Honey l'avait pris par surprise, il n'avait cependant connu qu'un infime reflux de luxure alors que ses couilles enflaient jusqu'à la taille de citrons verts du Brésil. Très peu de temps après, Pierjack avait été enlevé par les truands de Miami et soumis par eux à la torture sadique des crabes de roche.

En fait, toute son existence était devenue un défilé de supplices fulgurants depuis qu'il avait peloté Honey Santana. Et pourtant, il la désirait plus avidement que jamais. Il en était venu à croire qu'elle éprouvait en secret la même chose que lui, fantasme lamentable alimenté par la visite surprise d'Honey chez lui. Il était vrai qu'elle s'était enfuie en vitesse, mais Piejack avait choisi d'interpréter sa répulsion apparente devant ses avances comme une façon de l'allumer.

Posséder Honey serait un triomphe... et aussi un coup de poignard dans le cœur de son ex-mari, l'homme que Piejack croyait responsable de la mutilation de sa main. Il mourait d'impatience d'être vu en train de se balader, bras dessus bras dessous avec sa nouvelle compagne, sur le bord de mer d'Everglades City.

Piejack n'avait pas de plan précis pour capturer Honey ; la lubricité était son seul copilote. Même après la rencontre aux cactées, son objectif demeurait unique et inébranlable, car sa douleur était si intense qu'elle en effaçait des diversions aussi primaires que la soif, la faim et l'épuisement.

Au lever de la lune, il émergea d'une pile de canettes et, sur ses genoux piquetés d'épines, entama l'ascension du monticule de coquillages d'où il avait chu un peu plus tôt. Une fois au sommet, il fut pris d'une faiblesse fiévreuse, souffrant de tous ses pores. Des voix féminines s'élevaient du campement en contrebas et Piejack fut revigoré par l'espoir que l'une d'elles appartienne à Honey. Il songea à l'autre femme du groupe — la grande blonde aux seins nus du kayak — et se fantasma un rôle vedette dans les contorsions luisantes de sueur d'une partie à trois. Il se rappela que le campeur, au physique lourdaud, se débrouillait comme un manche avec la pagaie. Piejack prévoyait un minimum de résistance de sa part. Le bonhomme s'enfuirait sur-le-champ ou serait balancé dans le cours d'eau.

Tel un vieux crocodile affligé de rhumatismes, Piejack se mit à ramper interminablement, guidé par les voix feutrées et la tache rougeâtre d'une flamme, à l'extrémité de son champ de vision.

Ma chère Ginie,

Hière au soir dans mon kamion, se fut magike et pafrait. J'ai jamé rien konnu d'aussi stupaifiant kôté tu-sé-quoi !

Je krois k'on est vraiment destinationnés a être ensemble pour l'éternellité et je feré n'emporte quoi an se qui me konserne pour que sa arive !!! Je suis un ôme deux parol, comme tu le découvrira bient'haut.

À toi, pour tous jours,
V. Bonneville

Primate de merde, songea Boyd Shreave. Cette nana craquait sur les beaux mecs mal dégrossis, c'était évident.

— Qu'est-ce que tu fabriques là avec la torche ? lui demanda Eugénie Fonda. Ou peut-être qu'il vaut mieux pour moi ne pas le savoir.

— Je lis, c'est tout, lui rétorqua Shreave avec mauvaise humeur.

— C'est ça. Sous une couverture, au milieu des bois.

— Je suis pas disposé à faire des mondanités. Je regrette.

— Je t'invite pas à danser le quadrille, Boyd, j'ai juste envie de savoir comment tu te sens.

— À ton avis ? Je me suis tasérisé la bite, je te rappelle.

— Tu te l'es brûlée ?

— Fais pas semblant d'en avoir quelque chose à battre.

— Laisse-moi regarder.

— Non, merci, fit Shreave, d'un ton trop catégorique.

Avant de corriger rapidement le tir : « Pas maintenant », au cas où Eugénie déciderait plus tard de lui exprimer son inquiétude de plus généreuse façon.

— Pourquoi tu viens pas te joindre à nous près du feu ? lui demanda-t-elle.

— Dans un moment.

Plus cuisant encore que la décharge de cinquante mille volts, était son profond embarras. Une fois que ses convulsions avaient cessé, Shreave s'était remis debout en flageolant, avait retiré le

234

Taser désormais hors d'usage de sa poche et, sans un mot, s'était éloigné en boitillant. Depuis, il boudait éhontément, certain que les deux femmes n'avaient rien de plus intéressant à faire qu'à parler de lui.

— Alors, qu'est-ce que tu lis de beau ? fit Eugénie.

— Un bouquin.

Il fut fortement tenté de lui montrer la couverture du *Vampire de l'ouragan*, histoire de la provoquer.

— Il doit être bien, fit-elle.

— Pas vraiment. C'est plutôt chiant.

La lecture de la lettre d'amour de l'élagueur avait déprimé Boyd Shreave, mais ni à cause de l'orthographe digne de la maternelle ni même de l'allusion salace à l'énergie sexuelle sismique d'Eugénie. Shreave avait le blues parce que ce petit mot lui rappelait noir sur blanc que Van Bonneville était un homme d'action avant tout. Ce type avait tenu sa promesse écrite, malgré la grossièreté de sa formulation. Il était passé à l'acte, avait tué son épouse, afin de vivre le reste de sa vie avec la femme de ses rêves.

Bien sûr, c'était un abruti, mais il ne racontait pas de conneries. C'était *un ôme deux parol.*

Shreave était loin de pouvoir en dire autant.

Il mit en veilleuse la torche électrique, balança la couverture de laine et suivit Eugénie Fonda vers le campement où, subrepticement, il replanqua les mémoires de cette dernière dans son sac Orvis. Honey, la « fêlée », faisait chauffer une bouilloire sur le feu.

— Du thé vert ? leur proposa-t-elle.

— J'crois pas, fit Shreave avec un rictus.

— Il y avait un raton laveur qui fourrageait là-bas dans les canettes de bière, signala Eugénie en désignant le haut du monticule. Un gros, vu le raffut qu'il faisait, le bougre.

— C'est peut-être lui qui a volé nos kayaks, fit Shreave d'un ton caustique.

— Honey a cru entendre jouer de la guitare aussi.

— De la guitare, hein ?

Shreave lança un fragment de coquille d'huître dans les flammes.

— Z'êtes sûre que c'était pas de la harpe ? Peut-être qu'on est tous morts et qu'ici, c'est le Paradis. Ça serait bien ma veine.

Honey tendit une tasse fumante à Eugénie.

— Boyd a raison, c'était rien sans doute. Juste dans ma tête, dit-elle tranquillement.

Eugénie la questionna sur les panthères. Honey lui répondit qu'il y en avait à l'état sauvage sur le continent.

— Mais quelques-unes, seulement. Elles ont quasiment disparu.

— Tu parles d'une tragédie, marmonna Shreave.

— Ce ne sont pas des mangeuses d'hommes, si c'est ce que vous craignez.

Shreave eut un petit rire.

— La seule chose dont j'ai peur, c'est de me faire chier à mort. Je suppose que vous n'avez pas prévu de plan, toutes les deux.

— Bien sûr que si, fit Eugénie. Notre plan, c'est d'ignorer tous tes commentaires débiles.

Honey leva une main.

— Chhhht. Vous entendez ?

— Fais pas attention à elle, dit Shreave à Eugénie. Elle est complètement à la masse, au cas où tu l'aurais pas remarqué.

À entendre Boyd, Honey nota la différence avec le jour où il l'avait appelée pour lui vendre une mauvaise parcelle de terrain à Gilchrist County.

— Vous avez une voix merveilleuse quand vous mentez, lui dit-elle. Le reste du temps, vous geignez comme un vieux con pleurnichard.

Eugénie rit si fort qu'elle régurgita du thé vert entre ses dents. Shreave était furieux mais à court d'idées. Honey vida la théière sur le feu en disant qu'il était temps de se pieuter.

— Une grosse journée nous attend demain, ajouta-t-elle. On

236

va fouiller l'île de fond en comble jusqu'à ce qu'on retrouve ces kayaks.

— Et s'ils n'y sont pas ? demanda Génie.

— Alors, je pense qu'on devra rentrer à la nage. Dans l'un ou l'autre cas, vous aurez besoin d'une bonne nuit de repos.

Une fois devenu clair qu'Eugénie n'avait nullement l'intention de donner des soins à son membre blessé, Shreave tira son matériel de couchage hors de la tente et se repositionna plus près du feu. Il n'avait campé qu'une seule fois, vingt ans plus tôt, pendant son bref passage chez les boy-scouts. Sa mère l'y avait inscrit, dans le cadre d'une campagne énergique (et vaine, au final) pour forger le caractère de son unique rejeton mâle. Quasi sur-le-champ, le jeune Boyd s'était aliéné les autres scouts par ses commentaires à rebrousse-poil et son dédain pour les corvées physiques. Au moment où la troupe fit sa première expédition de nuit, Shreave avait été catalogué avec justesse comme le tire-au-flanc à demeure. Peu après minuit, un plaisantin avait ouvert son sac de couchage et y avait lâché un tout jeune tatou qui entreprit innocemment d'explorer les aisselles de Shreave en quête d'un truc à bouffer. La réaction du non joyeux campeur consista à estourbir à mort la créature, dépassée par les événements, avec son ghetto-blaster, délit mineur qui eut pour résultat l'éviction de la troupe des State Floral Gardens et de la réserve naturelle Lady Bird Johnson et, bien entendu, l'exclusion à vie de Shreave de chez les scouts.

À présent, couché au clair de lune, Shreave, tendu, se mit à l'unisson des multiples bruits nocturnes. Il se sentait bêtement exposé et sans défense contre des fauves prédateurs. Qu'est-ce que cette siphonnée d'Honey savait des panthères ? Les poils de ses bras se hérissèrent quand il entendit un animal des plus pesants — sûrement pas un raton laveur — fourrager lentement sur le sol à travers les arbres. Shreave tâtonna alentour à la recherche d'un caillou ou d'un bâton solide, mais ne trouva rien d'autre qu'une poignée d'éclats d'huître.

— Ça sent le poisson, fit la voix d'Honey.

237

— Ça vient des campeurs qui étaient là avant nous, répondit Shreave, pas mécontent en secret de savoir que quelqu'un d'autre ne dormait pas.

— Pas le poisson cuit. Le poisson *cru*, précisa-t-elle. J'ai déjà senti cette odeur, j'en jurerais.

— J'entends cette créature dont vous causiez, vous autres, fit Shreave, tentant de se montrer désinvolte.

— Au bruit qu'elle fait, elle pèse un bon poids, hein ?

— Ça, c'est sûr.

— Ben, allez voir, lui suggéra Honey. Et n'oubliez pas votre torche électrique.

Shreave roula sur lui-même en songeant : une vraie comique, celle-là.

— Bonne nuit, Boyd.

— Allez au diable.

Au bout d'un moment, le bruit cessa entre les arbres. L'une des deux femmes se mit à ronfler doucement. Shreave, malgré une envie de pisser à s'en faire exploser la vessie, répugnait à s'aventurer parmi la faune nocturne. De plus, l'incident douloureux du Taser lui avait ôté temporairement le plaisir d'uriner.

Il tenta sans succès de baffer des moucherons qui s'étaient pris de passion pour ses cheveux. Minute après minute, affreusement, l'aura floridienne s'évaporait. Shreave réévalua son rêve grandiose d'y démarrer une nouvelle vie avec Eugénie Fonda. Si le voyage poursuivait sa trajectoire descendante actuelle, la dimension de cet échec particulier éclipserait tous ceux du passé peu reluisant de Shreave. Comme d'habitude, il en rejeta ailleurs à la fois la faute et la responsabilité ; un hasard cruel l'avait enterré ici… laissé en rade sur une île embroussaillée avec une divorcée psychotique, une petite amie de plus en plus insensible et une bite à demi passée au barbecue.

Bercé par le sifflement du feu de camp mourant, Shreave fut surpris que ses pensées se tournent vers Lily, là-bas à Fort Worth. Sa nostalgie, typiquement en dessous de la ceinture, n'avait rien de sentimental ; le souvenir qui le titillait était celui de son héritière d'épouse vêtue du fameux string rouge, se livrant à une partie de frotti-frotta sur ses genoux, sur le canapé du salon. Shreave regretta de ne pas avoir profité de cet extraordinaire interlude, car Lily — qui avait dû à présent comprendre qu'il s'était fait la malle — était perdue pour lui à jamais.

Il aurait été atterré de savoir qu'il n'était pas le seul homme à penser à elle sur Dismal Key.

L'Indien s'était éclipsé, laissant Dealey sous la garde de la jeune femme du nom de Gillian. Le détective sut qu'il était dans le pétrin quand celle-ci lui affirma : « Je crois que je ferais une bonne personnalité-météo. On dit plus présentatrice météo... mais "personnalité-météo", maintenant. Cyclones et tornades, on oublie, moi, j'adorerais me charger des bulletins des stations de sports d'hiver. Vous êtes déjà allé à Aspen ? »

Dealey fit non de la tête.

— Moi non plus. Et à Park City ?

— J'ai vraiment besoin de dormir, lui dit Dealey.

— Faisons une cassette de démo.

Dealey commença par refuser. Mais alors la fille lui planta dans le ventre le fusil à canon scié, arme qu'elle n'avait pas l'habitude de manier, c'était d'une clarté des plus torturantes. Donc, il sortit son caméscope et la filma, débitant un bulletin météo télévisé bidon, sans lâcher le flingue. Quand il lui fit repasser la bande pour qu'elle juge du résultat, elle s'écria :

— Ah merde, mes tifs sont dans un état. Vous auriez pas du démêlant, par hasard ?

— C'est ça. Et des sels de bain aux pétales de rose.

— Peut-être que je vais changer de discipline et faire un diplôme en médias et communications. Je me vois pas dans une salle de classe pleine de CE2, dit Gillian.

— Une véritable punition, convint Dealey.

— Ou peut-être encore que je retournerai pas à la fac du tout. Je resterai ici sur l'île avec vous et Thlocko.

— Écoutez, rendez-moi un service. Je veux appeler chez moi pour prévenir ma femme que je vais bien.

Gillian parut plus amusée que compatissante.

— Vous avez un portable, Lester ?

Elle avait décidé qu'il avait une tête à s'appeler Lester, donc de s'adresser à lui en utilisant ce prénom.

— Deux minutes, pas plus. Elle doit se faire un sang d'encre, insista Dealey.

— Où est votre alliance ?

Dealey hésita une demi-seconde de trop, tout en inventant une réponse. Gillian le tança du doigt.

— Vous croyez, parce que je suis jeune, que je sais pas quand un mec ment comme un arracheur de couilles ? Je suis une spécialiste, Lester, donc vous avez intérêt à vous gaffer. Je suis genre un détecteur de mensonges humain !

— Je peux appeler, oui ou non ?

— Appeler qui ?

Gillian se visait entre les orteils avec le canon scié.

— Il faut que parle à la dame qui m'a engagé. Je suis détective privé.

— Un vrai ? Super-cool !

— En ce moment, pas cool du tout.

— Soit dit en passant, je sais comment me servir de ça, lui dit Gillian en relevant le fusil de chasse. Thlocko m'a dit que c'était O.K. de tirer si vous tentiez un truc tordu. Il m'a dit de vous exploser les jambes, au cas où vous seriez vivant et pas un fantôme.

— Vachement visage pâle de sa part, fit Dealey.

— Bon, racontez-moi votre histoire, Lester, et collez à la vérité.

— D'accord, dit Dealey.

C'est ce qu'il fit. Gillian trouva ça fantastique.

— Elle allonge vingt-cinq mille dollars pour que vous filmiez son bonhomme en train de sauter une pouffe ! C'est géant, Lester.

— J'en verrai pas la couleur, fit Dealey, parce que je n'obtiendrai jamais le plan triple X que désire ma cliente. Elle est complètement obsédée.

— On parle bien des personnes en kayak ? Les mêmes qui campent près de Beer Can Gulch ?

— Le couple de bobos du Texas, ouais. La femme du *trailer park* n'est pas concernée.

Gillian était tellement aux anges d'apprendre des détails juteux sur les mystérieux intrus qu'elle accorda à Dealey la permission d'appeler sa cliente.

— Mais moi, d'abord.

Elle lui fit signe de lui passer le téléphone portable.

Dealey le retira d'une poche intérieure de la veste de son costume et le lui tendit. Gillian tapa le numéro et attendit.

— Ma mère, fit-elle à Dealey.

— Me videz pas toute la batterie.

Gillian opina puis murmura : « C'est son répondeur, Dieu merci. »

Dealey entendit le bip à l'autre bout de la ligne.

— Salut, maman, c'est que moi, fit Gillian gaiement. Mon portable est en rade et je veux pas que vous vous inquiétiez, vous deux. Tout est de la balle sauf que je prolonge un peu mes vacances. J'ai rompu avec Ethan, ce que tu avais prévu, bien entendu, mais j'ai rencontré un nouveau mec… il est vraiment *vraiment* différent et je parie qu'il va te plaire. Embrasse bien papa pour moi, je réessaierai de vous joindre dans quelques jours.

Elle lança le téléphone à Dealey en disant :

— Wouff ! Un poids en moins. Vous voulez que je vous laisse seul ?

— Si ça ne vous dérange pas.

— Je vais aux toilettes pour dames, fit-elle en désignant du doigt un fourré en bordure de la clairière.

Dealey attendit qu'elle soit hors de vue. Au clair de la lune, il fouilla dans son portefeuille pour retrouver le morceau de papier sur lequel Lily Shreave avait inscrit son numéro de portable. Elle répondit à la première sonnerie.

— J'espère que les nouvelles sont bonnes, Mr Dealey.

— Oui et non, fit-il.

— Euh-oh. Allez-y tout de go.

— Le côté plus, c'est que j'ai ce que vous m'avez demandé.

Il savait que l'épouse de Boyd Shreave le croirait.

— La pénétration ? Vous avez obtenu une pénétration ?

— Oui, m'dame.

— Sur la plage, pas vrai ? Et elle était sur lui, hein ?

— Plutôt et pas qu'un peu, renchérit Dealey.

Il n'avait aucune intention d'arnaquer Lily Shreave, mais un mensonge restait un mensonge. Il l'aurait beaucoup plus mal vécu si elle n'avait pas été affligée d'une telle perversité.

— Bon, les mauvaises nouvelles, c'est quoi ? demanda-t-elle.

— Je suis pris au piège. J'peux pas me tirer de cette saloperie d'endroit.

— Et où est-ce exactement ?

— Je n'en ai pas la moindre idée, Mrs Shreave. Il y a dix mille saletés d'îles dans ce coin et je suis coincé sur l'une d'entre elles.

— Avec ma vidéo X à vingt-cinq mille dollars.

— Tout juste, fit Dealey.

— Puis-je vous demander comment vous avez atterri là ?

— Sous la menace d'une arme à feu.

— Seigneur Jésus, fit Lily Shreave. Il ne s'agit pas de Boyd, hein ?

— Un peu de sérieux.

— Ne me dites pas qu'on vous a kidnappé, s'il vous plaît.

— Si, deux fois, fit Dealey.

— Mais vous avez quand même réussi à vous échapper.

— Négatif. De loin, pas.

— Alors, vous êtes entre les pattes de qui, en ce moment ? demanda Lily Shreave.

— Aucune importance.

Dealey ne voyait pas ce qu'il gagnerait à lui avouer qu'il était

242

prisonnier d'un Indien séminole trimballant une guitare et d'une étudiante.

— Voici ce que j'ai besoin que vous fassiez, annonça-t-il à Mrs Shreave.

Puis il le lui dit.

— J'aime bien ça, lui répondit-elle. Vous êtes malin comme mec, Mr Dealey. J'appellerai à la première heure demain matin.

Il ne nourrissait aucune illusion : elle se moquait éperdument qu'il vive ou qu'il meure. Faire main basse sur la vidéo était tout ce qui lui importait.

Dealey entendit un bruissement de feuilles et Gillian sortit du fourré.

— Il faut que j'y aille, dit-il dans le téléphone.

— Attendez ! Encore une question.

— Quoi ?

— La bande... ça donne quoi ? Est-ce qu'on voit bien... *tout* ?

— L'intégralité, fit Dealey.

— Wouah !

— Et même wouah puissance wouah.

— Je ne peux plus attendre, lui dit l'épouse de Boyd Shreave.

— Ah ça, pour une surprise, ce sera une surprise, lui assura Dealey.

Et là-dessus, il raccrocha.

17

Cecil McQueen mourut d'une prise d'étranglement dans un night-club appelé Le Lubrif'iant où il s'était rendu avec six de ses amis fêter un enterrement de vie de garçon. Le responsable de la succursale de la société de camionnage se mariait le lende-main à l'expert-comptable qui avait réglé le divorce de son ex-femme, et ses potes n'arrivaient pas à décider si c'était un coup de maître ou un acte d'autodestruction pur et simple.

Dans la boîte de strip-tease, le groupe but de façon festive mais sans battre de record. Cecil McQueen, individu timide en temps normal, surprit ses compagnons en bondissant dans la boue de la fosse de catch pour y affronter une danseuse, connue sous le surnom de Big Satin, qui pesait vingt-six kilos et demi de plus que lui et n'était pas au courant (pas plus que ledit Cecil) qu'il avait les artères coronaires bouchées. Après coup, Big Satin se sentit terriblement mal. Idem pour les collègues et le supérieur hiérarchique de Cecil, même si le mariage se déroula comme prévu.

La police eut beau conclure à une mort accidentelle, elle occupa néanmoins une place de choix aux infos télévisées. C'est ainsi que le fils unique de la victime — qu'à cette époque on appelait Chad — apprit que son père n'avait pas péri en sauvant une fourgonnée d'orphelins d'un canal de drainage inondé. L'histoire à dormir debout que sa belle-mère avait concoctée.

Bien des années plus tard, Sammy Queue de Tigre pensait souvent à son papa, âme inoffensive et joviale qui croyait que les trois ingrédients essentiels de la félicité étaient la musique rock, les beignets Krispy Kreme et un jacuzzi. C'était la musique qui avait remonté le moral au jeune Chad, même après qu'il eut gagné la réserve de Big Cypress, se fut débarrassé de son nom et eut tourné pour toujours le dos aux visages pâles (sauf un). Son attrait pour le rock était ce qui l'avait conduit à son écart imbécile, sujet à bleus à l'âme, avec Cindy, rencontrée lors d'un concert des Stones à Fort Lauderdale. Au bout de dix secondes, Sammy Queue de Tigre avait su qu'elle n'était que pur poison, et pourtant, il lui avait hardiment ouvert ses veines.

Et n'avait rien appris de cette épreuve, vu que le même schéma se répétait avec Gillian, semblait-il.

— Je commence à avoir des complexes, lui dit-elle. Pourquoi t'essaies pas de me baiser ?

— Vous avez demandé à être traitée en otage.

— Et alors ?

— On ne baise pas les otages.

— Qui a inventé cette règle stupide ? En plus, je suis sûre que tu y as pensé.

— N'importe quoi, dit Sammy Queue de Tigre.

Se hissant sur la pointe des pieds, elle essaya de lui plaquer une bise sur le menton. Il l'évita d'un bond de côté.

— Vous ne comprenez pas.

— Que tu sois nerveux ? Si.

Il attrapa le fusil au creux d'un arbre et désigna Dealey d'un signe de tête.

— Gardez monsieur le Cameraman à l'œil, recommanda-t-il à Gillian. Je ne serai pas long.

— Et s'il tente quelque chose ? Genre me sauter dessus et m'arracher mes vêtements ?

— Alors tirez-lui dessus, répondit l'Indien. Le fusil de chasse est là-bas.

— D'ac.

— Mais visez bas, au cas où ça ne serait pas un fantôme. J'ai pas envie qu'un autre cadavre vienne me harceler.

— Qu'est-ce que t'entends par « bas »…

— Aux jambes.

— Pigé, fit Gillian.

Pris d'une pulsion subite, Sammy Queue de Tigre se pencha et lui embrassa le sommet de la tête, puis il s'enfonça rapidement dans le noir. Il y avait suffisamment de lune dans le ciel pour lui permettre d'avancer sans utiliser de torche électrique, bien que son sens de l'orientation fût toujours aussi peu fiable. Heureusement, l'île était assez petite, ce qui rendait difficile de s'y perdre longtemps. Le Séminole localisa bientôt l'antique monticule d'huîtres et prit position en surplomb du campement et de la citerne. Au faible rougeoiement des braises, Sammy Queue de Tigre distingua la silhouette des deux tentes et une forme empaquetée sur le sol.

Il descendit le *midden* en crapahutant et, à part le moment où il trébucha et lâcha le fusil, son approche fut pratiquement furtive. En entendant ronfler, il supposa que tous les kayakeurs dormaient. Il pénétra vite fait à pas de loup dans la clairière et rafla un grand sac de toile.

C'est alors qu'une tête surgit de l'une des tentes. Sammy Queue de Tigre perçut le mouvement et pivota, brandissant le fusil. Son cœur battait la chamade.

— Calmos, mon grand, chuchota la femme.

— Il nous faut de l'eau !

— Et à nous, pas ?

— Mais moi, j'ai un flingue ! fit Sammy Queue de Tigre. Maintenant, la ferme.

— C'est vous qui avez volé nos kayaks ?

La femme avait un léger accent du Sud, les cheveux clairs, mais une ombre masquait les traits de son visage.

246

— Attendez, fit-elle en s'extirpant du sac de couchage.

— Qu'est-ce que vous fabriquez ?

— Je viens avec vous.

— Ah non, bordel. Ça va pas recommencer, fit le Séminole, d'un ton furieux.

La femme se leva et se glissa dans ses chaussures, un genre de baskets de yuppie chicos. C'était une belle plante.

— Vous avez les bateaux et, maintenant, notre dernière réserve d'eau... pas question que je reste crever ici, fit-elle.

Une brise agita les mangroves et froissa les feuilles du grand poinciana. La femme croisa les bras contre le froid et lui dit : « Alors ? »

Sammy Queue de Tigre savait que s'il la laissait derrière lui, elle réveillerait les autres. Ils contacteraient ensuite les autorités pour leur signaler qu'un Peau-Rouge voleur était lâché sur l'île.

— Je ferai tout ce que vous voudrez. Et quand je dis tout, ça veut dire *n'importe quoi*.

Le Séminole leva les yeux vers la lune lubrique. Les esprits semblaient le punir. Il soupçonna que ça avait quelque chose à voir avec Wilson, feu le touriste.

— Vous ferez n'importe quoi ? demanda-t-il à la femme.

Elle opina.

— Alors, portez ce sac.

— Oui, bwana.

— Et taisez-vous, fit l'Indien. Ou je vous tranche la langue.

La femme la lui tira pour qu'il voie bien son piercing perle poli par le clair de lune. Sammy Queue de Tigre fit la grimace.

— Oh ça va. Y a des mecs que ça branche, dit-elle.

— Ma petite amie en avait un, autre part. Le contact n'était pas si agréable que ça.

L'Indien se détourna et fila sous le couvert des arbres. Il entendit la femme se traîner derrière lui, essoufflée par le poids du sac de toile. Il s'attendait à ce qu'elle se mette à jacasser comme une pie, mais non. Ce fut une agréable surprise.

247

Trente ans dans le commerce des fruits de mer, combinés avec des habitudes d'hygiène corporelle d'une irrégularité crasse, avaient nappé Louis Piejack d'une puanteur distincte et invincible. S'il s'était agi d'une eau de toilette, seraient entrés dans sa composition de la peau de maquereau espagnol, du frai de mulet noir, des entrailles de mérou, de la cervelle essorée de langouste et de la laitance d'huître crue. Ce musc émanait le plus âcrement du cou et des bras de Piejack, qui avaient acquis un éclat jaune verdâtre sous le trempage quotidien de mucosités de branchie et de merde de poisson. Rien sinon de la chaux industrielle n'aurait pu assainir le bonhomme.

Il puait comme un plein seau d'appâts.

Honey Santana aurait eu tôt fait de reconnaître l'odeur — et le danger — sans une allergie au pollen inopportune qui la maintenait enchifrenée et reniflante. Elle ne fut pas plus tôt assoupie que Louis Piejack se hissa, avec un gémissement bestial, dans la vieille citerne. La douleur le rendant tout chose, le « prédateur » couvert de piquants épia, à travers une fente dans les parpaings, Eugénie Fonda s'en aller en douce avec un jeune à peau sombre, armé d'un fusil. Piejack n'éprouva aucune curiosité concernant cet événement précis. Honey était son seul et unique souci.

La personne que les poursuites pernicieuses du poissonnier aurait le moins surprise aurait été sa femme, qui vingt ans plus tôt avait fait l'objet d'une cour plus subtile. À l'époque, Louis Piejack, plus délicat et plus attentif à l'hygiène, avait brillé tel un joyau dans le « talent pool » masculin rudimentaire du rural Collier County. Après le mariage, il avait vite dégringolé la pente puis, quand son épouse avait menacé de le quitter, avait incendié le minibus de sa belle-mère et l'avait avertie que ce n'était qu'un début. Même quand sa famille avait déménagé dans les Redlands, Becky Piejack était restée avec Louis par terreur pure et simple.

Son mariage était si épouvantable qu'elle n'avait pas été totalement consternée d'apprendre qu'elle avait un cancer... tout était bon pour quitter la maison. Comme il n'existait aucun centre de chimiothérapie à Everglades City, Becky attendait avec impatience ses voyages bimensuels à Gainesville comme des vacances loin de son époux, ce pervers dégoûtant. Quand, au bout de trois ans, les cancérologues la déclarèrent guérie, Becky dissimula la nouvelle à Louis et poursuivit ses périples, une semaine sur deux. Dans ses longs trajets en voiture, elle emmenait souvent un jeune collectionneur d'orchidées du nom d'Armando plus un coffret de cassettes de langues Berlitz, via lesquelles elle apprenait le français et le portugais. Becky Piejack se préparait pour le jour où elle aurait rassemblé assez de courage pour quitter son mari, ce qui, supposait-elle, l'obligerait à quitter le continent américain. Paris ou Rio tintaient agréablement à ses oreilles.

En vérité, ça faisait un bail que Louis Piejack n'avait pas songé à sa femme avec une possessivité maladive. Sauf quand ses ennuis de santé l'incommodaient, il pensait rarement à elle sinon jamais. À présent, frissonnant sur la dalle de ciment de la citerne, Piejack se mit à se projeter dans une nouvelle vie de passion avec Honey Santana. Une fois retournés sur le continent, il jetterait immédiatement dehors Becky et son lit d'hôpital, en même temps que le mobilier en osier qu'il détestait tant. Il permettrait peut-être à Honey de repeindre le living, mais pas la chambre, qui demeurerait noire avec des corniches rouges au plafond. Comme cadeau d'emménagement, il offrirait à son ange sexuel une nouvelle batterie de cuisine, y compris une grande friteuse pour le sanglier et la dinde. Puis il la remettrait au boulot à la halle aux poissons, à éplucher les crevettes ou à tenir la caisse enregistreuse, afin de pouvoir la garder à l'œil. Quant au fils ado d'Honey, ce voyou et petit malin pourrait aller vivre avec son paternel.

Arrivé à ce point de ses ruminations, Louis Piejack éprouva une nouvelle souffrance peu familière… un grouillement de piqûres brûlantes dans la paume gauche, endroit auquel il ne pouvait accéder sans ronger son pansement chirurgical. Dans l'obscurité, Piejack n'avait pas vu les colonnes de fourmis rouges progresser le long de son bras douloureux puis disparaître dans l'un des trous déchiquetés, autour d'un doigt, du cocon humide de gaze salie et d'adhésif. Il ne poussa pas de cri ni même de gémissement. Stoïque, il grinça des molaires tandis que ces diablotins rouges lui arrachaient des mottes de chair.

Il se consola avec des visions de rêve de sa déesse à couper le souffle qui, dans la vie réelle, ronflait comme un sonneur, couchée à moins de quinze mètres de lui. Pour Louis Piejack, cette torture physique torride paraissait un faible prix à payer pour la compagnie, son âge mûr venu, d'une femme telle qu'Honey Santana. Il ressentit un amusement malsain à l'idée que l'extrémité de son corps, à présent en proie aux insectes, était celle-là même qui avait touché Honey de façon arbitraire, ce jour orageux à la halle aux poissons.

Allez-y, bouffez-moi, se moquait-il des fourmis. *Voyez un peu si j'en ai quelque chose à battre.*

Perry Skinner suivit Sandfly Pass jusqu'au golfe puis remonta lentement la côte, fouillant des yeux les îles les plus reculées à l'affût de traces de campement. Le vent avait fraîchi, poussant devant lui un clapotis pénible qui frappait la coque du skiff et rendait impossible de naviguer en silence. Un autre problème venait des débris dans l'eau ; les ouragans de l'été précédent avaient déraciné des vingtaines de palétuviers et éparpillé leurs squelettes noueux un peu partout dans les hauts-fonds et les *creeks*. Pour éviter un accident, Skinner fut forcé d'utiliser le projecteur en permanence, même s'il risquait de trahir leur approche.

Alors que le skiff abordait une baie plus profonde, les vagues se brisèrent plus haut, dans un brouillard d'embruns. Depuis la proue, Fry cria : « Tu vois ça, papa ? »

Skinner avait déjà aperçu un feu qui vacillait sur une rive proche. Il coupa le moteur et diminua la luminosité du projecteur.

— C'est eux ? demanda Fry, anxieux.

— J'en sais rien, fiston.

La brise et la marée, agissant chacune pour son compte, contrariaient son mouvement et poussaient le bateau dans les marécages. Skinner bâcha le moteur et s'empara de la longue perche en graphite. Fry le regarda escalader la plate-forme branlante au-dessus du hors-bord.

— Non, j'y crois pas, dit-il.

Il fallut quelques instants à Skinner pour se stabiliser.

— Il n'y a plus que trente centimètres de profondeur. T'as une meilleure idée ?

Il planta l'extrémité fourchue de la perche dans la vase et, à coups lents et hésitants, entreprit de propulser le skiff à travers le haut-fond vers l'île où brûlait le feu de camp. Des guides de l'arrière-pays laissaient croire la chose facile, mais Skinner se sentait maladroit et tendu à se balancer ainsi sur la mince couche de plastique moulé. Au premier faux pas, il dégringolerait dans l'eau ou, pire, tomberait en arrière et se fendrait le crâne sur l'hélice.

— C'est toi qui as besoin d'un casque de football, lui dit Fry.

Skinner le poussa doucement de l'extrémité sèche de la perche.

— Ouvre l'œil et le bon, champion. On a pas besoin d'un comité d'accueil.

— Où est ton arme, au fait ?

— Relax, Max, lui dit Skinner.

Fry avait envie de dégueuler tant il était anxieux. Il se reportait sans cesse en pensée au moment où le pick-up de Louis Piejack avait failli l'écraser au *trailer park* et se demandait ce qu'il aurait pu faire pour empêcher le bonhomme de courir après sa mère. Si Fry avait détesté Mr Piejack de l'avoir tripotée à la halle aux poissons, il ne l'avait catalogué alors que comme un vieux dégueulasse tordu… pas comme un « prédateur » fou.

Le garçon tambourinait de ses doigts sur le plat-bord en songeant : Relax ? Impossible.

251

— J'entends quelque chose, lui dit son père depuis l'arrière du skiff.

Fry cessa de tapoter et écouta.

— On dirait un… un enterrement ou un truc comme ça. Des gens qui pleurent.

— Ça vient d'où ? Tu distingues quelque chose ?

— Rien que des ombres.

Fry serra les poings pour s'empêcher de trembler.

À présent, son père avait rapproché le skiff suffisamment pour leur permettre de voir danser des flammes orange et sentir la fumée. Si les formes autour du feu lui avaient d'abord paru être de jeunes pins qui se balançaient, agités par la brise, Fry en était désormais moins certain. Le chœur gémissant, qui allait crescendo puis diminuendo, lui donnait le frisson. Son père s'activa.

— On va s'échouer ici, annonça Skinner, en s'orientant vers la plage.

Quatre longs coups de perche et la coque racla le sable.

Fry bondit à terre et fut pris de vertige.

— Il commence à faire frisquet, murmura-t-il pour lui-même.

Son père sauta à son tour et des deux mains hissa le bateau plus haut sur la rive, afin que la marée montante ne l'emporte pas. Puis il lança un sweat-shirt à Fry que le garçon tenta, étourdiment, d'enfiler sans retirer son casque.

— Je suis coincé, papa, fit-il penaud.

Une fois désincarcéré, il trotta derrière son père qui s'empressait de gagner le couvert des arbres. Il eut l'impression d'avoir à nouveau cinq ans.

— Si jamais je te dis de courir, prends tes jambes à ton cou, lui dit Skinner.

— Courir, ouais, mais où ?

— De l'autre côté, fiston. À l'opposé de moi.

— Mais…

— Ne regarde pas derrière toi, non plus… je viendrai te chercher plus tard.

— J'peux pas aller vite avec ce machin stupide sur la tête.

— Dis-toi que t'es Mercury Morris.

— Qui ça ?

— Lamentable. Le joueur des Dolphins, bon sang.

Skinner fit mine de lui filer un coup de pied aux fesses.

— Allez, on fait comme ça.

En alerte, ils traversèrent fourrés d'épineux et broussailles, tout en restant parallèles à la plage. La mélopée funèbre augmenta de volume alors qu'ils approchaient du feu de camp. Skinner s'accroupit soudain et fit signe à son fils de l'imiter. Ils traversèrent une clairière sableuse dans un halo de clair de lune puis s'abritèrent dans un bouquet de pins d'Australie.

Fry dénombra cinq formes encapuchonnées qui tournoyaient puis s'inclinaient autour d'un foyer creusé grossièrement dans le sable. Vêtues de peignoirs blancs, elles ne pleuraient pas vraiment : elles psalmodiaient d'une voix stridente et plaintive, sans mélodie perceptible. Une grande croix de bois avait été plantée sur une dune qui surplombait le campement.

— C'est le Ku Klux Klan ! chuchota Fry.

— Ils sont drôlement loin de chez eux, fit Skinner.

Fry le vit passer la main sous son sweat-shirt et rajuster une bosse en forme de flingue à sa ceinture. Il était possible qu'il en ait ôté le cran de sûreté.

— Qu'est-ce que tu vas faire, papa ?

— User de mon charme naturel.

Nerveusement, Fry le suivit hors du couvert des pins. Skinner s'avança nonchalamment vers les pénitents qui, l'un après l'autre, cessèrent de danser et se turent.

— Salut, fit Skinner.

— Qui es-tu, mon frère ? fit une voix d'homme.

C'était le plus grand des pénitents.

— Je fais partie du comité de protection de l'environnement de l'État. Je cherche un nommé Louis Piejack… on le soupçonne de braconnage de crustacés.

— Je ne connais pas ce pécheur-là, dit le plus grand des pénitents.

Les autres serrèrent les rangs derrière lui.

— Et si on laissait tomber ces capuchons? leur demanda Skinner, avec entrain.

Lesdits capuchons, il se trouva, ne faisaient qu'un avec leurs peignoirs blancs, dont chacun arborait sur la poitrine un emblème ainsi libellé: FOUR SEASONS — MAUI.

Carrément rien à voir avec le KKK, songea Fry, soulagé.

— Nous n'avons rien à cacher, déclara le plus grand des pénitents.

Lui et les autres découvrirent obligeamment leurs visages. Il y avait deux hommes et trois femmes, tous les joues luisantes et bien nourris. Ni Fry ni son père ne reconnurent parmi eux des habitants d'Everglades City.

— Mon nom est frère Manuel, se présenta le plus grand. De la Première Assemblée maritime résurrectionniste de Dieu. Nous croyons que Jésus-Christ Notre Sauveur est revenu parmi nous et vogue sur les sept mers — il s'interrompit pour saluer le clapotis du ressac — en se préparant à mettre pied à terre dans toute Sa gloire afin d'inspirer le repentir aux profanes. Nous L'accueillerons avec joie par nos prières.

Skinner acquiesça avec impatience.

— Vous venez d'où, Manny?

— Zolfo Springs, monsieur, et nous ne préparons aucun mauvais coup. Nous sommes ici sur ce rivage béni pour baptiser notre toute nouvelle sœur, Miss Shirelle.

Elle s'identifia par un petit geste guilleret de la main.

— Vous avez bu, vous autres? demanda Skinner.

Frère Manuel se récria.

— Du vin seulement, monsieur. Je peux vous montrer le passage dans les Écritures.

— Je n'en doute pas. Vous n'avez rien vu d'étrange par ici, ce soir? Nous pensons que le dénommé Piejack se trouve dans le voisinage.

— À quoi reconnaîtrions-nous cet homme? demanda l'une des pénitentes.

— L'une de ses mains est bandée, comme celle d'une momie, fit Skinner.

— Ah!

— En plus, il pue le poisson-castor crevé, ajouta Fry, citant sa mère.

L'un des célébrants révéla qu'ils avaient entendu des coups de feu, un peu plus tôt dans la soirée.

— Ça venait de par là-bas, fit-il, désignant un point au-delà des vagues.

— Combien de coups de feu? demanda Skinner.

Il évitait de regarder Fry qui, il le savait, allait s'alarmer. Il avait occulté à dessein le fusil de chasse qu'il avait aperçu dans le canot de Piejack sur la rivière.

— Deux, fit l'homme.

— Vous êtes bien sûr que c'était une fusillade? Parfois, des campeurs lancent des fusées de feux d'artifice.

— Frère Darius chasse le daim, expliqua frère Manuel. La manne de Dieu, vous comprenez.

Sœur Shirelle, la plus robuste des pénitentes, demanda:

— Pouvons-nous vous inviter à assister au baptême? Joignez-vous à nous dans les eaux divines où vogue Notre Sauveur.

— Une autre fois, répondit Skinner fermement.

Une autre femme s'écria:

— Monsieur, puis-je vous demander qui est ce jeune garçon?

— C'est mon fils.

— Je n'ai pas pu m'empêcher de remarquer ce qu'il porte sur la tête. Il est souffrant ou quoi?

— Ouais, il est souffrant. Il se paie une saloperie de migraine. Il a emplafonné un camion en skateboard.

Frère Manuel joignit les mains.

— Alors prions pour la guérison de ce jeune homme. Allons, mes frères et mes sœurs!

Les pénitents remirent leurs capuchons et entamèrent une nouvelle psalmodie, aussi dissonante que les précédentes. Sœur Shirelle, impressionnante, sans soutien-gorge, entraîna le groupe dans une série de contorsions improvisées.

Fry tira son père par la manche en chuchotant :

— Tu crois qu'ils ont vraiment entendu tirer ?

— *Vamos ahora*, lui répondit Skinner.

Ils avaient fait une cinquantaine de mètres sur la plage quand frère Manuel sortit du cercle des danseurs et fonça après eux en beuglant : « Attendez, les amis ! Eh wouah, là-bas ! »

Loin de la lueur du feu de camp, Fry ne pouvait plus voir l'expression de son père. Non pas qu'il en eût besoin.

— C-o-n-n-a-r-d, l'entendit-il maugréer.

— Et si on courait ? demanda le garçon avec espoir.

Il était conscient de la piètre opinion dans laquelle Skinner tenait prédicateurs et autres fanatiques. Un jour, son père avait arrosé à la lance à incendie un quarteron de Témoins de Jéhovah nomades qui l'avaient accosté sur les quais à crabiers.

— Tu vois, c'est ça le problème avec la religion, fiston. Ils peuvent pas se la garder pour eux, faut qu'ils en gavent tout le monde de gré ou de force.

Il pressa le pas mais le pénitent aux longues jambes gagnait du terrain sur eux.

— Ça fait longtemps que j'ai pas jeté un œil sur la Bible, mais je me souviens pas que Jésus faisait autant chier le monde.

— Il est presque à notre hauteur, papa.

— Ouais, je sais.

Perry Skinner stoppa net et pivota sur lui-même.

Suant et soufflant, le pénitent s'avançait avec le grand sourire, la confiance en soi et la stupidité des bien-pensants. De son peignoir d'hôtel dérobé, il sortit une brochure pliée qu'il tendit à Skinner comme si c'était l'acte de propriété d'une mine d'or.

— Sans vouloir vous offenser, monsieur, à en juger par la grossièreté de votre langage, je puis dire qu'il y a fort longtemps que vous n'avez pas conduit votre âme à l'église. Tenez, s'il vous plaît, prenez Ses mots et lisez.

Fry retint son souffle. Son père sortit lentement le .45 et plaça le bout du canon sur celui du nez rubicond de frère Manuel.

— Manny, lui dit Skinner. Il n'y a pour moi qu'un seul mot qui vaille : *semi-automatique*.

Le prospectus voleta des doigts du pénitent.

— On se calme, mec, fit-il.

— *Ceci* est mon église, poursuivit Skinner. Cette île qui nous entoure et toutes les autres… tellement d'îles que personne ne les a toutes comptées. Plus le ciel, le golfe et les rivières qui sortent des Glades, tout ça, c'est *mon* église. Et tu sais quoi ? Dieu Tout-Puissant ou quel que soit Son Nom, je crois qu'Il m'approuverait.

— Viens. Allons retrouver maman, dit Fry.

Le garçon était plus inquiet qu'auparavant. Apprendre qu'il y avait eu une fusillade avait mis son père à cran, lui aussi.

— Manny, je vais te poser une question personnelle et j'attends de toi une réponse franche, celle d'un bon chrétien, fit Skinner. Tu te livres à la fornication avec sœur Shirelle, hein ? Tu as déjà baptisé cette jeune dame à ta façon bien spéciale, je me trompe ? Tu lui as dit de fermer les yeux, de se mettre à genoux et d'attendre son salut en te faisant une gâterie.

À demi éclairé par la lune, frère Manuel cilla une fois au ralenti, telle une tortue anémiée.

— Bien ce que je pensais, fit Skinner. Écoute… mon fils et moi, on va s'en aller maintenant, et toi tu vas t'en retourner vers les tiens, danser la tarentelle pour le Christ en oubliant que t'as posé un jour tes yeux de païen minable sur moi. Pigé ?

Skinner abaissa le .45.

— Amen, fit le pénitent qui s'enfuit en courant.

Son peignoir blanc claquait derrière lui comme une voile déchirée.

18

Boyd Shreave rêvait : il bossait chez Sans Trêve Ni Relâche, téléphonant à des gogos à l'heure du dîner. Et tentait de leur vendre des lots de terrain résidentiel situés sur une ancienne décharge détrempée, le lotissement à venir répondant à l'appellation de Lesion Hills. À l'est se dressait une porcherie industrielle et à l'ouest une fabrique de dioxine ; contre le vent, un crématorium. Le script incluait avec perversité tous ces détails peu ragoûtants, afin qu'ils soient exposés avec une franchise consternante aux clients contactés.

C'était un cauchemar. Tous ceux que Shreave appelait l'insultaient violemment et lui raccrochaient au nez. En se retournant pour obtenir un peu de compassion auprès d'Eugénie Fonda, il constatait avec horreur que sa femme occupait son box, le menaçant d'un Taser. Et le mauvais rêve empirait ; Shreave négligeait de noter que le dernier numéro de sa liste d'appels était celui d'une certaine D. Landry, catastrophe aggravée par son inaptitude à reconnaître la voix de sa propre mère avant d'être à mi-parcours de son baratin de vente : il entendait alors une enfilade de dépréciations cinglantes familières qui culminaient avec la phrase : « Espèce de bon à rien, tu vaux pas plus qu'un tas de crottes de rat musqué. »

Shreave se réveilla, trempé de sueur. Puis se rappela où il se trouvait, ce qui ne lui procura aucun réconfort. 3 h 46 à sa montre. Il appela Génie à haute voix mais n'obtint pas de réponse. Il se débarrassa du sac de couchage avec force contorsions larvaires.

Les étoiles étaient des clous d'or, la température chutait et le feu de camp était mort. Dans un tel décor, il paraissait raisonnable qu'un homme cherche à se pelotonner contre sa petite amie. À travers les ombres, Shreave rampa vers la tente d'Eugénie, pour mieux découvrir qu'elle était vide.

— Elle a mis les bouts, lui dit Honey Santana, le faisant sursauter.

— C'est pas drôle.

La tête d'Honey dépassait de l'autre tente.

— Elle s'est cassée avec un Indien.

— Vous pouvez trouver mieux que ça, lui dit Shreave.

— Un grand Indien avec un flingue. J'ai pas eu la berlue.

— Dites-moi simplement où elle est.

Honey fit : « Incurable » et laissa retomber le rabat.

Shreave cria le nom de Génie, à tous les échos. Il s'empara de sa torche et, d'un pas lourd, s'enfonça entre les arbres, décision sur laquelle il revint rapidement, renversant la vapeur. Il se planta furax devant la tente d'Honey et ordonna à cette dernière de lui révéler ce qui s'était réellement passé.

— Je vous l'ai déjà dit, fit-elle.

Shreave, bêtement, passa la main à l'intérieur, rafla l'extrémité du sac de couchage et s'efforça en le secouant d'en faire sortir Honey. Le second coup de pied qu'elle lui décocha lui atterrit plein pot sur le menton, le faisant flancher. Il vit trente-six mille chandelles puis remboîta tant bien que mal sa mâchoire du bas.

— Je vous donne ma voix pour l'oscar de la Tête de Con. Sans rire.

Une fois de plus, tenter de s'affirmer n'avait procuré à Shreave que douleur et indignité. Il paraissait douteux qu'il se transforme un jour en cette espèce de créature bestiale qui excitait Eugénie Fonda et ses pareilles. Sa seule et unique consolation fut qu'elle n'ait pas été témoin du coup de pied en pleine poire.

— Tout ça, c'est votre faute, geignit-il au visage d'Honey, vous n'aviez qu'à pas nous arnaquer avec ce voyage. C'est à cause de vous qu'on l'a kidnappée.

— Kidnappée ? Cet Indien nous piquait nos réserves quand votre petite amie l'a supplié de la laisser partir en douce avec lui. Elle lui a quasiment proposé de baiser avec lui sur place.

— Menteuse !

— Elle est rapide à la détente, Boyd.

Honey émergea de sa tente et entreprit de rallumer du feu.

— J'ai fait semblant de ronfler afin qu'il croie que je dormais.

— Pourquoi vous n'avez rien fait, merde ?

— Pff, j'en sais rien. Parce qu'il avait un fusil ?

Elle approcha une allumette du petit bois et le regarda s'embraser.

— De toute façon, on est seuls maintenant. Discutons un peu.

— De quoi ?

— De vous, dit Honey.

Le sujet séduisait immensément Shreave.

— Racontez-moi l'histoire passionnante de votre vie, fit-elle. Que je vous comprenne mieux.

— Y a pas de souci.

De façon prévisible, Sheave se méprit sur l'intérêt qu'on lui manifestait. Il avait des élancements dans la mâchoire, mais si elle désirait qu'il parle, il parlerait. Peu importe ce qui la branchait.

— D'abord, lui dit Honey, relevez-vous de cette position agenouillée… non, oubliez. Ça va le faire.

Se détournant, elle ouvrit le dernier sac de toile et en retira certains articles à l'insu de Shreave. Elle lui demanda de fermer les yeux et, comme un idiot, il obtempéra. Son désarroi face à la désertion d'Eugénie s'évaporait rapidement devant la perspective de partager l'intimité d'une autre belle femme, même s'il se trouvait qu'elle était barjo.

260

Le feu de camp flambait à nouveau. Le visage de Shreave en était agréablement réchauffé. Il entendit Honey marcher dans les éclats d'huîtres, puis se déplacer parmi les buissons. Il espéra qu'elle s'était éclipsée pour se déshabiller.

Quelques instants plus tard, elle se tenait dans son dos et lui chuchotait : « Donnez-moi vos mains, Boyd. »

Il fut ravi de lui complaire. Elle dégageait une merveilleuse odeur et il remarqua qu'il commençait à bander... progrès miraculeux dans le sillage de l'épisode du Taser. Pas même le son de gafeur arraché à un rouleau ne ratatina l'excitation montante de Shreave.

Quand il se retourna pour la mater, Honey lui tapa vivement sur la tête. Ne songeant qu'à son érection et aux pratiques osées qui pourraient la satisfaire, il demeura docilement immobile pendant qu'elle lui attachait poignets et chevilles dans le dos avec le ruban adhésif. Puis quelque chose d'aussi léger qu'une couronne de fleurs, bien que d'une texture plus rugueuse, se noua autour de son cou.

— Vous avisez pas de bouger, lui dit Honey.

À nouveau, elle s'esquiva. Il entendit bientôt un léger bruit derrière lui.

— Mais qu'est-ce que vous fabriquez ?

Ce furent les dernières paroles de Shreave avant que la corde ne se love douillettement autour de sa gorge.

Il rouvrit brusquement les yeux et Honey réapparut, se détachant divinement sur le rougeoiement du feu. Shreave fut déçu de constater qu'elle avait gardé tous ses vêtements. Elle l'informa qu'il était relié par un nœud coulant à un rameau du poinciana. S'il tentait de se libérer, lui expliqua-t-elle, le nœud sur sa nuque se tendrait, au risque de l'étrangler.

Shreave la crut, tout en se raccrochant à ses ambitions charnelles de primate. Ayant vu sur le câble un documentaire sur les pratiques sexuelles « asphyxiantes », il supposait qu'Honey cherchait à l'initier. Éperonné par la trahison au débotté d'Eugénie, il avait décidé de se laisser séduire quels que fussent les dangers encourus.

— Pardon pour cet appareillage, lui dit Honey, mais vous m'avez déjà agressée deux fois.

Shreave grogna une objection mais ne dit rien. Il redoutait que le moindre muscle requis pour la parole ne cause le resserrement de la corde d'un ou deux millimètres cruciaux.

— Allez-y, parlez. C'est pas serré à ce point-là, lui dit Honey.

À genoux, raide comme un piquet, il fit d'une voix sifflante :

— Je ne vous ai pas « agressée », plaquée seulement.

— Vous finiriez en taule si vous vous amusiez à faire la même chose sur Biscayne Boulevard.

— Quant à l'incident du sac de couchage. C'est *moi* qui ai morflé !

— Les veines de votre cou sont toutes gonflées.

— Et alors ? On peut accélérer et en finir avec ça ?

— Certainement, Boyd.

— Alors… ? Vous allez me foutre à poil et me fesser ou quoi ?

Honey parut perplexe.

— Ça ne m'a pas effleuré l'esprit.

— Oh, ça va.

Elle haussa les épaules. Shreave, morose, comprit qu'elle disait la vérité.

— Nom de Dieu, fit-il.

Impossible d'imaginer une brute comme Van Bonneville se faire rouler dans la farine et ficeler par une mère célibataire déséquilibrée.

Honey, assise en tailleur près du feu, se brossait les cheveux à coups brefs et énergiques.

— Que faisiez-vous avant de devenir démarcheur téléphonique ? lui demanda-t-elle.

— De la vente.

— Et vous vendiez quoi ?

— J'ai mal aux genoux.

Pour rembourrage, Honey plia une couverture en laine et la lui fourra en dessous.

— Alors, vous vendiez quoi ? lui redemanda-t-elle.

— Les conneries habituelles, marmonna-t-il.

— Racontez-moi tout.

— Génie est dans le coup, hein ? Elle et vous avez mis au point ce petit numéro de malade, rien que pour bien vous marrer.

Honey éclata de rire.

— Vous avez une très haute opinion de vous, Boyd. Je suis sûre que Génie a beaucoup mieux à faire.

Il sentit ses oreilles lui chauffer.

— Vous avez déjà vendu des voitures ? lui demanda-t-elle.

— Bien sûr. Des Buick, des Saab.

— Quoi d'autre ?

— Des téléviseurs, fit-il. Des produits pour animaux de compagnie. Des appareils orthopédiques.

— Ah, mon Dieu, ça, c'est le pied !

Elle avait un super sourire, songea Shreave avec amertume, pour une psychopathe.

— Je suis content que l'un de nous s'amuse, lui dit-il.

Honey se glissa plus près. Elle repositionna la corde au-dessus de sa pomme d'Adam et lissa le col de sa chemise Tommy Bahama à l'odeur mûrissante.

— Ne vous faites pas de souci, tout ça n'est pas gratuit, lui dit-elle.

— Je meurs d'impatience.

Combien de chances ? se demandait-il. Un appel de vente sur des milliers… et une salope complètement barje pète les plombs, me recherche, m'attire dans un marécage et fait de moi son prisonnier.

— Vous avez des enfants ? lui demanda Honey.

— Très peu pour moi. Pas pour tout l'or de Fort Knox.

— Être parent, c'est pas une partie de plaisir, c'est sûr. Essayer d'élever un enfant avec une vision positive des choses, bonjour.

263

Faut regarder la réalité en face, on vit dans un bain puant de cruauté, d'appât du gain et de manières déplorables. Regardez-vous, Boyd. Vous êtes un spécimen des plus classiques.

— Vous allez pas recommencer, soupira-t-il.

— Si, je recommence! Mon fils unique grandit dans une culture dont les valeurs sont tellement faussées qu'une ordure dans votre genre peut se faire passer pour un citoyen respectable.

Shreave regimba puis dit:

— Je n'ai jamais fait de mal à personne.

— Alors, parlez-moi. Aidez-moi à comprendre ce qui vous motive, lui dit Honey.

— D'abord, allons chercher Génie. Et si elle est dans le pétrin?

— On est *tous* dans le pétrin, Boyd. Dieu du ciel, vous lisez pas les journaux...

Ils furent interrompus par un coup de feu isolé, dont l'écho cassant fut emporté dans le vent. Un cri suivit.

Honey sauta sur ses pieds.

— Ce ne sont pas des braconniers. C'est l'Indien, je parie.

Elle démarra au quart de tour, Shreave lui gueulant: «Me laissez pas ici! Me laissez pas tout seul, merde!»

Dans son agitation, il bascula sur le côté, le frottement de la corde l'incrusta dans les plis flasques de son cou. Ça lui fit mal, pourtant il semblait capable de respirer sans difficulté.

Jusqu'à ce qu'une voix à la lisière des ombres lui siffle: «Aie pas la trouille, dugland. T'es pas tout seul.»

Sammy Queue de Tigre ordonna à sa dernière otage volontaire de s'asseoir près de Gillian et du visage pâle, qui était peut-être ou peut-être pas un fantôme. L'Indien se réserva un jerricane d'eau et deux barres nutritives, puis rationna strictement aux autres ce qui restait dans le sac de toile volé. Il n'avait pas prévu d'emporter tous les vivres des kayakeurs, mais n'avait pas eu le temps de trier le contenu.

Il se retira à l'extrémité de la clairière et s'y installa avec la

264

Gibson. Il s'efforçait de trouver les premières notes de *Tunnel of Love* quand Wilson, sa némésis spectrale, sortit des bois en titubant. C'était la première fois que feu le touriste apparaissait à Sammy Queue de Tigre à l'état de veille. Ce qui prit le jeune Séminole par surprise. Il avait espéré avoir vu pour la dernière fois le cadavre chicaneur.

Wilson avait l'air plus mal en point que jamais. Ses vêtements détrempés n'étaient plus que des haillons pourrissants et les charognards avaient fait de sa chair un atroce patchwork.

— *Je t'avais demandé de déplacer mon corps dans un endroit où il fasse chaud,* lui reprocha-t-il.

— Casse-toi, lui dit l'Indien.

— *Cette saloperie de rivière est plus froide que le nichon d'une sorcière. Et regarde-moi un peu ce que les crabes et les poissons m'ont fait...* — Wilson fit étalage de ses plus récentes mutilations. — *On est bien seul là-bas, man.*

— Je peux pas t'aider.

Sammy Queue de Tigre ne s'était jamais senti aussi déprimé. Il échouait comme ermite et échouait comme arrière-arrière-arrière-petit-fils d'un chef séminole. Son but, à savoir s'isoler du monde corrompu des visages pâles, avait fait long feu ; il était assiégé à présent par les visages pâles, morts ou vifs. Il avait même embrassé l'une d'entre eux.

— *Sympa, ta gratte,* fit Wilson avec un signe de tête admiratif vers la guitare.

— Pas touche.

— Tu peux me jouer *Folsom Prison Blues* ?

— Connais pas.

Sammy Queue de Tigre, se disant qu'une décharge de douleur pourrait effacer l'apparition harcelante, s'égratigna le front avec l'éclat de coquille d'huître qui lui servait de médiator.

Le touriste mort ne disparut pas pour autant.

— *Vraiment idiot de ta part de faire ça. Maintenant, tu saignes,* dit-il. *En fait, je suis jaloux de toi.*

— Oh, viens pas me reprocher à moi que ton cœur ait lâché.

265

Peut-être que t'aurais dû mettre la pédale douce sur la bibine et les frites.

Sammy Queue de Tigre sentit un filet chaud dégouliner le long de son nez.

— *Et Garth Brooks ?* insista Wilson. *Tu connais ses chansons, non ? Je vais t'en chanter une, comme ça tu pourras trouver les accords.*

— J'aimerais mieux que tu m'épargnes ça, lui dit l'Indien.

Wilson balaya son objection du geste et, sans pitié, se mit à roucouler un truc à propos d'une fille de Louisiane. Les paroles rappelèrent à Sammy Queue de Tigre ce qu'il avait ressenti après sa première nuit passée avec Cindy, avant de découvrir les problèmes qu'elle avait avec les métamphétamines maison, la cavalerie bancaire et l'infidélité en série. Il s'attendait à ne pas être moins accro de Gillian, une fois qu'il aurait couché avec elle, et pas moins en mille morceaux quand ses vrais dysfonctionnements apparaîtraient d'eux-mêmes. Chaque nouveau vers de la chanson country aggravait la mélancolie de l'Indien.

Quand le visage pâle eut terminé de chanter, il lui dit :

— *Eh bien, tu peux me la jouer ?*

Sammy Queue de Tigre remarqua que du sang dû à son autolacération dégouttait le long du manche de la Gibson. Il se dépêcha d'essuyer les frettes et cala l'instrument droit entre ses genoux. Puis il tendit la main vers son fusil.

Wilson pouffa.

— *Gaspille pas tes balles, mon frère.*

D'un seul bras, le Séminole braqua le canon sur le visage barbu d'algues de Wilson. « Ça vaut le coup d'essayer », grommela-t-il en appuyant sur la détente.

Wilson ne moufta pas, mais à l'autre bout de la clairière l'une des otages poussa un cri aigu. Sammy Queue de Tigre en fut malade.

— *Ben, t'as réussi*, fit feu le touriste, en se dissipant comme un brouillard.

Pour Dealey, l'aube n'arrivait pas assez vite. Après le retour du Séminole avec la petite amie de Boyd Shreave, Gillian avait prestement balancé le détective privé.

Eugénie Fonda l'avait houspillé comme un vulgaire voyeur de toilettes pour dames.

— C'est vrai? La femme de Boyd vous paie pour nous espionner, lui et moi?

— Et prendre des films cochons, intervint Gillian, poussant à la roue.

— Pitoyable.

— C'est mon boulot. Épargnez-moi vos sermons, s'il vous plaît, fit Dealey.

Assis en demi-cercle, ils se partageaient de gros morceaux d'ananas séché en se passant un jerricane d'eau. Sammy Queue de Tigre, seul dans son coin, pinçait sa guitare, l'air morose. Le consensus général était qu'il fallait ne pas l'ennuyer.

— C'est un boulot bien dégueulasse que vous faites, dit Eugénie à Dealey.

— La vérité peut être une marchandise dégueulasse, Miss Fonda. Ce qui, soit dit en passant, est un nom complètement bidon. Votre vrai nom, c'est Hill.

Eugénie se mordilla la lèvre du bas.

— Je suppose que je devrais être impressionnée.

— Croyez-moi, fit Dealey. J'aimerais mieux ne pas m'être chargé de cette sale affaire... je ne me suis jamais frotté à autant de zinzins encartés de toute ma vie.

— Dites-lui combien la bourgeoise de ce mec voulait payer pour le pack shot! Allez-y, Lester, elle vous croira pas.

— Je m'appelle pas Lester.

— Le pack quoi? demanda Eugénie.

— Il se trouve que Mrs Shreave est sexuellement tordue, fit Dealey. J'avais toutes les photos et vidéos dont elle avait besoin, mais elle voulait davantage.

— Elle en avait besoin pour quoi... pour divorcer? Oh, je vous en prie, fit Eugénie.

267

Dealey leva les mains.

— Pourquoi croyez-vous donc que des femmes mariées m'engagent ?

Gillian ne put plus se contenir.

— Vingt-cinq mille dollars. Voilà ce qu'elle était prête à payer pour une photo triple X de vous et de votre petit copain. Voilà pourquoi Lester a fait tout ce voyage jusqu'ici.

— Vingt-cinq mille ?

Eugénie fut obligée d'en rire.

— Ça vaut ce que ça vaut, personne n'a vu les autres vidéos ou photos, sauf moi et ma cliente.

Ce qui n'était pas vrai. Cependant, Dealey n'éprouva pas le besoin d'éclairer Eugénie sur la popularité en ligne de sa pipe quatre étoiles au delicatessen. Après tout, il avait scrupuleusement tripatouillé le cliché pour masquer son visage.

Il fut surpris de l'entendre dire : « Montrez-moi ce que vous avez récolté, Lester. Je suis curieuse. »

Gillian intervint avec impatience :

— Moi aussi. Voyons ça.

— Désolé. Tout est au coffre là-bas, à Fort Worth.

Le détective songea : mais qu'est-ce qu'elles ont toutes ces bonnes femmes ?

Gillian narra l'histoire haute en couleur de sa coturne apparaissant sur une vidéo de la série *Girls Gone Wild*, puis demanda à Dealey :

— Quel est le truc le plus zarbi que vous ayez jamais enregistré sur bande ?

— Facile, répondit-il. Une partie à trois à River Oaks... les deux mecs portaient des masques de Bip-Bip et la fille, celui de Vil Coyote.

Gillian applaudit.

— Me dites pas que vous n'avez pas fait de copies de celle-là !

Eugénie réorienta la conversation vers l'offre de vingt-cinq mille dollars de Lily Shreave.

— Bon, qu'est-ce qu'elle voulait exactement que vous filmiez ?

— Un truc impossible, fit Dealey.

— Impossible, ça n'existe pas.

— Elle fait une fixette sur les gros plans. N'allons pas plus loin.

Eugénie fit un sourire tristounet.

— Si j'avais su que Boyd et moi, on était pris par une caméra, j'aurais mis la barre un cran plus haut.

— Vous avez été juste parfaite, lui dit Dealey.

Gillian leur avoua qu'elle n'avait vu qu'un seul film porno, dans une partie estudiantine.

— *L'Histoire de Fellatio Alger*. C'était tellement chiant que je me suis endormie.

— Chiant, ça serait pas si mal après les deux jours que je viens de passer. Chiant, ça serait la fête, fit le détective privé.

Eugénie faisait les cent pas.

— Bordel de merde, comment on se tire d'ici ?

— Demandez-le-lui, fit Gillian en pointant son pouce de l'autre côté de la clairière en direction de Sammy Queue de Tigre, qui avait l'air d'être tombé en transe en jouant de la guitare.

Dealey se resservit un autre gros morceau d'ananas.

— Ma foi, on vient me secourir demain, fit-il, tout à trac. Vous êtes toutes deux les bienvenues à bord… en fait, je vous le recommande fortement.

— Vendu, fit Eugénie.

Gillian, elle, déclina la proposition.

— Moi, je reste, complètement. Il m'a embrassée, ce soir.

— L'Indien ?

Dealey sourit avec lassitude, songeant : l'amour, le vrai, sous les palétuviers.

— C'est un Indien ? Mais il a les yeux bleus, fit Eugénie.

— Un Séminole, carrément, signala Gillian. J'attends toujours de vivre l'histoire jusqu'au bout.

Elle se tourna vers Dealey.

— Au fait, Lester, qui vient vous secourir ?

Le détective répondit que ce n'était pas important.

— Je rentre au Texas en entier, c'est la seule chose qui compte.

— Mais sans le pack shot, lui rappela Eugénie. La femme de Boyd va déprimer grave.

— Demandez-moi si j'en ai quelque chose à battre.

Dealey prit une lampée au jerricane d'eau.

— Un truc vraiment moche va arriver sur cette île et j'ai pas envie d'être là quand ça se produira.

— Moi non plus, renchérit Eugénie, une milliseconde avant que le fusil du Séminole aux yeux bleus lâche une détonation, que Gillian pousse un cri et que Dealey s'abatte comme un élan.

19

Honey Santana croyait dur comme fer qu'il y aurait peut-être encore de l'espoir pour ce monde si elle arrivait à sauver un individu aussi creux que Boyd Shreave. Elle voulut essayer encore une fois.

— L'Indien a tiré sur quelqu'un. Je n'ai pas pu voir sur qui, lui dit-elle à son retour.

— Retirez-moi cette saleté de nœud coulant du cou.

— C'est qu'une simple floque, Boyd.

La corde se défit aussi facilement qu'un lacet de chaussure. Shreave roula sur ses genoux en murmurant : « Z'êtes malade. »

Après avoir décollé le gafeur qui lui liait chevilles et poignets, Honey lui proposa des céréales.

— C'est tout ce qu'on a. L'Indien a embarqué le reste.

— Quelqu'un se cache là-bas.

Shreave jeta un coup d'œil anxieux derrière lui.

— J'ai pas vu le bonhomme, mais à l'entendre, il avait l'air tout près. Il a dit qu'il nous tenait à l'œil.

Honey fabriqua une torche en attachant le chapeau Indiana Jones chicos à une branche de bois flotté, qu'elle aspergea ensuite d'essence à briquet et approcha des braises. Puis elle arpenta le périmètre du campement sans découvrir la moindre trace d'un autre intrus. Mais ne regarda pas dans la citerne.

— Il n'y a personne dans les buissons, Boyd.

Elle croyait qu'il avait inventé cette histoire pour l'effrayer et la pousser à fuir l'île avec lui.

— Qui c'est ? Dites-le-moi ! demanda Shreave.

— Mangez vos Cheerios.

Honey réfléchit à ce qu'elle avait fait : retrouver cet inconnu désagréable puis l'entuber avec un séjour bidon en Floride. Elle ne se sentait ni coupable ni folle ; mais frustrée, ça oui. Après la naissance de Fry, sa tolérance déjà minime des crétins, menteurs et canailles de tout poil avait été réduite à zéro. Elle en vint à les considérer tous tant qu'ils étaient, depuis le livreur lubrique du Winn-Dixie jusqu'au voleur qui en était à son troisième mandat au Congrès, comme des menaces au bonheur et au bien-être de son rejeton. Si une banale raclure opportuniste telle que Boyd Shreave pouvait être amendée, ainsi raisonnait Honey, l'avenir serait un tantinet plus rose pour l'humanité entière, Fry inclus.

Ce n'était pas une hypothèse facile à faire avaler et Perry Skinner l'avait toujours recrachée. Son fils, idem. Honey était consciente qu'elle leur paraissait parfois naïve et obsessionnelle, et même *borderline*.

— Vous m'avez demandé pourquoi j'ai fait ça, Boyd. Et d'où vient que je me sois donné tant de mal pour vous attirer ici, lui dit Honey. Eh bien, il semblerait que j'essaie de corriger la race humaine dans son intégralité, un connard après l'autre.

Shreave ricana entre ses dents.

— Bonne chance, ma sœur.

— Vous ne m'avez même pas posé de questions sur votre petite amie. C'est quoi, votre problème ?

Shreave se frotta les bras avec nervosité.

— Génie n'a pas poussé ce cri, d'après moi. On aurait dit celui d'une fille plus jeune.

— Je n'ai pas pu m'approcher assez du campement de l'Indien pour voir qui c'était. Vous ne l'aimez pas, Boyd ?

— Je vais pas risquer qu'on me fasse sauter la cervelle à cause d'une nana qui m'a largué.

272

Raflant une poignée de céréales, il s'en bourra les joues.

— Allons chercher ces saletés de kayaks et tirons-nous d'ici.

Honey, le voyant effrayé pour de bon, lui dit :

— Ils sont cachés entre des arbres de l'autre côté de l'île. Je les ai aperçus en revenant du campement de l'Indien.

— Alors, qu'est-ce qu'on attend ?

Shreave bondit sur ses pieds et lui agrippa le bras.

Honey se libéra sans peine d'une secousse.

— C'est l'aube qu'on attend. Il y a quelque chose que vous devez voir.

Ta dernière chance d'éveiller ton âme desséchée, songea-t-elle.

Il se rua vers elle, puis se ravisa. Il se tourna encore une fois vers les bois, tendant l'oreille.

— Ça fait partie de la machination, hein ? Vous avez installé un de vos compères dans les arbres, qui guette le moment de me faire sauter les dents.

— Y a personne là-bas, personne à l'affût, lui dit Honey.

Elle ne craignait absolument pas Shreave qui, dans le genre pas impressionnant pour deux sous, battait allégrement tous les hommes qu'elle avait connus jusqu'ici.

La voix de Shreave vira au grognement.

— Écoutez-moi, espèce de conne psychotique. On est dans un trou du cul perdu et on va se casser d'ici pas plus tard que *tout de suite*.

— Non, Boyd, cet endroit est incroyablement paisible, incroyablement inspirant, lui dit-elle. Je ne m'en irai pas avant le lever du jour. Si vous voulez mettre les voiles en solo, grand bien vous fasse.

— Putain, je rêve. Vous voulez même pas me montrer où sont les kayaks, bordel ?

Honey lui répondit que non. Shreave qualifia la mère de cette dernière d'un terme grossier en fusillant la nuit du regard. Puis il se rassit, fumasse, près du feu de camp.

— Tâchez de garder l'esprit ouvert, lui conseilla Honey.

— Vous allez la boucler, merde, lui dit-il.

La balle de fusil avait ricoché sur une branche, puis transpercé l'épaule droite de Dealey, lui explosant l'articulation de la coiffe des rotateurs. Sombrant dans l'inconscience puis émergeant tour à tour, il se demanda s'il était en train de mourir. Ça lui semblait possible, à en juger par la douleur.

Il se surprit à spéculer sur qui viendrait à son enterrement, au cas où son corps serait rapatrié à Fort Worth dans un état reconnaissable. La liste des présents serait courte : deux, trois autres privés avec lesquels il éclusait à l'occasion deux, trois bières, sa tante de Lubbock qui était tellement sénile qu'elle postait encore des contributions pour la campagne de Barry Goldwater, sa propriétaire et son caniche adepte du iodle, un neveu bisexuel qui posait du Placoplâtre à Austin et, peut-être, l'une ou les deux de ses ex-femmes, venues grappiller de la menue monnaie.

Du côté des absents, il y aurait le plus proche parent de Dealey, son frère cadet, pêcheur de flétan en Colombie-Britannique à qui, aux termes de sa libération conditionnelle, il était interdit de quitter la province. Aucune des ex-petites amies de Dealey ne viendrait non plus à l'enterrement, toutes étant mariées et ayant cessé de correspondre avec lui depuis longtemps.

Dealey n'était pas un sentimental. La perspective d'une commémoration à l'assistance clairsemée ne le dérangeait pas plus que ça. Un souci plus taraudant lui venait de son compartiment de dépôt à la succursale de la Bank of America, à Ridglea Place. Le détective privé regretta de ne pas avoir laissé d'instructions dans son testament concernant le coffre, ce qui signifiait qu'on en percerait le verrou et en inventorierait le contenu en vue de sa modeste succession. Ses ex-femmes, les avaricieuses, ne manqueraient pas d'insister sur ce point.

À l'intérieur dudit compartiment, prêt à tomber sous les yeux de quelque exécuteur testamentaire sans méfiance, se trouvait un petit trésor de rendez-vous, trahisons et autres épisodes adultères, y compris le numéro virtuose d'Eugénie Fonda au delicatessen de Summit Avenue. L'intérêt qu'attachait Dealey à une telle collection n'avait rien de salace mais relevait bien plutôt d'une fierté professionnelle invétérée. Photographies et bandes vidéo lui tenaient lieu de trophées de surveillance en solo, représentaient les plus grands succès de sa vie de fouineur. S'il expurgeait assidûment tous les trois ans ses dossiers papier, il conservait fidèlement les preuves visuelles les plus sensationnelles. S'étant toujours senti sous-estimé par ses pairs, Dealey puisait du réconfort et une certaine validation dans cette galerie secrète, qu'il revisitait plus de quatre ou cinq fois par mois. Bien entendu, il n'avait jamais eu l'intention que de telles pierres, tout sauf précieuses, tombent dans le domaine public, car les répercussions auraient signé la fin tumultueuse de sa carrière.

Tiens donc, mais c'est la femme de Zeke Gibbons, notre nouveau conseiller municipal, descendant au Hilton du centre-ville avec son prof d'équitation bavarois…

Et ça, l'époux de Mary Lisette Scowron, présidente du comité local Justice pour DeLay, le républicain texan pur et dur, à tu et à toi sur un remonte-pente en Utah avec une danseuse des Dallas Mavericks…

Ah wouah, la deuxième fille du révérend Jimmy Todd Barnwell, télévangéliste et conseiller spirituel à la disposition de notre gouverneur, en train de distraire une fourgonnée de longboarders à South Padre…

Magnifique, bordel, songeait Dealey. Vaudrait mieux que je sois à six pieds sous terre quand ça chiera dans la colle.

Il sentit qu'on taillait dans sa veste de costume et sa chemise puis frissonna quand l'air nocturne réveilla sa blessure. Entrouvrant un œil, il aperçut une belle blonde aux cheveux cendrés agenouillée au-dessus de lui. Elle paraissait se dévêtir.

Ça se confirme, se dit-il. Je dois être déjà mort.

Eugénie Fonda prodigua les premiers secours avec compétence, irriguant l'entrée fripée de la blessure avec de l'eau chauffée sur les braises du feu de camp. Puis retirant un pull qu'elle avait emprunté à Honey, elle s'en servit pour étancher le saignement.

— Une fois, un type a presque claqué sur moi au pieu, disait-elle. Coup de bol, je venais de suivre un cours de premiers secours. Je l'ai maintenu en vie jusqu'à l'arrivée du Samu. Et devine, il bandait toujours quand on l'a emporté sur une civière... voilà tout ce qu'il y a à savoir sur les hommes.

— Wouah, fit Gillian, admirative.

Démoralisé, Sammy Queue de Tigre tournait autour de la forme immobile de Dealey.

— C'était un accident. C'est pas lui que je visais.

Eugénie doutait que le blessé risque de mourir.

— Mais un médecin, ça serait pas du luxe, dit-elle, en ajoutant avec un clin d'œil : Même un homme-médecine.

Gillian tira l'Indien par le pan de sa chemise.

— Je t'avais dit qu'il était réel, Thlocko. Je t'avais dit que c'était pas un fantôme.

Elle essuya le sang de l'estafilade sur le front de Sammy Queue de Tigre.

— Qu'est-ce que tu t'es fait ? lui murmura-t-elle.

Dealey s'agita et battit brièvement d'une paupière. Le Séminole demeurait morose. Il vida le sac de toile volé, quêtant futilement un kit de premiers secours.

— Vous avez tiré sur qui, exactement ? lui demanda Eugénie.

— Un touriste mort.

— Si vous le dites.

— Thlocko est, comme qui dirait, hanté, expliqua Gillian.

Eugénie ouvrit les valises de Dealey pour inspecter le matériel de prise de vue. Le Séminole se pencha et tâta le pouls du détective privé en lui prenant le poignet.

— À l'aube, vous deux, vous le ramènerez sur le continent, leur dit-il. On s'arrangera comme on pourra pour coincer son gros cul dans le canoë.

276

Gillian n'avait pas envie de partir.

— Lester m'a dit qu'on va venir le secourir demain. Pourquoi ne pas se contenter d'attendre ?

Sammy Queue de Tigre tiqua.

— Qui va venir, il l'a dit ?

— Chais pas. Quelqu'un qu'il a appelé sur son portable, fit-elle.

— Non ! Je ne veux personne d'autre sur cette île.

— Quelle différence ? demanda Gillian.

— La différence, c'est que je ne veux pas aller en prison.

Sammy Queue de Tigre croyait qu'on l'arrêterait pour avoir descendu le visage pâle en costard. Il était presque sûr aussi d'avoir tué le visage pâle à la main bandée, celui qui sentait le poisson, celui qu'il avait assommé avec la crosse de son fusil.

Et ultime, mais pas infime : le cas Wilson.

— Merde, on ne va pas rester là à attendre sagement les garde-côtes ou le shérif de Collier County, compris ? dit l'Indien. Vous les filles, vous allez ramener ce pauvre bougre à Everglades City, dès le lever du soleil…

— Minute, le coupa Gillian. Lester m'a dit qu'il y a un bateau à moteur quelque part sur l'île. C'est comme ça qu'il est arrivé ici.

Elle regarda Eugénie Fonda.

— Tu te rappelles le chemin du retour, pas vrai ? Tu n'as pas besoin de moi.

— Non, ma chérie, j'ai besoin d'un miracle.

— Je vais trouver ce bateau de merde, fit Sammy Queue de Tigre, je vous dessinerai une carte, mais vous partirez *toutes les deux*. J'en ai ma claque.

Il balança le fusil par le canon puis le fracassa violemment contre une souche d'arbre jusqu'à ce qu'il l'ait mis en pièces.

— Tiens. N'oublie pas celui-là.

Gillian tendit la main vers le fusil de chasse à canon scié.

Le Séminole fit non de la tête. Se couchant sur le sol, il se dissimula le visage de ses bras. Eugénie le visa avec le Nikon de Dealey et prit une photo.

277

Gillian la tira de côté en lui disant : « C'est pas vraiment le méchant mec. Il est juste méga paumé. »

— Je rencontre jamais ceux qui le sont pas, fit Eugénie.

— Mais, tu vois, j'ai envie de rester.

— Tu as déjà couché avec lui ?

Gillian rougit.

— J'y travaille.

— Ma foi, il est pas vilain à regarder…

— S'il te plaît, n'essaie pas de le choper.

Eugénie pouffa avec lassitude.

— Autant que tu le saches, je suis prête à tout pour quitter cette île : faire des branlettes, des pipes, des sodos et même chanter l'opéra nue comme un ver. Ne te sens pas visée, O.K. ? Mais il fait du vent, j'ai froid et je rêve d'un bol de soupe à l'oignon, donc je vais mettre le cap sur le Ritz et tous les moyens me seront bons.

— Mais Thlocko a dit qu'il allait trouver le bateau ! Il a promis de dessiner une carte.

Gillian comprenait qu'Eugénie possédait des pouvoirs de persuasion supérieurs sur les hommes.

— T'as pas besoin de le baiser ni rien. Il est pas comme ça.

— Bien sûr qu'il l'est pas. Tu veux un conseil gratuit ?

— Pas vraiment. Tu veux bien nous laisser un peu d'intimité ?

— Montre-moi d'abord comment marche la vidéo.

Gillian parut s'alarmer.

— Je veux pas qu'on me filme avec lui !

Eugénie lui tapota la main.

— T'inquiète pas. Je te ferais jamais ça.

Gillian l'instruisit du bon fonctionnement du caméscope de Dealey.

— J'ai fait un faux bulletin météo… tu peux le repasser en appuyant sur ce bouton. Je me disais que ça serait cool d'essayer de faire de la télé.

— Tu es assez mignonne pour ça, lui dit Eugénie.

— Regarde la vidéo et dis-moi ce que t'en penses. L'intitulé

278

du job, c'est «personnalité-météo». Faudrait que je suive des cours, genre de météorologie, et sans doute changer de matière pour mon diplôme, mais ça me va.

— Alors, tu vas reprendre la fac?

Gillian jeta un coup d'œil à l'Indien, étendu muet et malheureux sur le sol près de Lester.

— Je crois, lui dit-elle. Si cette histoire avec Thlocko ne tourne pas au sérieux.

— Son sérieux à lui, c'est un excès de sérieux, fais-moi confiance, lui dit Eugénie. Tu as une torche électrique à me prêter?

Gillian en trouva une parmi les affaires de l'Indien et la tendit à Eugénie, qui s'éloigna dans l'obscurité en trimballant la valise vidéo de Dealey. Gillian songea : elle n'a peur de rien, cette nana.

— Où elle va?

Sammy Queue de Tigre se releva sur un coude.

— Dites-lui de revenir ici.

Gillian s'approcha et s'allongea sur lui, lui effleurant le cou de ses lèvres et pressant de ses seins la chaleur de son torse. Elle sentit le cœur de Thlocko cogner, ce qui la fit sourire.

— Cette fois, c'est toi qui feras l'alligator, lui dit-elle.

Les pénitents avaient dit vrai. Quelqu'un tirait des coups de feu.

— Papa?

— Ouais, j'ai entendu.

Skinner poussa doucement la manette et dirigea le skiff contre les vagues.

Fry rebondissait comme un sac de pommes à l'avant. Le casque de footballeur semblait peser dix kilos. À trois cents mètres de l'île, son père leva le moteur et se remit à avancer à la perche. Fry était en charge du projecteur.

— T'es sûr que le coup est parti d'ici?

— Cinquante-cinquante. Avec cette saleté de vent, c'est difficile à dire.

279

— Y a pas de plage comme à l'autre endroit, observa Fry.

— Je vais fourrer le bateau dans les palétuviers. Éclaire-moi à tribord.

— C'est fait.

Le faisceau traça comme un sillon de fumée rougeâtre dans l'obscurité. Fry était tout engourdi à force de naviguer dans le froid, mais son engourdissement n'avait pas que du mauvais. Ça l'empêchait de craquer quand il pensait à sa mère.

— Mr Piejack a un flingue ? demanda-t-il.

Perry Skinner ne répondit rien. Il suait et soufflait sur la plate-forme, luttant contre le vent et le courant. Fry entendit l'extrémité de la perche crisser contre un banc d'huîtres immergé.

— Papa, Louis Piejack, il a un flingue ?

— C'est un fusil qu'on a entendu.

— Ouais, et alors ?

— Piejack a un fusil de chasse, une arme merdique à canon scié. Tu peux éteindre ce projecteur maintenant, on y est presque.

Fry ne pensait quasiment jamais au divorce ; quand il avait eu lieu, il ne fut pas surpris et certainement pas traumatisé. Son père et sa mère étaient si différents que leur mariage l'avait longtemps dérouté. Il était maintenant assez grand pour comprendre qu'Honey Santana et Perry Skinner tenaient l'un à l'autre d'une façon éternelle et profondément ancrée, mais aussi loin que remontaient ses souvenirs il lui avait semblé évident qu'ils avaient tort de vivre sous le même toit. De même que Fry ne pouvait envisager sa vie sans que l'un et l'autre en fassent partie, il ne pouvait envisager qu'ils se remettent ensemble. Pour son père, cette sortie était une mission que lui dictait son devoir, pas son attachement, mais Skinner serait anéanti — Fry le savait — si jamais quelque chose arrivait à Honey.

— C'est quoi le nom de cette île, papa ?

— Dismal Key.

— Ça craint.

— Je ne plaisante pas, fit Skinner.

— Je sais.

Ils mirent pied à terre dans les marécages et poussèrent le skiff vers les arbres. Le rivage était plus long que sur l'autre île et le feuillage plus dense. Fry eut l'impression de sentir la fumée d'un feu de camp, mais n'en apercevait aucun.

Après avoir amarré le bateau, Skinner se mit à se faufiler à travers les mangroves. Fry le suivait de près en gardant le silence, même quand des racines aériennes, couvertes de bernaches, lui égratignaient les jambes. Ils suivirent l'anse d'une petite baie, cherchant une brèche.

— Lumière, chuchota Skinner.

Fry braqua le faisceau.

— Non. Là-bas, fit son père, pointant son doigt.

Le projecteur éclaira un kayak rouge et un kayak jaune, vides et attachés ensemble.

— Ce sont ceux de maman !

Fry fut d'abord fou de joie, puis la crainte lui donna le tournis. Et s'ils arrivaient trop tard ?

Skinner filochait entre les arbres. Une fois sur terrain sec, il se mit à courir. Fry avait du mal à ne pas se laisser distancer, bientôt il fit une chute, suffoqué par une douleur lancinante dans les côtes et une violente vague de nausée. Juste avant de vomir, il rajusta son casque des Dolphins pour éviter d'en salir la visière. Un instant plus tard, Skinner était là, le maintenant par les épaules.

— Vas-y, fonce, je te rattraperai plus tard, lui dit Fry.

Il était gêné de vomir devant son père, qui se sentait déjà coupable de l'avoir fait sortir de l'hôpital.

— Tu ne bouges pas d'ici... compris ?

Skinner pressa affectueusement mais fermement le bras de son garçon.

Fry lui tendit le projecteur.

— Mais je veux t'aider à retrouver maman.

— Je serai de retour dans un quart d'heure. Ne bouge *surtout* pas.

— J'ai entendu, papa.

Il attendit d'être seul pour dégueuler de plus belle. Il espéra que ce n'était pas la peur qui le rendait malade. Il espéra que c'était dû au virus de la grippe ou même à la bosse sur son crâne.

Il se redressa et s'adossa contre le tronc dur comme de la pierre d'un gommier rouge. Si les égratignures des bernaches sur ses chevilles le picotaient, du moins son estomac se calmait. Pourtant, il entendait obéir à son père et rester pile-poil où il était. Il n'avait nullement l'intention d'aller voir ailleurs s'il y était…

Jusqu'à ce qu'il entende, parmi les bruissements de feuillage, une voix douce. Fry mit ses mains en cornet autour des trous pour les oreilles de son casque et écouta… c'était décidément une femme. Elle parlait d'un ton pressé, comme si elle faisait des cachotteries.

Le garçon ne fit qu'un bond et courut vers la voix. Il avançait avec une foulée régulière, cassant des branches et donnant des coups de pied dans du bois mort, quand il surgit d'un fourré et la surprit. Il fut tout déconfit en constatant que ce n'était pas sa mère.

— Tiens, tiens, si c'est pas Dan Marino[1] en personne qui s'amuse à me fiche une frousse bleue, dit la femme.

Fry, à bout de souffle, avait de nouveau la nausée. La femme le guida vers une valise en aluminium et l'obligea à s'asseoir dessus. Elle avait une crinière de couleur claire, portait un pull en coton et était presque aussi grande que son père. Dans une main elle tenait un téléphone portable et dans l'autre une torche électrique. Fry doutait fort que ce fût l'étudiante qui s'était enfuie avec le braconnier ; elle avait l'air trop vieille pour faire encore des études.

— Le casque, c'est pour quoi ? lui demanda-t-elle.

— J'ai eu une commotion cérébrale. Je suis venu ici chercher ma mère.

---

1. Considéré comme l'un des meilleurs « quarterbacks » de l'histoire du football américain. A pris sa retraite des Miami Dolphins en 1999. *(N.d.T.)*

— Ouais, c'est ça, et moi, Johnny Depp.

— Je plaisante pas. Elle a emmené des gens faire une balade en kayak.

La femme braqua la torche sur le visage de Fry.

— Ah mon Dieu. Tu es le fils d'Honey ?

Fry se remit debout.

— Où elle est ? Elle va bien ?

La femme garda le silence quelques instants.

— Merde, lâcha-t-elle enfin.

— Qu'est-ce qui va pas ? Dites-moi !

— Oh, elle va très bien. C'est juste que franchement, j'avais pas prévu de retourner là-bas... et maintenant te voilà. Comment, Sainte Mère de Dieu, tu as fait pour nous retrouver en pleine nuit, j'imagine même pas.

— Attendez, fit Fry. Vous... vous êtes l'un des kayakeurs.

C'était la femme qu'il avait vue de loin, devant la caravane de sa mère, pendant qu'ils chargeaient la voiture pour la balade.

— Où est votre mari ? lui demanda-t-il.

La femme prit un air pincé.

— On est pas mariés, merci bien. C'est mon ancien compagnon de voyage. Il se trouve avec ta mère en ce moment, casse-pieds comme un môme et la rendant chèvre, sans doute. C'est une longue et pitoyable histoire.

— Elle m'a dit qu'elle vous connaissait tous les deux depuis le lycée. Que vous étiez de vieux amis.

La femme parut énormément amusée.

— Où est ton bateau, au fait ? Je peux embarquer pour retourner dans le monde réel ?

— Mais on a entendu un coup de feu, mon père et moi.

— Ouais, un Séminole qui plane sec a plombé par accident le type qui m'a prêté ce téléphone portable qui, malheureusement, vient de me laisser en rade au milieu d'un appel extrêmement urgent. Moi, c'est Génie, au fait.

La femme lui donna une solide poignée de main.

— Mais ça va, c'est bon, le type qui s'est pris la balle n'est pas mort ni rien. Pour être plus précise, il ne m'a pas prêté son téléphone… je le lui ai comme qui dirait emprunté quand il est tombé dans les pommes.

— C'est comme ça que je vous ai trouvée, lui dit Fry. Je vous ai entendue parler à quelqu'un.

— Au service réservation du Ritz-Carlton de Naples, lui expliqua la femme. Tragique, la batterie a cané avant qu'on ait pu prendre le numéro de ma MasterCard. Tu m'as bien parlé de ton père… où il est allé ?

Fry pointa un doigt.

— Quelque part par là.

Puis il la mit au courant pour Louis Piejack.

— Wouah, attends un peu… ton papa s'est faufilé dans cette jungle paumée en pleine nuit et risque sa peau pour sauver son ex-femme. Est-ce Dieu possible ?

La dénommée Génie paraissait enchantée par cette idée.

— Il y a une arme dans cette valise ? lui demanda Fry.

— Rien qu'un caméscope, fit-elle. Mais ne te fais pas de souci, mon petit vieux, t'auras pas besoin de descendre qui que ce soit. La petite copine de l'Indien m'a dit qu'il avait estourbi un pervers qui m'a tout l'air de celui qui harcèle ta mère. Elle m'a dit aussi que le bonhomme semblait tout ce qu'il y a de mort.

— Ouiiii ! s'exclama Fry en levant son poing en l'air à plusieurs reprises.

Génie balança dans les buissons le portable devenu inutilisable.

— Allons retrouver tes parents, lui dit-elle, puis on se cassera d'ici.

20

En résumé de son rapport pour l'Institut Smithsonian, le révérend Clay MacCauley exprimait un avis bien pesé sur les futures relations entre Séminoles et colons blancs, qui ne cessaient d'affluer en Floride dans les années 1880. L'ethnologue prévoyait qu'un « grand et rapide changement » était inévitable et que le Séminole allait « aborder un avenir dissemblable en tout point à ce qu'il avait connu par le passé ». MacCauley plaidait en faveur de la justice et de l'équité en traitant avec ladite tribu, afin que les jeunes braves se montrent animés de meilleurs sentiments envers les Blancs que leurs aînés blasés et lassés de combattre. L'espoir du pasteur, c'était que les Indiens puissent, dans un climat de coopération pacifique, oublier « leur passé tragique », tout en avertissant que les irriter pourrait se révéler une bourde coûteuse.

À présent que l'Indien n'a plus aucune possibilité de repli, écrivait MacCauley, *à présent qu'il ne peut plus avoir le dessus, à présent qu'il est contraint à un contact rapproché et forcé avec des hommes qu'il n'a connus qu'en tant qu'ennemis, que va-t-il devenir ?*

Un ponte du jeu tel que mon oncle Tommy, songea Sammy Queue de Tigre en se rappelant ce passage. Ou un métis niqué dans sa tête comme moi.

Il méditait à l'ironie de la question de MacCauley tout en

faisant l'amour avec Gillian. C'était le contact le plus rapproché qu'on pouvait avoir avec une personne de race blanche et, en effet, ça semblait inévitable. Sammy Queue de Tigre croyait que le prédicateur pacifiste aurait approuvé ce que Gillian et lui faisaient... l'esprit de conciliation de l'acte en lui-même, à défaut de certaines positions de soumission tapageuses. C'est en tout cas bien meilleur que de fumer cette saleté de calumet de la paix, se disait-il.

L'Indien avait succombé aux avances de l'étudiante, car il ne s'agissait ni d'une reddition ni de l'amorce d'une nouvelle liaison condamnée d'avance, mais d'un adieu. Gillian quitterait l'île le lendemain, qu'elle le veuille ou non. Sammy Queue de Tigre ne la reverrait jamais. Il n'y avait pas d'alternative... pas depuis que sa balle perdue avait frappé Lester. Un visage pâle blessé était susceptible de lui créer plus d'ennuis qu'un visage pâle mort.

Il y avait pourtant un point sur lequel le révérend MacCauley avait tort, songea Sammy Queue de Tigre. Le repli est toujours un choix possible, là où dix mille planques existent.

Gillian se balançait vigoureusement au-dessus de lui, yeux mi-clos, la peau léchée par la lueur dorée du feu.

— J'aimerais que tu me prennes comme tu prends ta guitare à la con, lui disait-elle, comme si tu voulais plus jamais me lâcher.

— Tranquille, murmura Sammy.

— Tranquille, c'est O.K., parfois, fit-elle en ralentissant le rythme. Excitant, même.

— Tout à fait.

— Tu sais qui est du genre bavard ? Ethan. Au pieu, je veux dire.

— Pas maintenant, tu veux bien ?

Elle se cambra, resserrant, espiègle, un certain muscle.

— C'est quoi, le problème, Thlocko, t'es jaloux ?

Sammy Queue de Tigre mesura sa réponse.

— T'inquiète, tu le bats à plate couture.

Gillian serra à nouveau. Puis continua de plus belle : « Ethan, faut qu'il dise des cochonneries, sinon il tient pas la distance.

286

Mais en même temps, il est d'une timidité incroyable. Je rigole pas, il peut même pas dire le verbe qui commence par B ! »

Sammy Queue de Tigre donna un coup de reins tellement puissant que Gillian en eut le hoquet.

— Tu continues encore avec cette histoire, l'avertit-il, je te refourre les chaussettes de Lester dans la bouche, aussi sec.

— Ce truc éculé ? gloussa-t-elle. Je crois pas.

Après avoir pesé le pour et le contre, il décida de ne pas la rebâillonner. Une fois qu'elle serait partie, une existence sublime de silence s'ouvrirait devant lui.

— Il est si timide… Ethan, je veux dire, poursuivit Gillian, que chaque fois qu'on faisait la chose, il parlait en allemand. C'était la seule façon pour lui d'arriver à dire des cochonneries ! Le problème, c'est que *rien* n'a l'air cochon en allemand, à la façon dont Ethan le prononce. Mais il y allait, il me pilonnait comme un bourrin en me tirant les cheveux, en me disant de faire ci, *Fräulein*, puis de faire ça… sauf que j'avais pas la moindre idée de quoi il parlait. J'te mens pas, Thlocko, c'était comme s'il lisait le manuel d'utilisation de la Mercedes de son vieux. C'est trop délire, non ?

— J'ai une question, lui dit l'Indien.

— Mais ça, seulement après qu'il m'a eu raconté la libération de ces fameux dauphins… avant, j'ai jamais voulu coucher avec lui. Qu'est-ce que tu viens de dire ?

— Je voulais te demander quelque chose.

— Oui, quoi ?

— Tu pourrais vérifier si on est encore en train de baiser ? Gillian sourit.

— Mais oui, fit-elle. Devant Lester, en plus. Ça compte quand même, s'il est évanoui ?

Sammy Queue de Tigre se mit à pistonner à un rythme tel que Gillian cessa de papoter et se retint des deux mains. Ils s'arrangèrent pour finir ensemble, lui dans un soupir discret, elle dans une série de jappements perçants de bête fauve. Il la fit basculer ensuite doucement sur la couverture, où elle se lova en boule comme un chaton.

Il se tenait à l'écart du feu de camp, s'efforçant péniblement de remettre son pantalon kaki à l'endroit, quand on lui enfonça le canon d'un flingue au bas du dos. La première idée qui lui vint, ce fut que le visage pâle blessé s'était rétabli par miracle.

Mais ce n'était pas Lester.

— Bouge pas, l'avertit la voix.

— Oui, monsieur.

Un temps, puis :

— Sammy ? C'est toi ?

L'homme armé le fit pivoter puis s'exclama :

— Je veux bien être pendu !

— Salut, Mr Skinner.

— Qu'est-ce qui est arrivé à ton front, man ?

— Je suis tombé sur une coquille d'huître, mentit Sammy Queue de Tigre.

Gillian leva une tête ensommeillée, remontant la couverture sur ses seins.

— C'est qui ?

— Un ami, lui répondit le Séminole, plein d'espoir.

Sammy Queue de Tigre avait connu Perry Skinner quand il était ado et depuis peu dans la tribu. Skinner avait renversé son pick-up après avoir fait une embardée pour éviter un bébé loutre sur la Tamiami Trail. Sammy Queue de Tigre et son oncle avaient été les premiers à arriver sur les lieux et avaient traîné Skinner hors de l'épave quelques instants avant qu'elle ne prenne feu. Plus tard, Sammy Queue de Tigre apprit que Skinner était un homme important et à son aise à Everglades City. C'est lui qui avait prêté au jeune Indien le crabier grâce auquel il avait emmené le corps de Wilson jusqu'à la Lostmans River.

Sammy Queue de Tigre subodora que c'était la raison pour laquelle Skinner l'avait retrouvé : les flics avaient dû démêler ce qui s'était passé, puis apprendre à Skinner qu'on avait utilisé illégalement son embarcation pour le transport du cadavre d'un touriste.

— Je ne vois pas bien ce que vous venez faire ici, dit le Séminole.

Skinner fourra son arme de poing dans sa ceinture.

— Parfait. Où est-elle ?

Sammy Queue de Tigre resta perplexe.

— Qui ça, Mr Skinner ?

— Honey.

Pour l'édification de Gillian, il ajouta : « Mon ex. »

Sammy Queue de Tigre tâcha de dissimuler son soulagement que l'apparition surprise de Skinner ne soit pas en rapport avec le fiasco Wilson.

— Elle est quelque part par ici, Sammy. Tu te souviens à quoi elle ressemble, hein ?

— C'est plutôt grand dans le coin, Mr Skinner. Je ne l'ai pas vue.

L'Indien n'avait rencontré Honey Santana qu'une seule fois. Mais c'était amplement suffisant. Chaque automne, depuis l'accident de pick-up, Skinner donnait à Sammy Queue de Tigre douze kilos et demi de pinces de crabes de roche frais pour qu'il les rapporte dans la réserve. Ce cadeau était toujours récupéré le 15 octobre, jour d'ouverture de la saison de la pose des nasses, où l'on prenait les plus gros crabes. Une année, quand le Séminole vint chercher la glacière, Honey Santana se trouvait à l'atelier de conditionnement. Elle passait un savon à son mari d'alors au sujet d'un tuyau d'échappement fendu de l'un de ses bateaux qui, disait-elle, polluait l'air de la rivière, asphyxiant les hérons et les balbuzards. Sammy Queue de Tigre n'avait jamais vu de femme aussi ravissante ni aussi obsédée par une idée fixe. Elle l'avait estomaqué et il n'avait pas oublié cet épisode. Il n'avait pas oublié non plus le spectacle de Perry Skinner chaussant calmement une paire de protège-oreilles Remington pour faire barrage aux fulminations de sa douce moitié.

— Qu'est-ce qu'elle est venue fiche par ici ? demanda Gillian. Est-ce qu'elle se serait enfuie ?

Skinner ne lui répondit pas.

— On a entendu des coups de feu sur cette île, fit-il.

— C'est lui — Gillian désigna le Séminole — qui a tiré sur *lui, là.*

Elle se retourna et montra de la tête le Blanc grassouillet, allongé sur le ventre.

— J'en avais pas l'intention, Mr Skinner, dit Sammy Queue de Tigre.

Il remarqua qu'à l'est le ciel virait au bleu lavande. Le soleil ne tarderait plus à se lever.

Skinner se pencha et examina l'homme à l'épaule ensanglantée. Il respirait fort mais régulièrement. Skinner déclara qu'il ne le connaissait pas.

— On l'appelle Lester. C'est un privé, fit Gillian spontanément.

— Sammy, écoute-moi, lui dit Skinner. Il y a un enfoiré doublé d'un malade, avec une main bandée, qui poursuit Honey. Il a un canot à moteur et se trimballe avec un canon scié. Tu l'as vu ?

Gillian allait lâcher quelque chose mais le Séminole la fit taire d'un œil noir.

— Sammy ? dit Skinner sans élever le ton.

— Non, j'ai vu personne qui ressemble à ça.

Sammy Queue de Tigre détesta mentir à Mr Skinner, mais il n'avait pas besoin d'un cadavre de plus dans sa vie.

— Dis-lui la vérité. T'as rien fait de mal, lui dit Gillian.

L'Indien la regarda, impuissant, s'envelopper dans la couverture et gagner en hâte l'autre côté du campement. Elle revint avec le fusil à canon scié pour le montrer à Perry Skinner.

— Sparadrap Man allait tirer sur Lester, alors Thlocko l'a cogné sur la tête.

— Tu l'as tué ? demanda Skinner.

Sammy Queue de Tigre haussa les épaules.

290

— Il avait l'air plutôt mort. Il puait la mort, aussi.

— Ça serait une merveilleuse nouvelle.

Skinner fut à deux doigts de sourire.

— J'avais pas prévu de taper aussi fort.

— On va s'en occuper, Sammy. T'inquiète pas.

— Votre femme se dirigeait vers où ? demanda le Séminole.

— Quelque part par ici. Et c'est mon « ex-femme », Sammy. Elle avait emmené des amis faire un tour en kayak.

— Combien ils étaient ?

— Un homme et une femme. Des Texans, répondit Skinner.

— Les kayaks, ils étaient rouge et jaune ?

— Oui. Je les ai retrouvés attachés dans les mangroves, pas loin d'ici.

Sammy Queue de Tigre fut enchanté d'apprendre qu'il aurait bientôt l'île pour lui tout seul.

— Je crois savoir où elle campe, Mr Skinner. Je suis désolé, mais je leur ai volé de l'eau et de la nourriture.

— Leurs bateaux, aussi, intervint Gillian.

— Je voulais que de l'eau, mais la bouffe était planquée dans le même sac, expliqua le Séminole.

— Faut que tu me conduises tout de suite là-bas, fit Perry Skinner.

— Pas de souci.

— Mais d'abord, faut que je retourne en vitesse chercher mon garçon. Je l'ai laissé dans les bois.

— On vous attend ici, promit Gillian.

Une fois Skinner parti, elle dit :

— Tu vas pas jouer au con avec ce mec.

Sammy Queue de Tigre fit signe que non.

— Ni avec sa nana.

Gillian se pencha en arrière et admira le ciel qui rougissait.

— Eh, voilà le soleil !

— Ouaip. Un nouveau jour au Paradis.

— Qu'est-ce qu'on va faire du fusil de chasse ?

291

— Balance-le, lui dit le Séminole.

En attendant le lever du soleil, Boyd Shreave chassait de la main un moustique qui vrombissait en solitaire autour de sa tête et de ses épaules. Comme il faisait trop froid pour les moustiques, Shreave craignait d'être harcelé par un spécimen particulièrement teigneux et dangereux.

Un peu plus tôt, Honey avait insisté pour lui lire à haute voix un livre de poche consacré aux insectes, de loin les créatures les plus meurtrières sur terre. Shreave savait que c'était vrai car il avait vu une émission là-dessus sur la chaîne Planète Animale. Des millions d'êtres humains mouraient d'atroces maladies véhi-culées par les moustiques, y compris la dengue, la malaria, la fièvre jaune, l'encéphalite de St. Louis et le virus du Nil occi-dental. Au fil des siècles, ces nuisibles ailés avaient causé la mort douloureuse de papes comme de paysans, ravagé de robustes armées.

Cependant, parmi approximativement 2 500 espèces connues, le minuscule cousin des marais salés de l'ouest des Everglades n'est porteur d'aucun agent pathogène, fatal pour l'homme. Le fait aurait mis Boyd Shreave aux anges, en eût-il eu conscience. En désespoir de cause, il continua à claquer au jugé son minus-cule tourmenteur qu'il n'arrivait pas à distinguer dans la lumière indécise de l'avant-aube, mais dont le faible zonzon railleur tra-hissait la sinistre présence. Toute cessation de ce bourdonnement l'énervait, car il signifiait que le moustique avait subrepticement atterri quelque part... sans doute sur une portion vulnérable de l'épiderme de Shreave. De temps à autre, il se surprenait à griffer des piqûres imaginaires pour en déloger de toxiques microbes non moins imaginaires.

Pendant que Shreave menait son duel forcené avec le préda-teur hypodermique, Honey Santana se lassa de le voir cingler l'air de façon clownesque ou se gratter follement comme un babouin atteint de psoriasis. Elle finit par faire un rouleau de son livre de poche et, d'une volée adroite, écrasa le moustique sur un bouton de la chemise à fleurs de Shreave. Il braqua une torche électrique sur la petite éclaboussure mortelle, dont la vision le réconforta jusqu'à ce qu'il se souvienne de la même émission de Planète Animale, où il avait appris que le sang de moustique n'était pas rouge. C'était son propre nectar qui avait giclé du cadavre en bouillie, cet enfoiré de pompeur de sang l'avait bel et bien pompé après tout.

— J'suis mort, gémit-il.

Honey éternua.

— Soyez pas si chochotte, lui dit-elle.

Ses allergies avaient fait des siennes toute la nuit. Elle éternua une nouvelle fois et dit : «À vos souhaits, ça vous écorcherait la bouche ? Vous avez été élevé par des loups comme Mowgli ou quoi ? »

D'une chiquenaude Shreave se débarrassa de l'insecte mort.

— Ces bestioles-là sont pas porteuses de la grippe aviaire, en plus ?

— Non, Boyd, c'est pas un oiseau.

— Et du VIH ?

— Et si vous preniez un Xanax ? fit Honey.

Shreave s'examinait avec inquiétude, quêtant des cloques révélatrices.

— Je pourrais bien crever ici grâce à ce petit salopard.

— Seules les femelles piquent, fit observer Honey.

Shreave releva la tête en faisant la grimace.

— Bon Dieu, y a quelque chose qui pue.

Honey ne sentait rien car son nez coulait. Elle se moucha tout sauf élégamment avec son T-shirt.

— On dirait du poisson, se plaignit Shreave. Ça sent comme un fossé plein de poisson crevé.

— C'est la marée basse, c'est tout.

Honey éternua encore une fois. Elle se leva et dit : «Allons-y, Boyd. »

Il la lorgna avec incertitude.

— Où ça ?

Elle lui montra un point vers le haut, la cime du poinciana royal.

— Et si je vous disais non ? lui fit-il.

— Laissez-moi deviner : les moineaux vous terrifient aussi ?

— Et si j'en avais simplement pas envie ?

— Eh bien alors, vous n'avez qu'à chercher tout seul votre chemin pour sortir de cette île, fit Honey.

Elle se mit à grimper au tronc noueux et sinueux.

Shreave la suivit à contrecœur et avec un manque d'agilité qui faisait quasi peine à voir. Ce type est un traîne-savates de naissance, songea Honey, encore une heureuse exception aux lois de la sélection naturelle. Il y a un million d'années de ça, il aurait servi facile de casse-croûte à un tigre à dents de sabre.

Elle l'entendit la héler en haletant :

— C'est encore haut où on va ?

— On monte jusqu'au sommet, Boyd. Autrement, ça n'a pas d'intérêt.

Au faîte du vieux poinciana, à douze mètres du sol, Honey choisit une branche robuste. Elle s'y assit face à l'est, ses longues jambes dans le vide, puis se laissa bercer en douceur par la brise. Elle avait l'impression de faire de la voile.

Boyd acheva l'escalade, tout rouge et la respiration sifflante.

— Je parie que j'ai chopé la fièvre. Je parie que cette saloperie de moustique était infecté.

Honey lui intima de se tenir tranquille et d'ouvrir grands les yeux.

Elle pensait à son fils, comme elle le faisait toujours à ce moment de la journée. C'était à l'aube qu'elle se sentait le plus en sécurité, le plus sûre d'elle, le plus optimiste quant au fait de lâcher dans le monde un garçon sérieux et au grand cœur comme Fry. À l'aube, ses terreurs intimes disparaissaient, même si ce n'était que brièvement, et l'espoir brillait, lui réchauffant le cœur. Si les infos du soir lui faisaient se demander si Dieu était mort, le soleil du matin lui laissait croire qu'Il ne l'était pas.

Alors que les premiers éclats de lumière apparaissaient, frangeant l'orée rosâtre des Everglades, Honey retint son souffle. À ses yeux, l'instant était infiniment apaisant et rédempteur ; Boyd Shreave, lui, paraissait n'en avoir nullement conscience.

— Le sol est super loin, marmonna-t-il en jetant un coup d'œil anxieux en dessous de lui.

— Chut, lui fit Honey.

Fry était né précisément au lever du soleil. La maternité avait fondu sur Honey comme un raz-de-marée. Rien par la suite ne fut plus pareil et toutes ses relations sans exception furent mises à l'épreuve… celles avec son mari, sa famille et le reste de l'humanité. La vie d'Honey avait sauté plusieurs orbites et, brillant au nouveau centre de son univers, il y avait son fils.

— Je meurs d'envie d'entendre vos plans pour nous sortir d'ici, fit Shreave de son accent texan traînassant.

La lumière se répandait dans le ciel sans nuages en une flaque aveuglante.

— Je vais aller trouver l'Indien et récupérer mes kayaks. Puis vous et moi, on retournera sur le continent et on se dira au revoir.

— Ah oui. L'Indien de Génie, fit Shreave avec un rire dur. Vous allez lui remonter les bretelles, hein ?

— Vous voulez bien la fermer ? Regardez ce que vous êtes en train de rater.

À l'instant où le soleil se détacha de l'horizon, il se mit à virer du rouge à l'ambre. Simultanément, le vent tomba et une tranquillité vivifiante s'installa sur l'île.

Le panorama du haut du poinciana était d'une sérénité intemporelle… au loin, une longue colonne d'aigrettes traversait les Glades, un escadron de pélicans blancs gravitait autour d'une baie voisine ; un couple de balbuzards planait tels des cerfs-volants au-dessus d'un chenal régi par les marées. C'était une image parfaite, d'un silence parfait.

Mais tout ça était gaspillé pour Boyd Shreave.

— Faut que j'aille chier, lança-t-il.

Honey bascula en avant en se prenant la tête dans les mains. Le bonhomme était inentamable, un fruit sec. Pour un tel demeuré, il ne pouvait y avoir ni éveil ni renaissance extatique. Il restait imperméable à la magie d'une aube sur les Everglades, à la vastitude et la quiétude du paysage aqueux. La Nature n'avait rien en réserve pour quelqu'un privé de la capacité d'émerveillement. Shreave était destiné à être pour toujours « amerveillé ».

Ça ne sert à rien, se dit Honey. L'arnaqueur bigophonique puant retournerait au Texas sans avoir changé d'un iota, plus insipide et plus égocentrique que jamais. Qu'un naze si dénué de charme ait pu attirer une femme et une petite amie était aussi déprimant qu'inexplicable. Une fois de plus, Honey mesura sa témérité et sa défaite, se sentant la reine des causes perdues.

— M'avez pas entendu ? aboya Shreave. Faut que je descende fissa et que je pose ma pêche.

Honey se redressa sur la branche et inspira le matin à pleins poumons. L'air frais et salé lui avait débouché les sinus.

— Très bien, Boyd, on y va.

— Qu'est-ce que vous vouliez me montrer ici en haut, d'abord ?

— Ça vous a échappé, j'en ai peur.

— Qu'est-ce qui m'a échappé ?

Honey résista héroïquement à l'envie de le balancer en bas de l'arbre.

— Venez, lui dit-elle, avant que vous fassiez sous vous.

À le voir descendre de façon précaire, pris de tremblote, Shreave avait tout d'un paresseux arthritique. Par deux fois, Honey le rattrapa quand il perdit prise, même s'il ne lui vint jamais à l'esprit de lui dire merci.

En atteignant la terre ferme, Shreave rafla son exemplaire du *Vampire de l'ouragan* dans le sac Orvis et s'enfonça prestement dans un bouquet de peupliers.

— N'oubliez pas de nettoyer vos saletés ! lui cria Honey.

Shreave fit une moue de dédain, baissa culotte et se mit à lire :

Pendant toute la durée du procès, je fis comme si j'étais la force tranquille même, mais mon cœur était en lambeaux. La vérité qui m'obsédait, c'était que je tenais encore à Van Bonneville, même s'il était un monstre. Quand vint le jour pour moi de passer à la barre, je me jurai de ne pas le regarder. Je me remémorai sans cesse que ce que Van avait fait à sa femme était mal, impardonnable, même si c'était pour moi qu'il l'avait fait. C'était un tueur de sang-froid et il méritait d'être bouclé sous les verrous.

Pendant la première heure environ, je me sentis bien. Le procureur me posa ses questions et j'y répondis franchement et rapidement, comme on m'avait entraînée à le faire. Mais le temps passant, tout s'est brouillé et ma voix s'est mise à avoir un débit monotone et des accents peu familiers, comme si une inconnue récitait mon témoignage à ma place. Bientôt mon regard s'égara vers la table de la défense... jusqu'à Van. Son bronzage si sexy avait pâli en prison et on l'avait affublé d'un méchant costume bleu dans lequel il entrait à peine. Il aurait pu en faire craquer les coutures rien qu'en pliant les bras !

Dans ses yeux, je m'attendais à lire de la haine ou du moins de la déception, mais je me trompais. Van me regardait comme il l'avait fait le matin de notre rencontre près du pamplemoussier, devant l'Elks Lodge ; comme il m'avait regardée, le même soir, dans la cabine de son pick-up, en déboutonnant mon chemisier Lilly Pulitzer. Plus je m'efforçais de chasser ces images de ma tête, plus elles devenaient d'une netteté excitante.

Je commis alors une erreur stupide. J'ai regardé ses mains, ces mains incroyables de force et d'expérience. On lui avait récuré les ongles pour le procès, mais les cicatrices étaient encore visibles... ces traces pâles et mystérieuses sur ses phalanges. Elles ne disparaîtraient jamais au lavage, pas plus que le souvenir merveilleux de la façon dont ses mains m'avaient touchée au cours des nuits que nous avions passées ensemble. En relevant la tête, je vis Van me sourire tendrement et je sus qu'il pensait à la même chose que moi. J'étais au bord des larmes, alors je me suis tournée rapidement vers le juge et lui ai demandé de suspendre l'audience...

Boyd Shreave déchira la page des mémoires d'Eugénie Fonda et, avec un ample geste de mépris, s'en torcha le cul.

Eût-il rassemblé son courage et mis Génie au pied du mur, elle lui aurait appris volontiers que le compte rendu best-seller de sa liaison avec l'infâme assassin de son épouse avait été ridiculement exagéré pour augmenter les ventes et que, d'autre part, Van Bonneville avait fourni une performance malhabile et totalement oubliable, la seule et unique fois où ils avaient fait l'amour. Nul de chez nul, comme d'habitude, Shreave avait cru — et en souffrait — à la véracité salace de la moindre phrase du bouquin.

— Boyd! lui cria Honey.

— J'ai pas fini!

— Boyd, vite!

— Fichez-moi la paix, bon Dieu.

— Je vous en prie! J'ai besoin de vous!

Puis elle poussa un cri.

Il sortit gauchement et laborieusement du couvert des arbres pour être aussitôt terrassé par une puanteur de poisson crevé. Sous le poinciana se tenait Honey, une corde sanglée serré autour du cou, la même, sans doute, dont elle s'était servie pour lui. Il allait lui balancer un truc vachard quand il remarqua qu'on bougeait derrière elle.

C'était un homme. L'extrémité de la corde, attachée autour de son torse, était maintenue par un nœud solide. L'une de ses mains était enveloppée de bandages sales tandis que l'autre brandissait une branche de gommier.

— Je peux t'aider, résidu de bidet? l'apostropha l'intrus.

C'était la même voix persifleuse qui s'était adressée à Shreave dans l'ombre, au cœur de la nuit.

— Boyd, au nom du Ciel, lui dit Honey. Faites quelque chose.

Shreave cilla. L'inconnu le scruta.

— C'est qui, cette couille molle, chérie?

Shreave, humilié, baissa les yeux vers ce qu'il lui restait de virilité ratatinée sous l'effet d'une peur bleue. Il était trop pétrifié pour remonter son froc.

— Boyd, il n'a pas de flingue ni même de couteau. Il n'a que ce gourdin à la con!

Honey grimaça quand le nouveau venu tordit la corde.

298

Elle disait vrai. Tout homme jeune et sain de corps n'avait aucune raison de rester à l'écart et de la laisser embarquer dans les bois par cette anomalie mouchetée de bave, tenant à peine debout. Ce type était, ça crevait les yeux, en piteux état. Sa figure enflée avait viré au verdâtre, ses yeux enfoncés étaient injectés de sang et il se mouvait avec raideur, comme tiraillé par la douleur. Pour afficher encore plus son état maladif, il rongeait, tel un écureuil affamé, la capsule d'un flacon de comprimés.

— Boyd, je vous en supplie, l'implora Honey. Pour une fois, dans votre vie.

— Qu… quoi ? fit Shreave, qui songea : « T'es assez coriace comme nana pour t'occuper de ce blaireau. » Qu'est-ce… que vous voulez que je fasse ?

— Mais allez-y ! Vous pesez vingt kilos de plus que lui, facile !

C'était une vérité indéniable. Tout ce qu'il avait à faire, c'était rembarrer le mec et Honey pourrait se libérer. Cependant, Shreave ne bougea pas.

Le prédateur à l'odeur infecte semblait fortement amusé par cette situation en impasse… Honey engueulant Boyd et ce dernier se tenant là à moitié à poil, la main en coquille devant ses parties.

— Tu paries pas sur le bon coq, fit Piejack à Honey. Allez, viens avec moi, mon ange. Y aura pas de mal à se faire du bien.

Avec un grand sourire en biais de ses dents maculées, il tira rudement sur la corde. Honey poussa un petit cri alors qu'on l'entraînait hors du campement et qu'on lui faisait gravir la pente du *midden* d'huîtres, tout ce qu'il y avait de laborieusement.

Quant à Boyd Silvester Shreave — bouche bée, l'œil éteint, le souffle court — il resta planté là, son bermuda Tommy Bahama bouchonné autour de ses chevilles piquées par les insectes, à faire ce qu'il faisait le mieux.

À savoir, absolument rien.

21

Pendant sa longue nuit passée dans la citerne, Louis Piejack s'était détérioré sur tous les plans. La saleté avait provoqué une éruption infectieuse qui, ajoutée aux épines de cactus de la joue au tibia, révélait chez lui une surprenante ressemblance dermatologique avec un poisson-lune. Dans le même temps, ses bandages chirurgicaux, totalement colonisés par des fourmis rouges, étaient devenus une fourmilière vivante à la terminaison de son bras gauche. Les moignons de doigts asymétriques de Piejack, qui s'étaient remplumés et avaient mûri jusqu'à une parodie d'olives grecques, dépassaient de la gaze en putréfaction. Un pot-pourri de stimuli extrêmement douloureux — picotements, irritations, élancements, brûlures et autres souffrances aiguës — avait beau être transmis en violentes giclées électriques au tronc cérébral de Piejack, le dérèglement de sa lubricité l'anesthésiait.

— Jackpot! Jackpot! pépiait-il à l'adresse d'Honey Santana tandis qu'il la conduisait, exultant, à travers l'île.

— Louis, vous me faites mal.

— Alors, t'as qu'à être sage.

— La corde m'entaille le cou.

— T'inquiète, mon ange. Dès que je t'aurai embrassée là, ça ira mieux.

— Mais qu'est-ce que vous voulez, à la fin? lui demanda Honey, comme si elle l'ignorait.

Le bonhomme avait l'air tout à fait mal en point et elle projetait de le maîtriser à la première occasion.

— À ton avis ?

Piejack agita le flacon de comprimés, coincé entre ses lèvres comme le mégot d'un cigare.

— Il y a des façons plus simples de coucher, Louis. Suffit d'appeler un Escort Service, bon Dieu.

Il eut un rictus.

— T'as déjà vu les nanas ? Grouik, grouik, grouik !

— Vraiment, dit Honey. C'est quand la dernière fois qu'on vous a confondu avec Sean Connery ?

— Qui ça ?

— Vous savez bien. Le premier James Bond.

Piejack grogna.

— Alors comme ça, tu me charries.

— Non, j'établis un fait. Réfléchissez à ce que vous êtes en train de faire, Louis. Si vous me violez, on vous mettra en taule pour vingt ans.

— Qui te dit que ça va être un viol ?

— Moi, je vous le dis.

Honey tira sur la corde, le stoppant net dans son élan.

Piejack pivota sur lui-même.

— Bon, et comment ça se fait que ça doive être comme ça ? Pourquoi ?

Il avait l'œil qui frisait.

— Je sais que t'as envie de moi... sinon pourquoi tu serais passée chez moi ? Alors, pourquoi pas te laisser aller et basta ?

Honey mourait d'envie de lui balancer : parce que t'es rien qu'un gros tas répugnant, Louis, et que j'aimerais mieux crever que de te laisser me toucher...

Mais comme Piejack trimballait toujours la branche de gommier, la réponse d'Honey fut la suivante :

— Parce que je couche jamais avec les hommes qui me traitent comme ça, voilà pourquoi.

— Qui te traitent comment ?

— Comme un chien, Louis. Vous me traînez comme un chien de chasse au bout de sa laisse. C'est supposé me mettre d'humeur romantique ?

Piejack grinça des dents.

— T'es juste en train d'essayer de me baratiner pour que je retire la corde. Tiens — il cracha le flacon pharmaceutique à ses pieds —, tu veux pas me dévisser cette saloperie ?

Honey le ramassa, jeta un coup d'œil sur l'étiquette et l'ouvrit.

— Combien ? lui demanda-t-elle.

— Trois, ça serait sympa. Quatre, ça serait délectable.

Elle fit tomber les Vicodine dans sa paume en tapant le flacon.

— Où les voulez-vous ?

Piejack écarta les mâchoires et déplia sa langue, qui avait tout d'une limace de mer brunâtre, des plus scabreuses.

— Rentrez-moi cette vilaine chose que je ne saurais voir, lui enjoignit Honey. Ouvrez grand.

Comme c'était à prévoir, il lui léchouilla les doigts quand elle fit tomber les comprimés dans sa bouche. Mais elle fut plus rapide que lui.

Il avala à sec les antidouleur.

— Il m'en reste combien ?

— Rien qu'un, Louis.

— C'est bon. Le type de mon drugstore me doit un réapprovisionnement.

— Donc, on rentre bientôt à la maison ? demanda Honey.

— Oui, m'dame. Le canot doit plus être très loin.

— On peut faire suivre mes kayaks ?

Ne désirant pas abandonner ses coûteux achats, Honey n'eut aucun scrupule à demander à Piejack de les remorquer. Elle se disait que c'était le moins qu'il puisse faire après l'avoir enlevée.

— Je vois pas pourquoi on pourrait pas, lui dit-il, reprenant sa marche. Mais n'oublie pas, une bonne action en mérite une

302

encore meilleure. Ce qui veut dire qu'il va falloir que tu m'aboules ton frifri, mon ange.

L'opinion d'Honey sur la gent masculine sombrait à un point de répulsion abjecte. Le jour débutait à peine, pourtant elle avait déjà été ridiculisée par un débile sans âme et kidnappée par un pervers qui empestait.

— Tu pourrais même aimer ça, dit Louis Piejack en lui clignant de l'œil par-dessus son épaule. J'ai jamais eu de plaintes côté chambre à coucher.

Honey ne put y tenir plus longtemps.

— Vous savez quoi ? J'ai besoin d'une pause pipi.

Piejack s'arrêta.

— Bon, mais presse-toi, lui dit-il.

— Ici... sous vos yeux ? J'peux pas, Louis.

— O.K., je te materai pas. Mais je détache pas la corde, merde.

À peine s'était-il détourné qu'Honey fit semblant de dézipper son pantalon. Après s'être accroupie de façon crédible, elle se mit à explorer le sol à la recherche de quelque chose de pointu, de lourd ou bien les deux.

— J'entends que couic, grommela Piejack, soupçonneux.

— C'est dur de faire ça, lui dit Honey, avec vous qui êtes là à tendre l'oreille. Donnez-moi une minute.

Elle découvrit un gros fragment de corail de la taille d'une mangue ; le poids était idéal. L'agrippant de la main droite, elle se releva lentement et visa la nuque pleine de croûtes de Piejack.

— T'as menti, disait-il. T'avais pas vraiment besoin d'y aller.

— Louis, vous pouvez la fermer que je réussisse à me concentrer.

— Te concentrer sur quoi ? C'est pas une partie d'échecs, mon ange, s'agit juste de pisser dans les bois.

Honey Santana souleva le morceau de corail pour le frapper, mais Piejack s'était déjà retourné à demi, en brandissant la branche de gommier comme un bout-dehors. Le coup atterrit pile sur le côté gauche de la tête d'Honey et elle entendit un os

303

se briser. Alors le soleil explosa en un million de gouttelettes enflammées.

Comme des flamants roses, songea Honey en tombant.

Revenant chez eux à tire-d'aile.

Fry n'avait pas douté qu'il pourrait localiser sans mal la clairière où son père lui avait dit d'attendre. Mais la topographie de l'île paraissait différente à la lumière du matin. Après avoir erré vingt minutes en rond, il admit qu'il s'était perdu.

— Faisons une interruption, lui dit Eugénie Fonda, dont les dons d'orientation étaient mieux adaptés à la ville.

Fry posa la valise caméra métallique et s'appuya contre un sycomore.

— J'pète pas la forme.

Quand il narra à Eugénie l'accident de skateboard, elle lui dit :

— Ton père aurait dû te laisser à l'hosto.

— On était inquiets pour maman.

— Je l'ai vue en action, petit. Elle se débrouille très bien toute seule.

— C'est quoi ce truc brillant que vous avez dans la bouche ? lui demanda Fry.

Eugénie sourit, un peu mal à l'aise. Jamais encore un garçon de cet âge ne lui avait posé la question.

— Une perle, répondit-elle.

— Une vraie ?

— Oui, m'sieur.

— Je peux voir ?

Elle tira la langue de façon guindée et clinique, pour ne pas donner d'idées folles au gamin. Fry ajusta son casque de football afin de mieux voir.

— Sympa.

Il se pencha plus près.

— Ça fait mal quand on perce le trou ?

— Un mal de chien, fit-elle.

304

— Y a une fille de quatrième, elle a une épingle de nourrice en or dans le nez, un écrou en platine à l'arcade sourcilière et un boulon dans l'oreille droite. On l'appelle « Boîte à Outils ».

— Ce que vous pouvez être mauvais, vous les mômes, fit Génie.

— J'aime bien votre perle.

— Merci, Fry, mais je crois que j'en ai ma claque.

Elle détacha le piercing, l'essuya sur le devant de son pull-over et le laissa tomber dans la paume de Fry.

— M'dame, j'peux vraiment pas accepter ça, protesta-t-il. Pas question.

Génie referma les doigts du garçon sur la perle en disant :

— Ce sera pour quand tu rencontreras la fille qui comptera. Mais d'abord, il faut que tu me fasses une promesse solennelle.

— Quel genre ?

— Ne change jamais. Je veux dire ne deviens pas en grandissant un salaud, genre quatre-vingt-dix pour cent des hommes que je rencontre.

— Maman n'arrête pas de me dire la même chose. Sauf que d'après elle, ça dépasse les quatre-vingt-quinze pour cent.

— Le meilleur conseil que je puisse te donner, c'est reste un gentleman et tu ne seras jamais seul. Ne mens pas, ne raconte pas de conneries, ne baise pas à droite et à gauche... mon Dieu, j'y crois pas, me voilà qui parle de « baiser à droite et à gauche » à un garçon de quatorze ans ! Excuse-moi.

Fry éclata de rire.

— J'en aurai treize en juin.

Génie porta deux doigts à sa tempe et fit mine de tirer.

— Pas de souci, lui dit-il. J'en entends de pires tous les jours à l'école.

— Maintenant tu me déprimes. Avançons.

Fry empocha la perle. Eugénie lui dit que c'était son tour de faire le groom et tendit la main vers l'Halliburton. Ils marchaient à peine depuis quelques minutes quand le garçon se mit à traîner la patte. Eugénie revint en arrière et noua son bras libre au sien.

— Mon père va avoir les super boules, fit-il, abattu.

— T'auras qu'à lui dire que c'est ma faute si t'as bougé. Tu as couru au secours d'une demoiselle en détresse… qu'est-ce qui va pas, mon chou ?

— Chais pas, tout à coup j'ai l'impression d'être dans une grotte.

Fry cilla et se mit à osciller.

— J'ai de nouveau vachement froid, dit-il.

Génie lâcha la valise métallique, tenta de le rattraper mais il tombait déjà. Sa tête frappa le sol la première, le casque rendant un *chtonk* creux en rebondissant contre le tronc d'un figuier étrangleur.

— Ah mon Dieu, non, murmura Eugénie.

S'accroupissant à ses côtés, elle lui souleva la tête qu'elle posa sur ses genoux. Ses yeux étaient devenus blancs, sa peau moite avait viré au gris cendre. Le pouls, pris à son cou, avait l'air de battre faiblement et un filet bordeaux coulait de la morsure de sa lèvre sur son menton. Génie berçait le garçon, le suppliant à voix basse de reprendre connaissance et maudissant le jour où elle avait connu Boyd Shreave.

— Parlons de ce qui s'est passé, fit Gillian. Sur le plan sexuel, je veux dire.

— On en a déjà parlé, fit Sammy Queue de Tigre. On a pas arrêté, pendant que ça se passait.

— Mais tu m'as jamais dit ce que t'en pensais. Est-ce que je vaux le dérangement ou pas ?

Elle glissa les pieds dans ses tongs.

— Ma sœur se tape genre vingt petits copains par an. Je préfère me taire.

L'Indien eut à nouveau envie de l'embrasser, ce qui était troublant. Il était censé ne plus en être là, c'était le plan. Il ôta une brindille de laurier des cheveux de Gillian en lui disant : « C'était vraiment sympa. »

Gillian lui tapa sur le bras.

— *Sympa ?*

— Merveilleux, fit-il. Merveilleux, je voulais dire.

— C'est ça. *Vunderbar*, comme disait Ethan.

Elle était fumasse.

— T'es un poète, Thlocko, y a pas à dire, merde.

Sammy Queue de Tigre tenta de l'entourer de ses bras mais elle lui échappa d'une pirouette. Il ouvrit son sac de toile pour chercher des vêtements chauds. Non loin d'eux, le visage pâle blessé par le fusil de chasse émettait un drôle de son flûté par le nez.

Gillian bataillait avec les ficelles du haut de son bikini.

— Tu sais quel est mon problème ? Je veux que tout soit parfait, tu vois, comme à la fin d'un film. J'ai toujours envie que ces sacrés dauphins se sauvent à la nage. J'ai toujours envie de chanter comme Jewel quand je joue de la six cordes. Et j'ai toujours envie que les mecs tombent fous amoureux de moi après la première nuit.

L'Indien lui tendit un sweat-shirt et un bas de jogging en polaire.

— Ça commence à cailler, lui dit-il.

— Mater mes lolos, c'est interdit.

— Tu te ferais chier à mort à vivre ici avec moi. En plus, t'es allergique aux moustiques… à ce que tu m'as dit.

— Je coûte pas cher à entretenir, vu ? dit Gillian. Ma sœur, oui. Ma mère, les yeux de la tête. Comparée à elles deux, c'est de la gnognotte avec moi.

Elle se laissa choir près de lui et remonta les revers de son jogging.

— Ouais, je sais que je l'ouvre quand je devrais pas. Mais je bosse là-dessus.

Sammy Queue de Tigre ne savait trop quelle conduite adopter si elle refusait de quitter l'île le lendemain. Il n'était même pas sûr d'avoir encore envie qu'elle s'en aille.

Il lui donna un petit baiser en ajoutant :

— À dire vrai, c'était mieux que merveilleux.

307

— Je le pensais aussi. Tu veux qu'on remette ça ?

— Mr Skinner et son garçon ne vont pas tarder.

Gillian fit une moue bidon.

— Méchant, lui dit-elle.

— De toute façon, ton pote Lester va se réveiller d'une minute à l'autre.

Elle fit claquer sa langue et affecta l'accent comme il faut d'une maîtresse d'école anglaise.

— *My goodness*, loin de nous l'idée d'offusquer lord Lester.

Comme par hasard, le susnommé s'ébroua et renifla dans son sommeil.

— Il y a quelque chose que je ne t'ai pas dit, fit Sammy Queue de Tigre. Je ne suis qu'à moitié séminole.

Gillian sourit diaboliquement.

— Je parie que je sais laquelle.

— Je suis sérieux. Mon père était de race blanche.

Elle fit mine de l'examiner des pieds à la tête.

— Au hasard... est-ce qu'il avait des yeux bleus fantastiques ?

Sammy Queue de Tigre se surprit à lui parler de son enfance dans la banlieue pavillonnaire de Broward County ; à lui raconter comment il avait gagné la réserve de Big Cypress et recommencé sa vie de zéro.

— Ça, c'est dément ce que c'est cool, dit Gillian.

— Il y avait des jours où c'était galère.

— Mais t'as tenu bon !

— Jusqu'ici, fit-il.

Elle allongea sa main vers la sienne.

— Thlocko, moi aussi, j'ai un petit aveu à te faire. Je t'ai menti en disant que j'coûtais pas cher à entretenir.

L'Indien éclata de rire. Sans pouvoir s'arrêter.

Puis tout à coup, il l'embrassa encore une fois.

Jusqu'à ce que, reprenant profondément son souffle, elle lui dise :

308

— T'as sans doute raison. Je tiendrais pas longtemps le coup, ici dans la cambrousse.

— T'as envie d'essayer ?

Il fut stupéfait de s'entendre poser cette question.

— Mon Dieu, fit-elle, je suis déjà en manque d'un Starbucks. C'est pas lamentable ? Et aussi de *doughnuts* Krispy Kreme.

— Les préférés de mon père, fit Sammy Queue de Tigre. Tous les dimanches matin, on s'en mangeait une dizaine, rien qu'à nous deux.

— Arrête, tu veux ! Je pourrais m'en bâfrer toute une boîte de ces petites saletés.

— Écoute, Gillian, fit-il. Si tu veux rester et tenter le coup, je suis pas contre.

Elle porta la main de Sammy à ses lèvres.

— C'est le truc le plus romantique que quelqu'un m'ait jamais dit… en anglais du moins. Mais faut que j'y réfléchisse, d'ac ?

— Prends ton temps.

— Et en attendant, Grand Chef Thlocko, laisse-moi te montrer ce que mon peuple appelle « un coup vite fait ».

Sammy Queue de Tigre s'accroupit.

— Chhht. Quelqu'un approche.

Perry Skinner n'était pas enclin à paniquer… pas après les nombreuses situations limites auxquelles il avait survécu à l'époque où il faisait du trafic de dope. Il s'était entraîné à garder son calme car ceux qui perdaient les pédales prenaient d'habitude de bien pauvres décisions, susceptibles de modifier définitivement leur vie.

Fry avait disparu, mais il n'y avait aucune raison de penser que quelque chose de terrible lui était arrivé, ce qui aurait été la supposition automatique de sa mère. Le gamin était un démerdard ; il ne ferait rien d'idiot. Il avait sans doute commencé à se sentir mieux et décidé qu'il pourrait rejoindre Skinner par ses propres moyens.

Après avoir fouillé les bois autour de la clairière, Skinner regagna au trot le campement de Sammy Queue de Tigre, espérant y trouver Fry qui l'attendait. Le Séminole et sa petite amie avaient entendu les pas de Skinner et s'étaient cachés derrière des lauriers.

En voyant qui c'était, ils se montrèrent en agitant la main. Fry n'était pas avec eux.

— Je vais vous aider à le chercher, Mr Skinner. L'île n'est pas si grande que ça, proposa Sammy Queue de Tigre.

— Peut-être qu'il a retrouvé sa maman, fit Gillian.

L'idée en était venue aussi à Perry Skinner. C'était à espérer.

— Je vais rester ici avec Lester, au cas où ils rappliqueraient. Vous, allez-y, les mecs, les pressa Gillian. Et prenez de la nourriture... si vous les trouvez, ils seront affamés.

Skinner et l'Indien n'allèrent pas bien loin avant d'entendre l'hélicoptère. Il quadrillait un périmètre de recherche, aller-retour. D'après Sammy Queue de Tigre, ce devait être celui des rangers du parc des Everglades.

— On n'est pas dans le parc, fit Skinner. Mais sur Dismal Key.

Au niveau sonore des turbines, il pouvait dire que c'était les garde-côtes.

Le Séminole, affolé, se planqua dans les buissons.

— C'est moi qu'ils recherchent, Mr Skinner.

— Pourquoi ? Qu'est-ce que tu as fait ?

— Un visage pâle est mort sur mon hydroglisseur et j'ai immergé son corps.

— Tu l'as tué, Sammy ?

— Non, mais on me croira jamais, fit-il en secouant la tête. Comme on croira pas non plus que j'avais pas l'intention de descendre Lester.

Skinner eut le sentiment que l'Indien pourrait bien avoir raison : les flics l'arrêteraient.

— J'peux pas aller en prison, Mr Skinner. C'est ce qu'ils ont fait à Queue de Tigre et aux autres chefs.

— D'accord, Sammy.

Ils revinrent en vitesse au campement où ils trouvèrent Gillian,

310

prête à faire signe à l'hélico avec le T-shirt des Allman Brothers *Eat a Peach* qui avait appartenu au père de Sammy Queue de Tigre. Le Séminole arracha la relique chérie des mains de l'étudiante en lui ordonnant de se baisser. Même s'ils n'apercevaient pas encore l'hélicoptère, à l'entendre, il était tout proche.

— Mais c'est celui de Lester ! s'exclama Gillian. Tu te rappelles ? Il a téléphoné à quelqu'un d'envoyer le chercher.

Le bruit du moteur réveilla Dealey qui s'assit tant bien que mal.

— Enfin, fit-il la voix pâteuse. Quelqu'un vient à mon aide.

Sammy Queue de Tigre lui dit d'oublier ça.

— On ne peut atterrir nulle part sur cette île.

Perry Skinner avait beau être impatient de partir à la recherche de Fry et d'Honey, il savait quelle était la priorité : l'homme blessé d'une balle avait besoin d'un médecin. Ce serait mauvais pour tout le monde si l'état de Lester empirait et s'il mourait sur Dismal Key.

— Attrape-lui les jambes, fit Skinner à l'Indien. Je vais le prendre par l'autre bout.

— Allez-y doucement, fit Gillian.

Skinner désigna une coûteuse valise Halliburton. C'était la même marque qu'il utilisait pour le transport de liquide au bon vieux temps ; résistante et imperméable.

— Elle est à vous ? demanda-t-il à Dealey.

— Ouais, mais où est l'autre ?

Gillian s'empara de la valise de voyage. Le Séminole saisit Dealey par les chevilles tandis que Skinner soulevait le détective privé par-derrière, ceignant son torse nu de ses bras, genre manœuvre de Heimlich.

— Nom de Dieu, ce que ça fait mal ! s'exclama Dealey.

— Bouclez-la. Vous rentrez chez vous, lui dit Skinner.

Ils le transportèrent le long du cours d'eau jusqu'à l'endroit où les kayaks étaient attachés et, avec peine, ils l'installèrent dans le rouge. Gillian lui cala l'Halliburton entre les genoux.

Dealey était incapable de pagayer à cause du trou que lui

avait fait le fusil de chasse dans l'épaule. Skinner improvisa à la hâte une ancre à partir d'un vieux parpaing et y attacha la corde utilisée pour amarrer les kayaks d'Honey. Il conseilla à Dealey de pousser le gros bloc de béton par-dessus bord, une fois au milieu du courant ; ça maintiendrait la légère embarcation à flot et la rendrait plus facile à repérer d'en haut.

Skinner fit pivoter le kayak rouge et dirigea la proue vers le large. Gillian fit de grands gestes en chantonnant à pleine voix « Bye, Lester », mais cet au revoir fut noyé dans le rugissement de l'hélico qui approchait. Après avoir compté jusqu'à trois, Skinner et Sammy Queue de Tigre, d'une vigoureuse poussée, firent glisser Dealey hors des mangroves.

La marée s'empara du kayak et l'entraîna vers le golfe. Dealey fit basculer maladroitement le parpaing par-dessus bord, le filin se tendit et le bateau tourna sur lui-même pour mieux s'immobiliser à mi-cours d'eau. Depuis la rive, Gillian applaudit et poussa des sifflets.

Une grande ombre apparut, voltigea sur les vagues tel un insecte aquatique. Perry Skinner, levant la tête, aperçut l'éclair orange qui zébrait officiellement la flotte de recherche aérienne des garde-côtes. Il rameuta Gillian et le Séminole à l'abri de la ligne d'arbres alors que l'hélicoptère plongeait en décrivant des cercles. Consternés, ils observèrent Dealey tenter de se tenir debout dans le kayak, dans le but sans doute de lancer un SOS. Il était en tout point aussi gracieux qu'un morse sur une planche de surf.

Sous le poids volumineux et les acrobaties de Dealey le bateau donna de la bande de façon inquiétante, creusant du nez dans le courant.

— Regardez-moi cet imbécile, fit Sammy Queue de Tigre.

Skinner était furieux.

— Pose ton gros cul ! hurla-t-il au dénommé Lester, qui n'y prêta pas attention.

Gillian hoqueta, le souffle coupé.

— Bordel de merde, il est en train de couler !

L'Indien retira ses chaussures.

— J'y vais, fit-il.

Skinner lui dit non.

— On risque de te boucler, Sammy. Laisse-moi faire.

Tout en songeant : *J'ai vraiment pas de temps pour ces absurdités.*

Le kayak chavira en ridant à peine la surface de l'eau. Dealey n'y tomba pas, il y roula plutôt. Revigoré par la terreur et l'afflux d'eau froide, il battit des bras jusqu'à ce que, du seul valide, il trouve prise sur la coque renversée, qui restait ancrée dans le chenal.

— Pauvre vieux Lester, fit Gillian en retirant les vêtements que Sammy Queue de Tigre lui avait passés.

Le Séminole la regarda faire, muet d'étonnement.

— T'inquiète, lui dit-elle, une fois en slip résille. Je faisais partie de l'équipe de natation, tu te rappelles ? Ajouté à ça, j'ai joué *Alerte à Malibu* en live, tout un été, sur les plages de Destin. Je me faisais genre huit dollars cinquante de l'heure, mais fallait se payer son écran solaire.

Elle fourra les vêtements dans les bras de Sammy Queue de Tigre, l'embrassa sauvagement sur la bouche.

— Bye, Thlocko. T'es le meilleur, mon salaud.

— Fais pas ça !

— Écris une chanson sur moi plus tard, lui dit-elle. Quand tu seras devenu une rock star.

Là-dessus, elle s'en alla, surgissant des mangroves dans un panache d'éclaboussures et gagnant le cours d'eau rapide.

L'Indien allait la suivre mais Perry Skinner le retint par la ceinture. Skinner lui désigna l'hélicoptère dans le ciel, qui descendait déjà une nacelle de secours au-dessus du kayak renversé. Un plongeur des garde-côtes en combinaison se tenait en équilibre sur l'un des patins de l'appareil.

— Tu crois que ces mecs-là vont laisser une jolie fille se noyer ? fit Skinner. Celui qui a du mouron à se faire, c'est Lester. Il aura du pot si on lui garde une serviette.

Sammy Queue de Tigre regarda Gillian fendre à la brasse les remous dus au souffle du rotor puis s'accrocher au visage pâle, ballotté de-ci de-là.

— C'est une bonne nageuse, c'est sûr, fit le Séminole. Et jolie, vous l'avez dit.

— Réserve ça pour une carte de Saint-Valentin. Pour l'instant, j'ai besoin que tu m'aides à trouver mon fils et ma femme.

— Votre ex, vous voulez dire.

— C'est ce que j'ai dit.

— Mais oui, Mr Skinner.

Sammy Queue de Tigre se baissa pour remettre ses chaussures.

À son réveil, Fry se sentait encore faible mais ses étourdissements avaient disparu. Sa lèvre du bas lui piquait là où il se l'était mordue en tombant.

Eugénie Fonda était aux anges que le garçon ne lui ait pas claqué entre les pattes. Elle lui plaqua un baiser sur le front en lui disant : « Tu as eu une commotion cérébrale, petit. On va rester ici jusqu'à ce que ton papa nous retrouve. »

Fry ne discuta pas. Il n'avait plus la force de mettre un pied devant l'autre. Le soleil sur ses jambes lui faisait du bien ; être couché sur les genoux d'Eugénie, aussi. N'eût été le casque de footballeur, il aurait baigné dans la chaleur de ses seins exceptionnels. Il tâcha de ne pas s'appesantir là-dessus.

— Eh, regardez un peu les caméléons, fit-il.

Ils étaient deux, brillants comme des émeraudes, à se partager une branche du figuier étrangleur. L'un des reptiles dilata son fanon couleur de vin rouge et se mit à monter-descendre son corps poids plume, comme s'il faisait des pompes.

— C'est le mâle, expliqua Fry. Il frime.

— Tu m'en diras tant, fit Eugénie.

Elle ouvrit l'Halliburton et en retira le caméscope. Après avoir rembobiné la bande, elle appuya sur la touche *play*. La petite amie du Séminole apparut sur l'écran de contrôle, auditionnant avec le fusil de chasse en guise d'accessoire.

Bonjour, ici Gillian Sainte Croix, je vais tout vous dire sur le temps qu'il va faire! Une tempête hivernale a traversé de son grondement les Rocheuses la nuit dernière et largué de la neige du Montana au Nouveau-Mexique. Les stations de ski de Vail, Colorado, annoncent un mètre cinquante de poudreuse fraîche et on parle d'une couche encore plus épaisse à Aspen et Telluride. Au même moment, là-bas, tout là-bas, sous le soleil de la Floride du Sud, on s'attend dans la journée à ce que la température frôle les 20-22 degrés vers midi. Ce sont des conditions idéales pour être retenue en otage par un Indien d'Amérique super beau mec sur une île tropicale déserte. Et je vous parle d'une vraie sex machine aux yeux bleus...

Eugénie Fonda s'empressa d'arrêter la bande.

— C'était qui, ça? demanda Fry.

— Rien qu'une fille qui se monte la tête.

Eugénie rembobina la cassette et activa la touche enregistrement.

— Où ils sont ces lézards?

Elle braqua la caméra vers le figuier.

— Un peu plus haut.

Fry se dévissa le cou pour lui montrer.

— Ils sont mimis tout plein, ces petits couillons, pas vrai?

— Oui, m'dame.

Le garçon eut mal à la nuque, aussi se tourna-t-il dans l'autre sens.

— Et ils se montrent vraiment beaucoup d'affection.

Génie enclencha le zoom.

— Vous avez des enfants? lui demanda Fry.

Elle songea: l'une des rares erreurs que j'ai évité de faire.

— J'ai jamais assez grandi pour être maman. C'est un boulot sérieux, dit-elle.

— Nân, vous pourriez.

— Je me demandais... les lézards, ils font du bruit?

— Les geckos, ouais. Pas les caméléons, répondit-il.

— Dommage.

Génie tripotait le point.

— C'est quel genre, votre travail ? demanda le garçon.

Elle pouffa à froid.

— Je vends une quantité incroyable de saloperies aux gens par téléphone. Mais autrefois, j'ai publié un livre.

— Sympa.

— Le véridique récit totalement bidonné d'une histoire d'amour condamnée d'avance, dit-elle, mais sois pas trop impressionné. J'en ai pas écrit un seul mot.

— C'était quoi le titre de ce bouquin ?

— Laisse tomber, fit Génie. Il n'est pas dans la bibliothèque de ton école, ça, je te le promets. Les caméléons, c'est pas ceux qu'ont de gros yeux dingos et une langue super longue ? Comme ce mec du groupe Kiss ?

— Ça, ce sont les caméléons du Vieux Continent. L'espèce qu'on trouve ici, dans les Everglades, s'appelle l'anole américain.

Eugénie se régalait ; ce gosse était une véritable encyclopédie.

— Peut-être, fit-elle, que je pourrai vendre cette cassette au *National Geographic*. Tu pourrais m'aider pour le scénario.

Fry pencha la tête, à l'écoute.

— Il vaudrait mieux remballer, fit-il.

— Dans une minute.

Il se redressa.

— Vous entendez ça ? C'est un hélico !

— Comment tu peux le dire, de si loin ?

Le garçon leva un bras pour faire écran au soleil.

— Il se dirige vers nous.

Eugénie arrêta le caméscope. Le fils d'Honey avait raison… au bruit, c'était un hélicoptère, pas un avion. Elle se rappela que le dénommé Lester s'était vanté de s'être secrètement arrangé pour quitter l'île ; elle l'avait peut-être sous-estimé. Même si le jeune Séminole de Gillian avait promis de lui fournir un bateau et une carte pour retourner sur le continent, voyager par la voie des airs souriait beaucoup plus à Génie.

— Je dois te demander quelque chose d'important, fit-elle à

Fry. Disons que je trouve un moyen de m'en aller d'ici… ça ira pour toi jusqu'au retour de ton père ?

L'hélicoptère passa avec un *woush* au-dessus de la cime des arbres.

— Les garde-côtes. Ils tournent en rond.

Fry tendit le cou pour voir mieux.

— Allez-y. Je me débrouillerai très bien, fit-il.

Génie aida le garçon à se remettre sur ses pieds.

— Et si toi et moi, on partait ensemble ? On enverra quelqu'un d'autre ici pour retrouver tes parents, c'est sûr.

— Non, m'dame, vous, allez-y.

Elle rangea en vitesse le matériel vidéo.

— Tu me promets d'attendre ton père ici ? T'en va pas jouer au macho débile typique et te perdre dans les bois.

— Promis.

— Eh, je sais que tu es un vrai champion. J'ai vu toutes tes coupes d'athlétisme chez ta mère.

— J'irai nulle part. Je me sens trop mal fichu.

Génie se protégea les yeux, pivota sur un talon en suivant le bourdonnement de l'hélico.

— Comment il va atterrir avec tous ces arbres, merde ?

— Il n'atterrira pas. Faut que vous alliez sur l'eau, sinon on vous verra pas, lui indiqua Fry. Faites comme ça : les kayaks sont planqués dans les mangroves. Papa et moi, on les a trouvés hier soir.

Elle serra le garçon contre elle et tapota le côté de son casque.

— Si tu avais dix ans de plus, bonhomme, tu serais très mal barré avec moi.

Fry se tortilla pour se libérer en disant : « Vaudrait mieux faire vite. »

Eugénie Fonda ramassa la valise caméra et déguerpit. Elle éclata de rire quand elle entendit Fry lui crier : « Attendez ! Vous êtes sûre de pas vouloir reprendre votre perle ? »

Impayable, songea-t-elle. Un sur un million.

Peu avant l'aurore, la station des garde-côtes de Fort Myers Beach avait reçu un appel de Fort Worth, Texas. Une femme répondant au nom de Lily Shreave signala qu'un de ses cousins dénommé Dealey l'avait contactée par téléphone portable : d'après ses dires, il était échoué sans vivres sur une île inconnue, située près de la ville d'Everglades City. La femme ajouta que son cousin était un photographe animalier bien connu, bossant sur un reportage consacré aux pélicans orphelins, qui souffrait d'une affection rare du nom d'aphenphosmphobie, dont le subalterne qui prit l'appel n'avait jamais entendu parler et qu'il n'essaya même pas d'orthographier. Mrs Shreave poursuivit en disant que son cousin avait un besoin urgent de son médicament anti-aphenphosmphobique, qu'il avait oublié sur le siège avant d'un véhicule de location garé à son motel.

Quand ledit subalterne chercha à savoir comment Mr Dealey s'était retrouvé naufragé, sa cousine répondit qu'il était tombé en syncope dans son petit bateau alors qu'il photographiait une colonie de freux et que la batterie de son portable était morte pendant son appel, si bien qu'elle n'avait pas davantage de renseignements pour aider à le localiser avec précision. Elle fournit un signalement détaillé du disparu : cinquante-sept ans, yeux marron, début de calvitie, un mètre soixante-quinze, cent cinq kilos. Mrs Shreave ajouta qu'il portait un costume Brooks Brothers gris ardoise. Quand le garde-côte lui fit remarquer qu'un tel accoutrement semblait étrange pour une excursion dans les Dix Mille Îles, Mrs Shreave expliqua que son cousin, comme de nombreux artistes, était un excentrique.

À sept heures du matin, un hélicoptère HH60 Jayhawk décolla, avec à son bord une équipe de sauveteurs, puis se dirigea vers le sud en suivant la côte, survola directement Naples, Marco Island, puis les hauts-fonds du cap Romano. L'hélico obliqua légèrement vers le continent et réduisit son altitude avant de faire une boucle autour du village de pêcheurs de Chokoloskee. Le pilote effectua alors un virage sur l'aile en direction de l'ouest afin de placer le soleil levant derrière les guetteurs qui allaient fouiller la verte tapisserie des mangroves et autres hammocks à la recherche de Mr Dealey. La matinée était limpide et la visibilité parfaite.

Lily Shreave roulait son tapis de yoga quand un enseigne des garde-côtes l'appela avec de bonnes nouvelles. Son « cousin » avait été repêché vivant dans un cours d'eau, près d'une île inhabitée du nom de Dismal Key, à l'extérieur, à quelques kilomètres près, des limites du parc national des Everglades. Deux femmes avaient été secourues en même temps que lui, portant les noms de Gillian Sainte Croix et Jean Leigh Hill. Elles avaient déclaré que leurs occupations respectives étaient personnalité-météo de télévision et vidéaste free lance.

Mrs Shreave dit qu'elle ne voyait pas du tout de qui il s'agissait.

22

À peine Boyd Shreave entendit-il l'hélicoptère qu'il entreprit d'escalader le vieux poinciana. Sans l'aide d'Honey, il ne put atteindre le faîte, tout en montant assez haut pour considérer que c'était là l'exploit de toute une vie.

Petit garçon, Boyd avait évité de grimper aux arbres, handicapé qu'il était par une musculature flasque et une répugnance au moindre effort. À présent, confortablement lové à la fourche de trois branches, il avait l'impression de vivre un épisode de *Survivor*, son émission de téléréalité préférée. Chaque saison, on débarque une cuvée de juvéniles concurrents dans quelque recoin tropical isolé pour mieux les soumettre à une série de défis physiques délicieusement gratuits, avec pour résultat l'élimination des plus faibles et des moins fiables. Même si l'émission met en scène d'habitude un ou deux candidats inégaux et bras cassés, du genre de Shreave lui-même, ce dernier ne prenait jamais parti pour eux. C'était pour mater avidement les filles bronzées en jeans coupés élimés et en débardeurs mal ajustés qu'il allumait le poste.

Depuis l'arbre, Shreave agita les bras en beuglant à l'aide. L'équipage de l'hélicoptère en vol stationnaire ne jeta pas un seul regard dans sa direction et Boyd prit alors conscience qu'il lui fallait monter plus haut. Cependant la perspective de l'escalade jusqu'à une position plus visible, au-dessus de la canopée, l'effrayait… la brise, les branches glissantes et son manque d'agilité perso plaidaient en faveur de la prudence.

D'une poche de son coupe-vent, il tira ce qu'il prenait à tort pour une radio marine portable, qu'avec deux barres de céréales il avait chapardée dans les affaires d'Honey après que le fou furieux au gourdin l'eut enlevée. Shreave se mit à presser des touches sur l'appareil compact en aboyant : « Mayday ! Mayday ! »

Pas de réponse du pilote des garde-côtes, pas plus que d'aucun autre être humain, et pour cause. À part son écran à cristaux liquides, l'instrument que Shreave avait en sa possession était à tout point de vue dissemblable électroniquement d'une radio.

— SOS ! SOS ! persista-t-il. Au secours !

Le gadget, un GPS portable en fait, était technologiquement aussi impénétrable à Shreave que le Taser trouvé sous le lit d'Honey. Utilisé communément par plaisanciers, campeurs et autres chasseurs, un GPS permet à ceux-ci de localiser avec précision puis de retracer tous leurs déplacements n'importe où à la surface du globe. Des satellites enregistrent des points intermédiaires en longitude et en latitude dans la mémoire de l'instrument qui dispense l'information en un format cartographique si élémentaire que même un débile profond pourrait le déchiffrer.

Mais pas Boyd Shreave. L'unique résultat de sa poussée frénétique des touches fut d'enclencher le signal satellite et de réussir avec brio à préciser sa position comme étant approximativement à 81°33 ouest du méridien de Greenwich et à 25°53 au nord de l'équateur. Cependant les chiffres qui s'affichèrent n'étaient qu'un pêle-mêle dénué de sens aux yeux de Shreave.

— Mayday ! SOS ! 911 ! criait-il au GPS muet tout en regardant l'hélicoptère orange et blanc se repositionner au-dessus du cours d'eau. Du haut de son perchoir touffu, Shreave, ne pouvant voir ce que les guetteurs des garde-côtes voyaient, eux, était donc incapable d'apprécier leur galanterie et leur ingéniosité. Leur mission de recherche de routine d'un photographe d'âge mûr en souffrance venait de se compliquer de l'apparition inattendue non pas d'une, mais de deux rescapées de sexe féminin des plus séduisantes.

La première avait plongé quasi nue dans l'eau glacée pour venir en aide au photographe indiscipliné, agrippé à une petite embarcation retournée. Quelques minutes plus tard, la seconde femme avait surgi des mangroves en kayak jaune, agitant à l'adresse de l'hélico ce qui avait tout l'air d'un sous-vêtement de couleur vive. Prestement, les membres de l'équipage entreprirent d'étendre l'opération de sauvetage, procédant avec une concentration inébranlable et un esprit de corps qui réduisaient à zéro leurs chances de remarquer la silhouette solitaire pâlichonne, agrippée à mi-tronc d'un arbre lointain et masquée par la luxuriance du feuillage.

L'amertume submergea Boyd Shreave qui vit descendre à trois reprises une nacelle vide au bout d'un câble déroulé du ventre de l'appareil, et trois fois la même nacelle remonter chargée d'une forme humaine enveloppée d'une couverture. Shreave était trop loin pour distinguer qui était secouru ; il ne savait qu'une chose, c'est que ce n'était pas lui. Quand l'hélicoptère s'éloigna en bourdonnant, il songea : « Niqué une fois de plus. »

Un silence soyeux tomba brièvement sur l'île, mais bientôt les oiseaux de mer reprirent leurs cris aigus et les arbres leur bruissement. Solitaire sur son perchoir, Shreave observa un papillon aux ailes zébrées se poser sur une feuille de poinciana voisine. Avec un caquètement d'aigreur, il le bombarda du GPS.

Il le manqua d'un bon mètre cinquante et le papillon voleta plus loin.

Dans les quatre ans qui suivirent son divorce, Honey Santana était sortie avec cinq hommes. Seuls trois d'entre eux obtinrent un second rendez-vous, et deux seulement l'honneur de voir sa chambre à coucher.

Le premier, Dale Rozelle, s'était présenté comme un joueur de bowling pro de Boca Grande. Beau et mince, il avait onze ans de moins que Perry Skinner. Pendant leurs ébats, il se claquait le cul en grognant comme un cochon constipé, ce qui déconcentrait Honey et à deux reprises réveilla Fry à l'autre bout du couloir. Honey aurait pu fermer les yeux sur cette bande-son de cour de ferme si Dale Rozelle s'était distingué dans d'autres domaines, mais ce n'était pas le cas. Une vérif de Fry sur Internet révéla que Rozelle n'avait pas seulement menti sur sa carrière « bowlinguistique » mais encore sur sa qualité de membre perpétuel du Sierra Club, association écologiste et bonne référence fictive qui redorerait son blason vis-à-vis d'Honey, avait-il présumé à juste titre. Dégoûtée de sa crédulité, cette dernière (malgré le conseil de Fry), avait déboulé au bowling un soir de ligue mixte et défié cette tête de nœud duplice au cours du neuvième jeu de sa dernière partie. Le combat inégal s'était soldé ainsi : Honey lâcha une Brunswick de huit kilos sur le cou-de-pied gauche de Rozelle. Par la suite, il convint de renoncer à la poursuivre en justice, mais seulement après que Perry Skinner lui eut promis de régler ses factures médicales.

L'autre homme avec lequel Honey avait couché était le Dr Tyler Teehorn, l'orthodontiste de Fry, dont l'épouse avait vendu leur berline Volvo pour mieux s'enfuir à Montserrat avec l'hygiéniste vedette de son mari. C'était arrivé le jour même où Tyler Teehorn équipait Fry d'un appareil et il était dans tous ses états. Ce soir-là, Honey avait déposé Fry chez son père, était revenue en voiture à Naples et avait entraîné Tyler prendre un verre au Ruby Tuesday's. Elle n'avait jamais vu personne d'aussi désespéré et, dans un moment de pitié imbibée de rhum, elle l'avait invité à la raccompagner chez elle. La partie baise, quoique légèrement meilleure que ce à quoi Honey s'était attendue, était, ça crevait les yeux, ce qu'offrait de plus spectaculaire l'expérience calfeutrée du Dr Tyler Teehorn. Il n'avait pas plus tôt remis ses chaussettes qu'il déclara à Honey un amour éternel. Ne tenant pas à être la seconde femme — la troisième peut-être, étant donné la difficulté à dénicher une hygiéniste top niveau — à briser le cœur de Tyler Teehorn en douze heures de temps, Honey lui avait murmuré un terme affectueux, idoinement tendre mais pourtant vague, avait-elle espéré. Au cours des quatre semaines suivantes, le bonhomme s'était accroché à elle comme un mollusque. En contraste avec Dale Rozelle, l'intégrité et la dévotion du Dr Teehorn étaient à toute épreuve. Malheureusement, il dégageait un ennui étouffant. Ignorant la politique, le monde des affaires et même le sport, sa personnalité faisait seulement des étincelles quand il orientait la conversation sur son métier. Honey avait fini par le larguer pendant un dîner aux chandelles où il lui avait proposé de lui rectifier gratuitement celles de ses dents qui se chevauchaient.

— Réveille-toi ! entendit-elle Louis Piejack lui dire, pourtant elle ne bougea pas.

Elle comptait feindre l'inconscience le plus longtemps possible. Outre lui avoir fracturé la mâchoire, le coup de gourdin de gommier lui avait chassé toutes les chansons de la tête. De façon inexplicable, le vide ainsi créé s'était rempli de cette récapitulation déprimante et détaillée de sa vie sexuelle post-divorce. Ça lui faisait désirer fortement un duel tonitruant Ethel Merman versus les Foo Fighters.

— Allez, debout et plus vite que ça ! aboya Piejack.

Le bout d'une chaussure tisonna Honey dans les côtes et une vapeur de puanteur poissarde lui confirma que Piejack se tenait planté au-dessus d'elle. Elle espéra que son visage était tellement réduit en bouillie qu'il perdrait tout intérêt à la violer.

— Allez, nom de Dieu, je t'ai pas frappée si fort, lui fit-il.

Elle remarqua alors un nouveau son... pas une chanson, mais plutôt une seule note, au loin, augmentant de volume. Elle se transforma bientôt en un accord tenu, complété par une percussion. Honey fut soulagée que Piejack l'entende aussi.

— Bordel de merde, quoi encore ? s'écria-t-il, alarmé.

Honey reconnut le bruit et sourit. Elle leva un œil juste à temps pour apercevoir une forme orange et blanc rayer le ciel.

Sur une impulsion, elle tenta de crier, mais seule une bulle de sang sortit de ses lèvres ; elle avait le côté gauche du visage engourdi et l'impression d'avoir léché du verre pilé avec sa langue.

— Bouge pas !

Louis Piejack ne fit que plonger et se relever en guettant le retour de l'hélicoptère des garde-côtes. Son degré de vigilance était impressionnant, étant donné la dose de cheval de Vicodine qu'il avait absorbée.

— Va pas te faire des idées, l'avertit-il.

Honey débordait d'idées. Malheureusement, elle était aussi attachée à un arbre. Pendant qu'elle était K.-O., le droitier contrarié Piejack avait eu le temps de bosser.

— Tant qu'on se tiendra peinards, ils nous verront pas, lui dit-il d'un ton confiant.

Il s'accroupit près d'elle et, de sa main mal assemblée, lui caressa la cuisse. Quand il agita avec lascivité son petit doigt noirci, elle le chassa d'une tapette.

Piejack gloussa.

— Tu te sentiras mieux bientôt, mon ange. Quand on sera au chaud à la maison.

Honey savait qu'il était trop faible pour la porter ; autrement ils seraient déjà à bord de son bateau, revenant pleins gaz vers le continent. Elle se remit lentement sur son séant, éprouvant la corde dont il lui avait solidement attaché les poignets avant de la lui nouer autour du cou. Elle était suffisamment serrée pour limiter ses choix... et lui faire vaguement regretter d'avoir fait semblant de ligoter Boyd Shreave.

— Merde, ce que j'ai soif, fit Piejack.

Honey elle aussi avait le gosier sec. Comme si elle s'était gargarisée avec de la sciure.

Elle entendit l'hélico planer non loin d'eux, sans pouvoir l'apercevoir à travers les arbres, pourtant. *C'est peut-être moi qu'on recherche*, songea-t-elle, tout en n'imaginant pas pourquoi. Fry n'attendait pas son retour avant le lendemain, il n'avait donc aucune raison de prévenir les garde-côtes.

À moins que...

Honey se raidit.

... à moins que son ex-mari n'ait lancé des recherches en hélicoptère, ce qu'il ne ferait qu'en cas d'urgence en ville.

Par exemple, si un truc épouvantable était arrivé à Fry.

Honey Santana ne fit qu'un bond, manquant de se garrotter elle-même. Piejack la fit rasseoir en tirant d'un coup sec.

— C'est quoi ton problème, cocotte ?

Elle scruta le ciel comme une folle. Une image se logea dans son esprit : celle de Fry, immobile sur une civière, dans une ambulance fonçant à toute allure. La tête de son fils était bandée et son père, assis près de lui, lui caressait les cheveux. Cette vision était si réaliste qu'Honey crut entendre la sirène de l'ambulance couvrir le bourdonnement de l'hélicoptère.

Puis l'hélico vola plus loin et la vision s'évanouit. Honey fut submergée par le désir d'assassiner Louis Piejack sur place et elle aurait tenté sa chance, n'eût-elle pas été attachée par le cou.

Ce dernier se leva en chancelant et lui dit : « Avançons avant que cet oiseau-là ne revienne. »

Honey observa avec une fascination perverse Piejack se débattre pour détacher la corde de l'arbre, pas une mince tâche pour un homme affligé d'un tel embrouillamini digital. Après plusieurs tentatives infructueuses, il décida de s'attaquer au nœud avec les dents, ce qui lui libéra les deux mains pour mieux brandir la branche de gommier, rappelant à Honey d'être sage et lui donnant à réfléchir à deux fois.

Après avoir relâché la corde, il s'arrangea pour en renouer l'extrémité libérée autour de son torse. Sans un mot, il se dirigea dans les bois, menant Honey comme une mule. Ils marchèrent pendant une demi-heure, en suivant une côte peu frayée à la végétation dense, jusqu'à ce qu'ils débouchent dans une vaste clairière. À l'une des extrémités, il y avait un campement mal entretenu avec un petit foyer où s'empilaient des cendres. Piejack ligota Honey à un nouvel arbre, le temps qu'il fouille le matériel des autres campeurs, qu'on ne voyait nulle part. Découvrant un jerricane débouché, il en siffla l'eau sans même jeter un regard à Honey, trop fière pour lui demander à boire.

Louis Piejack balança le récipient vide et se remit à fourrager de plus belle. Il donna un violent coup de pied à quelque chose d'enveloppé dans une couverture qui rendit un bruit évoquant un chat pris dans les ressorts d'un matelas. Piejack ouvrit d'un coup de pied le paquet, dévoilant une guitare électrique étincelante, qu'il posa sur ses genoux dégueulassés.

Honey se sentit vengée. Boyd Shreave l'avait raillée quand elle lui avait dit avoir entendu le son d'une guitare.

— Tu sais en jouer ? lui demanda Piejack.

— Bien sûr.

Elle tâchait de ne pas remuer les mâchoires.

— Moi, personnellement, je suis pianiste.

Piejack se mit à pincer les cordes de ses moignons infectés.

— Cette gratte vaut un pacson, tu penses ?

— Allez-y doucement, Louis.

Honey était dégoûtée de le voir maculer de ses pansements répugnants le fini superbe de la Gibson.

— Tu veux bien me chanter une chanson ?

— Ouais. Si vous détachez cette corde, fit Honey.

Elle ne savait pas jouer un chorus, mais ça valait le coup d'essayer.

Piejack se pencha pour bosser d'une seule main sur les multiples nœuds. Quand ses favoris moites lui frottèrent la peau, Honey réprima une envie de le mordre dans le cou et d'y laisser un trou béant.

Une fois ses poignets libérés, il lui donna la guitare. C'était un magnifique objet à tenir. D'une manche, elle nettoya les traces graisseuses laissées par Piejack sur le poli du bois.

— Maintenant, chante-moi une chanson d'amour, mon ange, lui dit-il.

327

— Très bien, Louis.

Grattant les cordes légèrement, elle entonna :

J'ai la corde au cou et le visage fracturé,
À cause d'un homme qui jure m'aimer pour de vrai.
Il peut me briser les os, le cœur, il me le brisera jamais
Parce qu'il n'appartient qu'à toi, c'est juré…

Piejack arracha l'instrument à Honey.

— Elle me plaît pas, celle-là, bordel.

— Mais il y a encore douze autres vers, fit-elle innocemment. Elle s'appelle « Piégée sur une île déserte avec un pervers répugnant blues ». Vous ne l'avez jamais entendue ? Fiona Apple a fait un malheur avec.

Piejack balança la Gibson dans les cendres du foyer en disant : « T'es pas un poil drôle. »

Honey se tâta le côté du visage. Elle avait un hématome de la taille d'une grenade là où il l'avait frappée avec la branche.

— Je peux avoir un Vicodine, Louis ?

— Il m'en reste plus qu'un… et il est pour moi.

— Toujours galant, fit-elle.

— Une fois à la maison, tu pourras avoir tout ce que tu voudras. Alors arrête de râler.

— Où il est ce bateau qui vous appartient, au fait ?

— Plus très loin, maintenant, affirma-t-il, bien que d'un air incertain. File-moi tes mains, dit-il d'une voix rauque en rattrapant tant bien que mal le bout de corde en vrac autour du cou d'Honey.

Celle-ci repéra une lueur bleuâtre de l'autre côté du campement… un objet semblable à un tuyau, sous un laurier. Piejack, surprenant son regard, pivota pour voir ce qui avait attiré son attention.

— Jackpot ! gloussa-t-il.

— Qu'est-ce que c'est ?

— Jackpot ! Jackpot !

Piejack, tout excité, traversa la clairière en titubant et rafla son fusil de chasse à canon scié sur le sol. Il l'agita en l'air pour qu'Honey le voie.

— Je croyais l'avoir perdu pour de bon, mais mate-moi ça! s'écria-t-il.

— Wouah-wouah, fit Honey.

Elle en aurait pleuré.

Perry Skinner et Sammy Queue de Tigre s'étaient séparés pour chercher Fry. Étant donné les limites de son instinct une fois lâché dans la nature et sa malchance chronique, l'Indien ne s'attendait pas à retrouver le garçon. Pourtant, il était là, éclaboussé de soleil, près d'un bouquet de sycomores verts, assis sur un casque des Dolphins.

Fry tressaillit, sembla-t-il, à l'arrivée de l'inconnu, même s'il tenta de faire preuve de bravoure. Sammy Queue de Tigre se présenta. «Ton père retourne ciel et terre pour te trouver.» Il lui proposa de l'eau mais le gamin refusa.

— Où il est? Mon père.

L'Indien consulta sa montre.

— On est censés se rejoindre dans vingt minutes de l'autre côté de l'île.

— Moi, je vais nulle part, fit Fry. Je vous connais ni des lèvres ni des dents.

— Ton père, lui, me connaît. Je lui ai sauvé la vie un jour… enfin, moi et mon oncle.

Le garçon le lorgna.

— Quand il a renversé son camion?

— Ouaip. Cette nuit-là, sur la Trail, répondit Sammy Queue de Tigre.

— Vous êtes un des Séminoles de Big Cypress?

— Ben, je suis pas vraiment du midi de la France.

L'astuce n'arracha pas un sourire à Fry.

— Vous pourriez être un Miccosukee, c'est ce que je voulais dire.

329

— Je pourrais, mais non.

— Comment ça se fait que vous portiez des lentilles de contact bleues ?

— C'est la vraie couleur de mes yeux.

C'était un sujet sensible pour Sammy Queue de Tigre ; la preuve manifeste de son ascendance métissée. Il n'en était pas tant honteux qu'embarrassé. Le fils de Skinner était vif et n'avait pas la langue dans sa poche quand il s'agissait de poser des questions.

— Le polaire que vous portez, c'est un Patagonia, fit-il.

— Mon pagne en peau de daim est au pressing, le vanna le Séminole. Tu lis pas les journaux, petit ? On est genre les nouveaux Arabes. On possède des casinos, des boîtes de nuit et des hôtels. On appelle aujourd'hui notre chef président-directeur général, et il vient de vendre sa Gulfstream à Vince Vaughn. Voilà où nous en sommes arrivés.

Le gamin eut l'air piqué.

— C'était pas une critique.

— Je sais.

— Ma mère m'a fait écrire un essai sur Osceola et ce qu'on lui a fait, dit Fry. Sur ce que *nous* lui avons fait.

L'Indien se sentit un peu minable d'avoir fait marcher le gamin.

— Allez, va. C'est pas toi qui l'as tué.

— J'ai lu sur Internet que votre tribu ne s'est jamais rendue, jamais. C'est cool, fit Fry.

— Ça dépend de ce que tu entends par « s'est rendue ». On a engagé Justin Timberlake au Hard Rock séminole pour le Nouvel An.

Sammy Queue de Tigre était prêt à changer de sujet.

— J'ai entendu parler de ton accident de skate. Comment vont tes migraines ?

— Je survivrai.

— Mr Skinner m'a dit de m'assurer que tu gardes ce casque

de foot jusqu'à ce qu'on retrouve ta mère. De cette façon, elle ne l'engueulera pas.

— Il est trop lourd.

— Fais ce que ton père dit. On doit y aller maintenant.

Fry remit le casque des Dolphins puis suivit Sammy Queue de Tigre, qui lui redemanda s'il voulait de l'eau.

— Nân. Ça va bien, fit Fry.

L'Indien fut obligé de rire.

— Tu me rappelles moi à ton âge, fit-il, quand j'étais un gamin visage pâle.

— Votre père était comme le mien ?

— Il se faisait autant de souci. Il m'aurait obligé, *moi aussi*, à porter ce truc-là.

Sammy Queue de Tigre se demanda à quoi ressemblerait sa vie si son père était encore de ce monde. Il serait sans doute en fac maintenant, songea-t-il, à faire des études de commerce ou de comptabilité. Et sortirait avec une étudiante trippante du genre de Gillian.

— Eh, vous pouvez ralentir un peu ? lui dit Fry.

L'Indien se retourna juste à temps pour voir le garçon chanceler. L'attrapant sous les aisselles, il le balança sur l'une de ses épaules.

— En fait, je suis total patraque, murmura le gamin.

— Respire profondément, lui conseilla Sammy Queue de Tigre, progressant lentement par maquis, broussailles et autres hammocks.

Perry Skinner attendait le Séminole dans les mangroves près du skiff. Il prit Fry et le serra contre lui.

— Pas trop fort, glapit le garçon, sinon je vais dégueuler.

Skinner l'allongea sur le pont de son bateau puis l'examina de la tête aux pieds.

— C'est ma faute, fit-il. Quelle idée de con de t'avoir traîné ici avec une commotion cérébrale.

— Ça va aller. Où est maman ?

— Sammy et moi, on se prépare à aller la chercher maintenant. Reste ici à l'ombre.

— Mais je veux venir, moi aussi…

— Non !

Le gamin poussa un soupir de mécontentement. Skinner lui
glissa un coussin sous la tête en lui disant de ne pas s'en faire.

— On en a pas pour longtemps. Sammy sait exactement où
elle se trouve.

Le Séminole acquiesça. Il pensait que l'endroit serait facile à
retrouver en plein jour.

— Il n'y a plus qu'elle et le type, fit Skinner. Sammy m'a dit
que sa petite amie est partie.

— Je sais, papa.

Fry leur raconta sa rencontre avec Eugénie Fonda.

— Elle a été sympa. Elle est restée avec moi hier soir quand
je me suis senti malade. L'hélico des garde-côtes l'a récupérée ce
matin.

Skinner se tourna vers Sammy Queue de Tigre.

— Eh bien, voilà qui simplifie les choses. Tu es prêt ?

L'Indien prit la tête. Il improvisa un passage à travers les
cactus jusqu'au ravin que Gillian avait surnommé Beer Can
Gulch, à cause des centaines de cadavres de bières vides. Perry
Skinner l'appela, lui, « le rêve humide d'un fan du recyclage ».

Sammy Queue de Tigre lui désigna le monticule d'huîtres
calusa.

— Elle campe de l'autre côté.

Skinner gravit la pente en courant, le Séminole le suivant de
près. Au sommet, Sammy Queue de Tigre lui montra une clairière à cinquante mètres. Ils aperçurent deux tentes mais aucun
signe d'Honey Santana ou de l'autre Texan.

Skinner était déjà à mi-descente quand il s'aperçut qu'il était
seul ; le Séminole n'avait pas bougé.

— Qu'est-ce qui ne va pas ? le héla Skinner.

Sammy Queue de Tigre lui fit signe de revenir et Skinner

332

rebroussa chemin au trot. Il n'était pas facile de le mettre au courant, alors l'Indien lui dit la chose tout de go :

— Il n'est pas mort, Mr Skinner.

— Qui n'est pas mort ?

— Le mec que j'ai frappé avec la crosse de mon fusil. Celui à la main bandée qui en a après votre femme, d'après vous. Je vous ai dit que je l'avais tué mais j'ai bien l'impression que non.

Skinner agrippa le bras de Sammy.

— Comment tu le sais ?

— Parce qu'on se trouve à l'endroit où je l'ai assommé. Il est tombé dans ce carré de cactus et maintenant il n'y est plus.

— Montre-moi.

L'Indien l'y mena, en évitant prudemment les plantes grasses épineuses. Skinner remarqua des feuilles écrasées en grand nombre et plusieurs lambeaux de tissu.

— Quelqu'un a peut-être déplacé le corps, fit-il tranquillement.

— Non, m'sieur, je crois pas.

Sammy Queue de Tigre lui montra du doigt un sillon, là où quelque chose de volumineux avait glissé le long du tertre de coquillages jusqu'à l'empilement de canettes de Busch.

— On dirait la trace d'un alligator, fit l'Indien.

Ces reptiles, quand ils nichent, creusent des sillons similaires jusqu'à l'eau où ils se traînent, aller puis retour. Mais cette tranchée-là avait été faite par un être humain.

Skinner explora rapidement Beer Can Gulch. Il découvrit une suite de marques sans équivoque remontant une autre pente ; des empreintes récurrentes de coudes et de rotules.

— Ce salopard a rampé, fit-il.

Sammy Queue de Tigre était soumis à des sentiments contra-dictoires. Il était soulagé de ne pas avoir tué le visage pâle, donc de ne pas avoir libéré un nouveau spectre encombrant. En même temps, il regrettait que le type se balade encore dans le coin et puisse causer des ennuis.

— C'est quoi son nom déjà, Mr Skinner ?

333

— Piejack.

— Grièvement blessé comme il est, il n'ira pas loin.

— Il n'en a pas besoin. L'île est petite, comme tu l'as dit.

Perry Skinner, tirant le .45 de sa ceinture, en ôta le cran de sûreté.

— Sammy, fit-il, j'ai oublié de te remercier d'avoir retrouvé mon garçon.

— C'est un brave gosse, répondit le Séminole.

— Ça l'anéantirait, si jamais il arrivait quelque chose à sa mère.

— Ou à vous, Mr Skinner.

Arme en main, le père de Fry disparut derrière la crête du monticule calusa. Sammy Queue de Tigre courut derrière lui, soulevant sous ses pas la poussière d'antiques coquillages et d'ossements de guerriers.

23

Pendant que l'hélicoptère longeait la côte à toute vitesse en remontant en direction du nord, Eugénie Fonda regardait à travers la vitre, les sourcils froncés. Un instant auparavant, elle avait observé un vol d'aigrettes neigeuses s'éparpiller tels des confettis sur un tapis de mangroves puis, *ex abrupto*, la vue avait changé, cédant la place à un damier monotone de parkings, tours de «condos» et autres banlieues pavillonnaires. Eugénie, qui s'attendait à une vague de soulagement aux premiers signes de la civilisation, se sentit bizarrement déprimée.

Gillian baratinait l'un des guetteurs des garde-côtes, tandis qu'un autre membre de l'équipage soignait le détective privé. Eugénie n'entendait pas un mot à cause des turbines, ce qui était une bonne chose. Elle tourna ses pensées vers le gamin au casque de footballeur, le fils d'Honey. Eugénie tenta d'imaginer à quoi ressemblait la vie dans un trou perdu comme Everglades City, sans les smoothies des bars Jamba Juice, sans restaus italiens Olive Garden ni même vidéoclubs Blockbusters, sans d'autre source de distraction qu'un marécage plus grand que la ville de Dallas.

Objectivement, Fry avait l'air d'un gamin normal, songea-t-elle. Et aussi d'un gamin heureux. Elle était certaine que son père ne tarderait pas à le retrouver et à l'emmener dare-dare chez un médecin.

Eugénie se posait aussi des questions sur le grand Séminole aux yeux bleus. Elle se félicitait de ne pas avoir tenté de le séduire pour qu'il l'emmène hors de l'île, car elle aurait blessé Gillian dont elle s'était entichée. Ça lui avait peut-être aussi évité une éventuelle humiliation si l'Indien avait refusé de baiser avec elle. Eugénie n'était pas habituée à ce genre de rejet, n'ayant pas pour habitude de frayer avec des hommes de caractère.

Pièce à conviction n° 1 : Boyd Shreave.

Sur le «regrettomètre», Eugénie Fonda avait dépassé le stade «Où avais-je la tête» et voguait allégrement vers «Boyd qui?». Leur aventure avait été une bourde futile, due à sa seule initiative à elle. Eugénie ne voulait aucun mal à Shreave. En fait, elle aurait eu le blues s'il avait été déchiqueté par une panthère, empoisonné par un serpent corail ou brutalisé de toute autre manière dans la cambrousse.

Mais Eugénie doutait qu'un sort aussi haut en couleur échût à son Boyd tristounet. Elle le voyait mendier son retour sur le continent auprès d'Honey et de son ex, puis se hâter de regagner Fort Worth pour éviter un divorce, mission perdue d'avance. Il était facile d'imaginer sa déconfiture quand Lily Shreave lui présenterait le rapport imagé explicite et les preuves vidéo de son infidélité. Un blaireau plus attendrissant pourrait obtenir un sursis, mais Boyd n'avait aucune chance. Eugénie n'avait aucune raison d'espérer que se retrouver célibataire et sans ressources améliorerait sa personnalité ou son point de vue sur le monde. Boyd était ce qu'il était et elle avait déjà tourné la page.

Quelques instants après l'atterrissage de l'hélicoptère à Fort Myers, une ambulance transporta d'urgence Lester à l'hôpital. Une auxiliaire médicale examina Gillian et Eugénie tandis qu'un garde-côte subalterne prenait leurs dépositions. Gillian lui dit qu'elle était une personnalité-météo de WSUK, station de télévision de Tallahassee qui n'existait pas. Sous le coup d'une inspiration, Eugénie recourut à Jean Leigh Hill, son patronyme véritable, et se fit passer pour la vidéaste de Gillian. Toutes deux s'étaient égarées, expliqua-t-elle, pendant une expédition en kayak dans les Dix Mille Îles. Pour épicer le bobard, Gillian rajouta qu'elles s'étaient liées d'amitié avec Lester, lequel, en se baignant à poil, s'était fait canarder par un braconnier qui l'avait confondu avec un lamantin. L'agresseur encagoulé, précisa-t-elle, s'était enfui dans une vedette bleu argent appelée *Rêve humide*.

Le jeune garde-côtes ne manifesta par aucun signe qu'il mettait en doute cette histoire. Mais signala en passant que *Rêve humide* était le nom de bateau le plus courant en Floride, talonné de près par *Reel Love* et *Vitamin Sea*[1]. Il rapporta aussi que ledit Lester se nommait en réalité Theodore Dealey et souffrait d'une maladie rare, imprononçable. Le garde-côtes félicita Gillian d'avoir plongé dans Dismal Key Pass pour aider Mr Dealey, qui se serait noyé autrement. Le même demanda alors aux deux femmes si elles auraient vu quelqu'un d'autre sur l'île, mis à part le braconnier fou de la gâchette, et avec un bel ensemble — désireuses de protéger le Séminole en cavale — elles lui répondirent que non.

Le garde-côtes leur dit qu'elles étaient libres de partir puis proposa de leur appeler un taxi. Eugénie s'empara de l'Halliburton qui renfermait le matériel vidéo de Dealey, Gillian fit main basse sur celle contenant le Nikon.

Dehors, la chaleur montait, si bien qu'en attendant au parking elles prirent un bain de soleil. Gillian bâilla puis dit :

— Alors, qu'est-ce que tu vas faire maintenant… rentrer au Texas ?

— J'ai pas encore décidé. Et toi ?

— Retour à la fac, j'imagine. Pour essayer de pas rater ce semestre.

— Je parie que Taco va te manquer, lui dit Eugénie.

---

1. Pour goûter la saveur de ces noms de bateau, le premier joue sur l'ambivalence *Real/Reel Love*, c'est-à-dire Véritable Amour/Amour du Moulinet (d'une canne à pêche). Le second sur l'homophonie *Vitamin Sea/Vitamin C*, soit Vitamine mer/Vitamine C. *(N.d.T.)*

Gillian éclata de rire.

— *Thlocko*, pas Taco. Ouais, il me manque déjà, fit-elle. Mais bah, on a fait la chose, au moins. Une seule fois… mais il a été grave génial.

— Eh bien, je suis contente pour toi.

C'était dans l'ordre naturel des choses. Eugénie n'en éprouva pas la moindre jalousie.

— J'ai une faim de loup. Je pourrais manger un bœuf entier, fit Gillian en s'étirant.

— Moi aussi.

— Je peux t'emprunter une poignée de dollars ?

— J'ai qu'une carte de crédit, répondit Eugénie. Mais je t'invite de bon cœur. J'ai des trucs à te dire, de toute façon.

— Cool. Où tu veux qu'on aille ?

— Ça me paraît une journée rêvée pour la plage.

— J'en suis, dit Gillian.

— Et peut-être aussi une bonne séance de spa ?

— Ah, mamma mia.

— Et pour déjeuner, ajouta Eugénie, un bol de soupe à l'oignon.

— Je t'adore, fit Gillian.

— Voilà ce dont je veux te parler.

Cramponné à son arbre, Boyd Shreave revisitait les points culminants de sa carrière de télémarketeur :

Troy Marchtower, soixante-treize ans, avait bazardé ses derniers 401 (k) dans huit hectares de champs de soja abandonnés près de Gulfport, Mississippi, dans l'espoir (puisé dans le baratin de Shreave) que la parcelle serait aménagée en maisons de ville en front de mer haut de gamme. Le cyclone Katrina raya Gulfport de la carte peu après. La propriété dudit Marchtower gisait sous une couche de plus de deux mètres de boue toxique, une tournure des événements que Shreave n'aurait pu prévoir (et qui, en tout cas, tombait sous le coup de la clause contractuelle dite « volonté de Dieu » qui absolvait tout).

Mr et Mrs Clement Derr, auxquels Shreave avait fait signer une assurance-maladie complémentaire qui leur coûtait la bagatelle de 137,20 dollars par semaine. Malheureusement pour les Derr, ladite mutuelle ne remboursait que le traitement du choléra, du virus Ebola, de la fièvre due au chikungunya, de la trypanosomiase et six autres maladies tropicales peu susceptibles d'affliger un couple de plus de quatre-vingt-cinq ans habitant à Skowhegan, dans le Maine.

Mrs Rosa Antoinette Shannon, si bouleversée d'apprendre qu'Hillary Clinton complotait secrètement pour confisquer toute arme à feu personnelle à leurs propriétaires, avait récité patriotiquement à Boyd Shreave le numéro de la carte platine American Express de son mari, s'engageant à verser 25 000 dollars à un comité d'action républicain du nom d'«Américains pour une autodéfense illimitée», qui avait chargé Sans Trêve Ni Relâche de collecter des fonds à son bénéfice. La donation de Rosa lui fut restituée rapido après qu'on eut appris que son époux n'était autre que Marco «Twinkie» Shannon, le fournisseur le plus productif d'héroïne mexicaine de la côte est. Son passé fort peu ragoûtant fut mis au jour dans sa correspondance personnelle, expédiée de la prison d'État de Jersey Est où il purgeait vingt ans ferme pour avoir bousillé les genoux de deux de ses associés sur le practice de Pine Valley. Dans une lettre manuscrite divulguée par le *Washington Post*, Mr Shannon — invoquant un engagement antérieur — déclinait à regret une invitation à visiter la Maison-Blanche en compagnie d'autres donateurs du Grand Old Party et à se faire prendre en photo aux côtés de la Première Dame et de son scottish-terrier.

Les trois prospects avaient été finalisés par le responsable de Boyd Shreave mais, étant celui qui avait fait ami ami avec les gogos, Shreave s'en attribuait toute la gloire et le mérite. Si Sans Trêve Ni Relâche refusait de le réintégrer, un centre d'appels concurrent ne se ferait sûrement pas prier pour l'engager.

Son défi immédiat, cependant, était de s'échapper de cette île. À mesure que la matinée s'écoulait, Shreave se sentait de moins en moins pareil à un participant de *Survivor* et de plus en plus semblable au bouffon naufragé de la série *Gilligan's Island*. Tenter de descendre du poinciana royal lui répugnait, en partie parce qu'il ne se fiait pas à son sens de l'équilibre et en partie aussi parce qu'il se sentait plus en sécurité dans les branches que sur le sol. S'ajoutant à un assortiment de faune sauvage éprouvant pour les nerfs, deux dangereux hors-la-loi, au minimum, battaient la campagne : l'épave à l'odeur infecte qui avait kidnappé Honey Santana et l'Indien insaisissable avec lequel Eugénie Fonda s'était soi-disant éclipsée. Boyd Shreave ne se sentait aucun désir de communiquer ni avec l'un ni avec l'autre.

Presque aussi décourageant, le dilemme du cactus : juste en dessous du perchoir de Shreave se dressait un florissant bouquet de figuiers de Barbarie. Un faux pas malencontreux... et il s'empalerait comme un criquet sur du fil de fer barbelé. Il blêmit à la vue des longues épines pâles piquetant les raquettes vertes, qui semblaient lui faire signe, et songea : *une fois suffit*. Shreave revit en flash-back cette maudite vente d'accessoire orthopédique à Arlington, la vieille bique lui faisant quasiment un croche-pied avec son réservoir à oxygène puis partant d'un rire caquetant quand il était tombé, entrejambe en avant, sur son saguaro nain en pot. Les traces en coussin à épingles avaient eu beau s'estomper sur son triangle pubien, le souvenir super-cuisant, non.

Shreave étreignit le poinciana et résolut de ne pas regarder en bas jusqu'à ce qu'il s'y soit mieux préparé. River ses yeux sur le faîte des arbres caressé par le soleil se révéla calmant et, centimètre après centimètre, Shreave se mit à bouger les fesses à reculons le long de la branche. Mais pourquoi se presser ? Plus lentement il avançait, moins de bruit il faisait... et jusqu'à l'apparition du prochain hélicoptère, son plan était de rester silencieux et invisible.

L'idée n'effleura pas Boyd Shreave qu'absolument personne n'était à sa recherche ; que son absence ne laissait aucun vide dans l'existence de ceux qui le connaissaient. Il aurait été stupéfait d'apprendre que les garde-côtes auxquels il avait en vain adressé des signaux avaient été envoyés par sa propre épouse à la rescousse du détective privé qui accumulait des munitions pour leur divorce.

Au bout d'un quart d'heure de reptations vermiculaires, Shreeve s'octroya une pause. Agrippant d'une main un robuste rameau, il pêcha une barre de céréales dans son bermuda et en arracha l'emballage avec les dents. Se fourrant le bâtonnet de fruits secs dans la bouche, il se mit à le mâcher si bruyamment qu'il faillit ne pas entendre les deux hommes arriver dans le campement, en dessous de lui.

— Hé! cria l'un d'eux.

Shreave sursauta avec un hoquet de terreur, postillonnant des miettes. Il baissa les yeux avec anxiété et jaugea les inconnus, dont l'un portait une arme plus plate et plus lisse que le Taser d'Honey. Shreave, supposant qu'il s'agissait d'une véritable arme de poing, se sentit obligé de mettre en avant sa propre non-dangerosité, mais il était incapable de parler. Le gosier obstrué d'un mastic d'avoine en bouillie et de cacahuètes en purée, il ne lui resta plus qu'à haleter comme un mandrill atteint de pleurésie.

— Ramenez votre cul ici en bas, lui dit l'homme armé.

Il était d'âge mûr, large d'épaules et vraiment bronzé par la vie au grand air.

Son compagnon était plus grand et beaucoup plus jeune, la peau mate, des pommettes hautes et des yeux clairs. Shreave soupçonna qu'il s'agissait peut-être de l'Indien d'Eugénie. L'homme leva le papier alu emballant la barre nutritive en disant : « C'est vous qui avez laissé tomber ça ? »

Shreave avait la gorge tellement sèche qu'il ne put réussir à déglutir. Il pointa théâtralement du doigt ses joues gonflées, en soufflant en même temps afin de démontrer que sa capacité à discourir était temporairement entravée.

— Vous êtes l'un des kayakeurs ? Vous avez fait l'écotour avec Honey Santana ? lui demanda l'homme à l'arme de poing.

341

Shreave ne vit que du danger à admettre cette accointance, aussi fit-il non de la tête en haussant les épaules avec un effarement bidon. Il croyait pouvoir mimer un mensonge de façon aussi convaincante qu'en l'exprimant vocalement. Mais comme d'habitude, il eut tout faux.

— Ce mec vous raconte des conneries, Mr Skinner, lui dit l'Indien.

L'autre type opina avec impatience.

— J'ai pas de temps à perdre avec ce débile profond.

Il braqua son arme sur le centre d'une cible imaginaire, située sur le front luisant de Shreave.

— C'est ta dernière chance, junior. La vérité te sauvera la peau du cul.

Sous l'effet de la peur, les réflexes de Shreave se trouvèrent grossièrement chamboulés. Il commença par faire sous lui avant d'expulser dans une éruption volcanique ce qui restait de la barre miel-noix. Les intrus se reculèrent prestement du poinciana, évitant la salve.

— Crade, fit l'Indien.

L'homme armé le remit en joue.

— Descends de cet arbre, ordonna-t-il à nouveau.

Shreave s'essuya la figure du revers de la main. Il était plus que temps de changer de stratégie : dire la vérité.

— Un type l'a emmenée ! cria-t-il vers le bas d'une voix rauque. Il a emmené Honey !

— Il avait l'air de quoi ? demanda l'homme armé.

— D'un malade, répondit Shreave. Complètement à la masse... sa main, sa gueule...

— Où sont-ils allés ? demanda l'Indien.

Shreave tendit la main fiévreusement.

— Par là ! Il la tenait en laisse.

— En laisse ?

Le plus vieux des deux hommes abaissa lentement son fusil.

— Ouais ! Vous pouvez m'aider à redescendre de là, les mecs ?

— À quoi bon ?

L'Indien froissa le papier alu de la barre de Shreave et le fourra dans sa poche. Il cracha dans le carré de cactus en disant : « Sale pollueur de merde. J'espère que tu moisiras sur place. »

Puis suivant l'homme au flingue, il quitta le campement.

Pour penser à autre chose, Honey composa dans sa tête une nouvelle lettre aux journaux. S'inspirant de sa présente situation, le sujet en était le harcèlement sexuel.

> *Au rédacteur en chef,*
>
> *J'ai eu récemment une altercation avec l'un de mes employeurs, Mr Louis Piejack, qui m'a pelotée sur mon lieu de travail. Je me suis défendue en ripostant, puis j'ai aussitôt démissionné.*
>
> *À bien y repenser, j'aurais dû signaler ce qui s'était passé aux autorités et contacter un avocat, afin de dissuader le sieur Piejack de mal se conduire à l'avenir. Malheureusement, il a persisté dans ses avances malvenues et me retient prisonnière en ce moment sous la menace d'une arme, sur une île déserte, à l'ouest des Everglades.*
>
> *La leçon à tirer de mon expérience, c'est que toute femme se doit de décourager fermement toute intimidation mentale ou physique intervenant sur son lieu de travail… pas seulement avec un maillet à crabes, mais aussi avec la force de la loi.*
>
> *Très sincèrement vôtre,*
> *Honey Santana*

Elle trouvait que c'était une sacrément bonne lettre, succincte et mesurée, le genre que préféraient les journaux. Si elle avait eu du papier et un crayon, elle l'aurait notée par écrit.

— T'es prête, mon ange ? lui demanda Piejack, dans le coaltar.

Les antidouleur faisaient leur effet magique.

— Prête pour quoi, Louis ?

— Une virée dans mon bateau.

Il était vautré près d'elle, souillant une matinée splendide par ailleurs. Il était resté si longtemps sans bouger que les fourmis rouges étaient rentrées tranquillement dans leur cachette à l'intérieur humide de son pansement chirurgical. Piejack avait trouvé une autre bouteille d'eau dans un sac de toile mais, après avoir peiné pour l'ouvrir, s'en était désintéressé. Léthargique, il avait regardé Honey la boire jusqu'à la dernière goutte. Si elle était soulagée de ne plus être attachée, elle gardait à l'œil le fusil de chasse à canon scié que Piejack avait planté tout droit entre ses jambes.

— Regarde-moi ça un peu, et sans les mains !

Il tortilla des hanches pour faire tanguer le canon.

— Adorable comme tout, fit Honey.

— Si tu crois que *ça*, c'est une monstruosité, attends de voir Popaul.

— C'est comme ça que vous surnommez votre bite ? fit Honey en éclatant de rire. Pardon, Louis, mais c'est tellement neuneu.

Il leva la tête.

— T'as quelque chose de mieux à me proposer ? Je l'appellerai comme tu voudras.

— D'accord. Que pensez-vous de Charlemagne ? fit Honey.

Piejack renifla de dédain.

— Ça fait nom de fille.

— C'était un roi, Louis.

— Roi de quoi ?

Piejack désormais à moitié stone, Honey avait décidé de faire main basse sur son fusil mastoc.

— Roi des Francs, dit-elle.

— Alors pourquoi pas appeler ma queue Frank, tout simplement ? C'est plus facile à dire.

— Parce que Charlemagne, ça sonne mieux, fit Honey. C'est plus sexe.

Piejack sourit.

— T'aimes bien ça, hein ?

Il imprima un mouvement de va-et-vient à son bassin,

secouant le flingue. L'arme était assez courte pour que Honey pense parvenir à ses fins.

— C'était le maître de l'Europe occidentale, Louis. L'empereur d'Occident, précisa-t-elle. Un autre comprimé, ça vous dit?

De sa main valide, Piejack ramassa la corde. Ses paupières étaient lourdes et il se mit à dodeliner de la tête.

— Charlie Main, murmura-t-il. C'est pas si dur.

— Vous voulez le dernier Vicodine, oui ou non?

— Bien sûr. Le flacon est dans mon pantalon, dit-il. Mais d'abord, j'ai besoin que tu me soignes autre chose là, en bas. Tu vois, ça me picote drôlement et je peux pas me gratter pasque mes doigts sont niqués.

— Vaut mieux oublier, dit Honey.

— C'est les fistons de Charlie Main.

— Ouais, j'imagine.

— Ah, vas-y. Z'ont une démangeaison qui veut pas s'en aller.

Honey, se glissant plus près, faillit être asphyxiée par l'odeur.

— Soyez un gentil garçon et prenez votre médicament. Tenez, laissez-moi vous aider pour le flacon.

Se penchant comme si elle tendait la main vers ses poches, elle empoigna à deux mains le fusil de chasse. Elle tira mais le canon ne bougea pas… Piejack avait crispé ses cuisses en étau autour de la crosse. Sa force et la rapidité de ses réflexes stupéfièrent Honey.

Il jura et roula sur sa droite, entraînant le corps d'Honey sur son torse. Le canon de l'arme s'enfonça ferme dans le sol, les faisant tous deux lâcher prise. Honey en basculant entendit une déflagration assourdie, puis un cri.

Les oreilles lui tintaient quand elle se redressa sur son séant. Piejack avait la figure maculée de sable et de débris de feuilles explosés par le coup tiré à bout portant. Il gémissait plaintivement en serrant les genoux: la puissance du recul avait remplacé sa démangeaison intime par un hématome prodigieux.

Honey avait du mal à croire qu'il n'ait pas perdu conscience.

345

Piejack se remit debout en flageolant, récupéra le flingue encore fumant, qui avait l'air d'avoir servi à creuser une tombe.

— Bouge pas, bordel! fit-il d'un ton rauque.

Elle s'en garda bien. Sa mâchoire l'élançait à nouveau et une vive douleur dans le ventre la fit grimacer... l'une des épines de cactus gluantes de Piejack transperçait sa chemise. Honey se demanda si une bonne infection ne valait pas mieux que sa compagnie.

— On fait quoi maintenant, Louis? lui demanda-t-elle, le moral à zéro.

Il se courba.

— Plus fort!

— J'ai dit: « On fait quoi maintenant? »

Il hurla au comble de la frustration:

— Tu trouves ça drôle? Hein, sale garce?

Honey comprit que de la terre lui bouchait les oreilles.

— Louis, t'es rien qu'un gros tas pourrave, lança-t-elle à titre de test.

Il eut beau plisser des yeux interrogateurs, il ne montrait aucun signe d'avoir perçu l'insulte.

Génial, songea Honey. Me voilà maintenant bonne à jouer aux charades avec un obsédé sexuel. Elle tira sur ses lobes en faisant non de la tête.

— T'entends rien, toi non plus? demanda Piejack d'une voix forte.

Honey fit mine de ramer en criant:

— Où est votre bateau, Louis? Faut qu'on aille au bateau!

— Le bateau?

— Bravo, lui dit-elle, en applaudissant.

Piejack eut un sourire en coin.

— Maman! Papa! fit une voix dans les bois.

Honey devint blanche comme un linge... on aurait dit Fry, mais c'était impossible. Fry était loin d'ici, en sécurité chez son père, et ni l'un ni l'autre n'aurait su où la trouver. Honey se dit qu'elle était victime d'une hallucination auditive, que le stress la faisait craquer.

— Hé, maman ?

La voix était plus proche maintenant... trop proche. Honey ne répondit pas. Elle avait envie de crier en réponse de tout son cœur, mais pas si folle. Si c'était vraiment Fry, il allait accourir. Peu importe ce qu'elle lui dirait de faire, il accourrait à son secours.

Et il ne lui était pas possible de la secourir, pas tout seul. Il n'avait que douze ans et demi, Dieu du ciel.

— Maman, papa, c'est moi !

Honey ne le savait déjà que trop.

Enfuis-toi, mon fils, se dit-elle. *Mon Dieu, je vous en supplie, faites qu'il aille de l'autre côté.*

Il restait encore de l'espoir puisque Piejack ne pouvait pas l'entendre.

— Où vous êtes ? beuglait le garçon.

Il était dangereusement près, désormais. Tragiquement près.

Honey ne put plus se retenir.

— Va-t'en, Fry ! lâcha-t-elle. Va chercher de l'aide !

Piejack, momentanément préoccupé, tapait de sa pogne une cohorte de fourmis rouges attachées goulûment à son cou.

— Fais ce que je te dis, Fry ! s'écria Honey. Va-t'en...

Mais il était déjà là, surgissant des arbres de son sprint le plus rapide, et quant à faire vite, ce fut vite... et coiffé, qui l'eût cru, d'un casque de footballeur.

Honey lui ouvrit les bras en refoulant des larmes brûlantes. Fry faillit de peu la renverser en la serrant au vol contre lui.

— Ça va ? lui demanda-t-il, à bout de souffle. Mon Dieu, qu'est-ce qui est arrivé à ton visage ?

— Je vais bien. Très bien.

Le garçon dévisagea Louis Piejack et le fusil de chasse écourté.

— Il est presque sourd, fit Honey.

Piejack les couvait tous deux d'un œil noir.

— Tire-toi de là, gamin !

Fry chuchota à sa mère :

— J'ai entendu le coup de feu et j'ai paniqué. T'as vu papa ?

— De quoi tu parles ?

— Papa te cherche. On est venus tous les deux dans le coin.

Honey songea : *Je vais lui fendre le crâne à ce mec.*

— J't'ai dit de te casser ! beugla Piejack à Fry.

— Calmos, Louis, dit Honey.

— C'est juste toi et moi, mon ange, c'était ça le deal. Toi et moi jusqu'à la fin des temps.

Piejack braqua froidement le canon scié sur Fry.

— Faut pas compter sur moi pour être le beau-papa de personne. Maintenant, bouge-toi, mon gars. Rentre chez ton vieux.

Honey fit pirouetter son fils d'une main ferme.

— Tu l'as entendu. Tire-toi d'ici.

— Je m'en irai pas. Pas ques.

— Qu'est-ce qu't'as dit ?

Piejack inclina la tête.

— J'entends que dalle, merde. Faut que tu parles plus fort.

Fry se libéra de la poigne de sa mère et s'avança vers Louis Piejack jusqu'à ce que le canon du fusil de chasse touche la grille de son casque.

— J'ai dit que JE M'EN IRAI NULLE PART ! hurla le garçon.

Puis se pliant en deux, il gerba sur les chaussures de Piejack.

24

Pour une fois, Honey Santana avait les idées absolument claires. Pas de chansons beuglées. Pas de mugissements de sirènes. Pas de sifflets de trains. Une lucidité rare, et donc bienvenue, l'emportait sur tout le reste.

Un délinquant brutal venant d'assommer son fils, il n'y avait qu'une réaction qui valût. Honey enserra à deux mains le cou graisseux de Louis Piejack.

Ça lui semblait bien, émancipateur, comme pourrait le dire Oprah Winfrey dans son émission.

Honey savait que si jamais le bonhomme la descendait, elle l'étranglerait en mourant. Sauver Fry était la seule chose qui comptait.

Honey poussa Piejack contre un *coccoloba diversifolia*, le fusil de chasse coincé entre leurs corps. Le canon se logea en longueur dans l'échancrure d'Honey, sa bouche terreuse collée sous son menton. Des fourmis rouges se mirent à se déverser de la main bandée de Piejack, dont ce dernier se flagella la cuisse jusqu'à ce que le pansement chirurgical en tombe telle une cosse putride.

Pour contrer les mouvements de Louis, Honey pressa plus fort, même si au début le lubrique poissonnier parut jouir de la rudesse de ce contact frontal. Il lui décochait des clins d'œil mouillés tout en se pourléchant de sa langue pleine de taches.

Quand Honey serra encore plus fort, le sourire en coin de

Piejack s'évanouit. Ses yeux au blanc devenu jaune s'exorbitèrent en se mettant à suinter. Des bulles de salive brunâtre enflèrent aux commissures de ses lèvres et son souffle aux émanations fétides devint court, comme s'il avait le croup. En enfonçant ses doigts dans sa pomme d'Adam, Honey regretta de s'être coupé les ongles la semaine précédente. Elle se sentait néanmoins capable de lui infliger des dommages mortels et, malgré les calmants qu'il avait absorbés, ce fils de pute était tout sauf à son aise. Elle pouvait le dire rien qu'en se basant sur ses gargouillis.

— Attention!

C'était Fry.

À l'immense soulagement d'Honey, son garçon n'avait pas été blessé. La crosse du flingue de Piejack, fendant son casque de football, l'avait étendu pour le compte, mais Fry s'était relevé d'un bond. Honey l'entrevoyait tournant autour de la scène, puis fonçant pour décocher des coups de poing au jugé, inefficaces.

— Je t'avais dit de te tirer d'ici!

Quand elle ouvrit la bouche pour pousser un hurlement, sa mâchoire brisée claqua comme une castagnette.

— Tu rêves! lui cria Fry en retour.

— Fais-ce-que-je-te-dis!

— Maman! Regarde!

— Ah merde.

Du poignet à l'épaule, ses manches luisaient de fourmis rouges. Elles désertaient Piejack en masse, utilisant Honey comme tête de pont. Par centaines, elles ruisselaient le long de ses bras, mais elle avait peur de relâcher son emprise sur Piejack pour les chasser à coups de claques. Un instant suffirait à Louis, Honey le savait, pour reprendre le contrôle du canon scié.

Pendant que Fry fouettait les insectes avec une palme, Honey tâchait de ne pas imaginer où se dirigeaient les hordes rouge sang. La figure difforme de Piejack noircissait sous le manque d'oxygène, pourtant il continuait de se débattre sauvagement de sa main valide et de celle qui ne l'était plus pour s'emparer du fusil. L'échauffourée était si intense qu'Honey ne remarqua pas qu'une colonne de fourmis disparaissait entre les boutons du haut de son T-shirt. Leurs piqûres la brûlaient, telle une pluie acide chaude, et elle se demanda jusqu'où elle pourrait l'endurer.

Pas très longtemps, il s'avéra. En quelques secondes, la douleur lui coupa le souffle. Elle lâcha Piejack, arracha son T-shirt et se précipita sur le sol. Quand elle cessa de rouler sur elle-même, il se tenait planté au-dessus d'elle, haletant, agrippé au canon scié. Ses godasses empestaient encore le vomi de Fry.

Honey s'assit, croisant les bras pour cacher son soutien-gorge. Sa poitrine était enflammée selon un pointillé sinueux de minuscules piqûres cramoisies.

— T'en as une dans tes boucles, fit Piejack, la voix rauque.

Tout tremblotant qu'il fût, le bonhomme s'était débrouillé pour crocheter la détente du fusil de l'un de ses appendices digitaux recousus, un auriculaire peut-être bien. Grâce aux doigts plus agiles de sa main valide, il retirait la terre de ses oreilles.

Honey fit tomber d'une chiquenaude la fourmi de ses cheveux en songeant : *Où est mon fils, merde ?*

Pour découvrir si Piejack avait recouvré l'ouïe, elle lui demanda d'une voix normale :

— Qu'allez-vous faire maintenant, Louis ?

— Non mais, qu'est-ce qu'tu crois ? Je vais te tirer une balle dans ton petit cul trognon, lui dit-il, mais je vais te le tirer autrement, avant ça.

Il fit remonter en toussant quelque chose, grimaça au goût que ça avait dans sa bouche et le cracha. Honey scrutait entre les genoux de Louis, cherchant en vain Fry des yeux.

— Ton môme, y s'est barré, fit Piejack. Il perd rien pour attendre, t'inquiète.

Roulant des yeux blancs, il déglutit lentement, comme un crapaud. Il était clair qu'Honey l'avait blessé.

— Baisse ton froc, lui fit-il.

— Vous pouvez toujours vous brosser, Louis.

— Tu sais bien que je tirerai, bordel.

— C'est la seule façon dont ça pourra jamais se passer entre nous… si je suis morte, lui dit Honey.

— Ben, c'est pas très futé, ça.

Piejack lui planta le canon scié sur le front.

— Mais si tu préfères comme ça…

Honey s'attendit à voir défiler toute sa vie, comme on le raconte. Elle ne revécut pourtant qu'un seul événement de ses trente-neuf ans en accéléré : la naissance de Fry.

Elle était entrée en travail un lundi après-midi, avec six semaines d'avance. Avait joint Perry par radio sur son crabier. Il était accouru à la maison, l'avait portée jusqu'au pick-up puis avait traversé l'État à cent cinquante kilomètres/heure jusqu'au Jackson Hospital de Miami. Un vieux médecin cubain adorable avait demandé à Honey si elle désirait une péridurale et elle lui avait répondu que non, car elle s'imaginait que le bébé serait petit et ne lui ferait pas très mal en sortant. Mais ça lui avait fait un mal de chien et avait duré bien plus longtemps qu'elle ne s'y était attendue : quinze heures et quarante et une minutes. Perry demeura à ses côtés. Quand la douleur venait, il serrait la main d'Honey et quand elle refluait, il lui lisait un recueil d'histoires de pêche de Zane Grey. Honey ne s'intéressait pas à la pêche, mais c'était la première fois qu'elle entendait son mari lire à haute voix et, pour une raison ou une autre, ça l'avait calmée.

Puis les contractions étaient devenues violentes. Le médecin lui avait dit de pousser. Les infirmières, aussi. Perry s'était mis de la partie. Honey se souvint de s'être mordu la lèvre en songeant : *Merci mon Dieu que ce petit garnement ne soit pas arrivé à terme. Il m'aurait fendue en deux comme une pastèque !* Et tout à coup, il avait été là, gigotant sur les draps comme un têtard violet : Fry Martí Skinner, deux kilos quatre cents.

Dès son premier souffle, il lui parut doté d'une confiance en lui peu commune. Il ne pleura pas une seule fois en salle d'accouchement, pas même quand Perry lui coupa le cordon. Les infirmières étaient paniquées que l'enfant n'émette pas un seul bip, mais pas Honey. Son garçon était un malin. Il se savait en sécurité et aimé.

Maman et papa furent les seuls à pleurer quand les infirmières embarquèrent Fry au service des prématurés et le bardèrent de tuyaux comme une souris de laboratoire. Il avait du liquide dans les poumons, leur dit le médecin, évitant le terme de *pneumonie* afin de ne pas faire dérailler Honey davantage, Honey qui était déjà aux cent coups. Elle refusa de quitter l'hôpital, Skinner lui apportant ses repas, des livres et des vêtements de rechange. Quinze jours plus tard, Fry était chez eux et sa mère rétablie, bien qu'inchangée.

Il était naturel à présent, son temps lui étant compté, que la dernière pensée qui lui traverse la tête aille à son fils.

Qui surgit alors sans casque de derrière le *coccoloba diversifolia*. Armé d'un morceau de bois décoloré.

Honey se contraignit à rester silencieuse, le regard rivé au fusil de chasse de Louis Piejack. Mieux valait qu'il continue à le braquer sur elle et pas ailleurs.

Fry crapahutait lentement.

Il a des couilles colossales, s'émerveilla Honey qui se cuirassa pour l'assaut final.

Louis Piejack n'avait jamais raffolé des grands espaces. Le commerce, dénué de sentimentalisme, des fruits de mer l'avait seul attiré dans les Dix Mille Îles. C'était on ne peut plus simple : si on vendait du poisson, autant aller où on en trouvait. Piejack n'arrivait pas à piger pourquoi touristes et écolos s'extasiaient sur les Everglades. Il n'y avait rien à tirer des insectes odieux ni de la chaleur infernale ; il passait ses heures de liberté chez lui, fenêtres barricadées, la clim à fond et un pack de Heinies fraîches dans le frigo.

C'était dans ce petit nid douillet que Piejack avait rêvé d'installer Honey Santana. Mais il se demandait maintenant si le jeu en valait la chandelle et toute cette peine. Elle avait beau être jolie, son attitude restait pisse-froid. C'était une dure à cuire, qui ne mâchait pas ses mots et n'avait quasiment peur de rien, bordel… des qualités qui ne séduisaient en rien Piejack chez une femme. En plus, elle avait un caractère de cochon, car pour lui avoir palpé le sein, elle lui avait rué dans les burnes, et pour avoir flanqué un pain à son moutard, elle avait failli l'étrangler.

Pierjack préférait ne pas la descendre mais n'avait presque plus de forces pour lutter. L'effet magique des antidouleur refluait, de même que sa vision optimiste d'une union heureuse. Depuis le jour où il avait eu des vues sur Honey, des calamités physiques en cascade s'étaient succédé. Anesthésié par la lubricité, il avait poursuivi sa quête avec ténacité, convaincu qu'il pourrait faire fondre la frigide résistance d'Honey. Jusqu'ici il avait échoué de façon spectaculaire. Même dans son état de confusion actuel, Piejack saisissait qu'il avait affaire à quelqu'un qui ne se contenterait pas du rôle de femme d'intérieur-slash-esclave sexuelle docile. Il devrait obtenir de haute lutte la moindre privauté merdique et elle était assez forte pour le lui faire payer de son sang. Piejack connaissait un patron de crevettier de Key West qui était tombé dans la même sorte de fixette, avec une épouse philippine trouvée sur Internet. Trois nuits après le début de leur lune de miel, cette fille lui avait cloué la peau des couilles au matelas avec une fourchette à cocktail avant de mettre le feu à la chambre du motel. Piejack en frissonnait rien qu'à l'idée.

Il permit à la bouche du fusil de baiser le front d'Honey.

— J'ai pas vraiment envie de te buter, mon ange, et j'ai comme l'impression que t'as pas envie de crever non plus. Alors, fais ce que Louis te dit de faire et tout ira bien.

Dénuée de la moindre expression, elle loucha vers le canon.

— Maintenant, tu te fous à poil et on démarre cette histoire dans les règles, fit Piejack. Puis on rentrera en bateau et on sera heureux jusqu'à la fin des temps, rien que toi, moi et Charlie Main. Quant à ton garçon, ben, il sera mieux avec son papa. Tu pourras lui rendre visite, disons, tous les samedis, si j'ai pas besoin de toi à la halle. C'est ça le deal, bordel, mon ange, tu prends ou tu laisses.

— Il me faut du temps pour y penser, Louis, lui dit Honey.

— Combien de temps, nom de Dieu ?

— Trois secondes à peu près.

— O.K., fit Piejack. Un… deux…

À trois, quelque chose d'aigu et de lourd le frappa par-derrière et lui chassa l'air des poumons. Piejack bascula sur le côté, en songeant : *Ça, c'est pas de l'amour.*

La première visage pâle qui trahit Sammy Queue de Tigre fut sa belle-mère, qui l'avait largué à la réserve, le lendemain de l'enterrement de son père. La seconde avait été Cindy, son ex-petite amie, qui avait commencé à baiser avec tous ceux dont la bite était en état de marche après que le Séminole eut démoli son labo artisanal de méthamphétamine et confisqué le chandelier à sept branches, un menorah à butane, qu'elle avait fauché à un étalage du coin au moment d'Hanoukka.

Sammy Queue de Tigre concédait que son héritage d'Indien d'Amérique n'était pas le facteur déterminant dans ses deux exemples de trahison : sa belle-mère n'était rien qu'une mégère égocentrique qui n'avait aucune envie de se coltiner un ado, et la pauvre Cindy qu'une pouffe complètement à l'ouest qui aurait trompé le prince William pour un dé à coudre de crack. Il se trouve que les deux femmes avaient rendu un fier service à Sammy Queue de Tigre. L'une en le libérant de l'existence pâlichonne de Chad McQueen, l'autre en lui permettant de s'évader d'une liaison destructrice et potentiellement appauvrissante sur le plan génétique.

Comme nombre de Séminoles modernes, il n'avait jamais été personnellement maltraité, assujetti, escroqué ni déplacé par un colon visage pâle. Les « à-côtés préjudiciables » auxquels le révérend Clay MacCauley faisait allusion dans son journal de bord du dix-neuvième siècle étaient de l'histoire ancienne, grosse d'amertume ; il n'y avait eu aucune perfidie flagrante ni aucun bain de sang depuis des générations. Dans les années 1970, la Floride connut une ruée massive d'une côte à l'autre et la chance des Séminoles avait commencé à prendre un tour fort inattendu. Tout avait démarré avec deux, trois salles de bingo et l'intuition que les visages pâles, quand ils s'ennuyaient à mort, devenaient accros au jeu. Ces derniers accoururent bientôt jusqu'aux réserves par cars entiers et les établissements de bingo s'agrandirent pour faire place à des tables de jeu et au poker électronique.

Même si la tribu diminuait en nombre, son importance grimpait en flèche, de façon inversement proportionnelle, pour atteindre une envergure qui laissait rêveurs les anciens. La richesse réussit ce que trois guerres meurtrières avaient échoué à obtenir des visages pâles : la déférence. Autrefois stigmatisée comme un ramassis de païens dépenaillés, la nation séminole devint une puissante et formidable entreprise, dotée de sa propre brigade d'avocats et de lobbyistes. Les Indiens se retrouvèrent accueillis à bras ouverts par les milieux d'affaires blancs de blancs et avidement courtisés par les politiciens de tous bords.

Si pour certains membres de la tribu ce n'était que justice, d'autres, tel Sammy Queue de Tigre, appelaient ça un reniement. Son oncle Tommy, l'un des cerveaux de cette stratégie de casinos séminoles, respectait et même sympathisait avec l'attitude dubitative de son métis de neveu.

— Je pensais comme toi au fond de mon cœur, avait-il confié une fois à Sammy, mais un jour je me suis posé la question : «Qui reste-t-il pour lutter contre ?» Andrew Jackson est mort, mon garçon. Son visage illustre le billet de vingt dollars dont on a des valises pleines dans nos casinos. Chaque soir, on les entasse dans le fourgon de la Brink's qui les transporte à la banque. C'est mieux que de cracher sur la tombe de ce vieux salopard. Penses-y, mon garçon. Tous leurs soldats célèbres ne sont plus — Jackson, Jesup, Clinch — et nous, on est là et pas qu'un peu là.

Ouais, songea Sammy Queue de Tigre, je suis là. À risquer

débilement ma peau en aidant un visage pâle à secourir sa barjo d'ex-femme.

Le coup de fusil avait fait un bruit bizarre : celui d'un pétard explosant dans une cuvette de chiottes.

Skinner courait de toutes ses forces, l'Indien sur ses talons. Il leur fallut quand même plusieurs minutes pour traverser l'île, envahie comme elle l'était par les plantes grimpantes et les broussailles. Les deux hommes débouchèrent enfin dans une vaste clairière et Sammy Queue de Tigre aperçut, de l'autre côté, son propre campement. Une sorte de pugilat contre nature était en cours... ça n'était que hurlements, grognements et autres contorsions parmi la poussière et les coquilles d'huîtres.

Personne n'avait l'air blessé, malgré l'écho de mauvais augure du coup de feu qui avait précédé. Le Séminole envisagea brièvement de foncer jusqu'à son canoë, car la scène délirante qui se déroulait devant lui promettait un gâchis à son apogée qui, il en était certain, lui compliquerait la vie par la suite. Il y a au moins 9 999 autres îles, se dit-il, sur lesquelles un homme peut trouver la paix et la solitude.

Et Sammy Queue de Tigre aurait sans doute mis son idée à exécution, n'eût été la vision improbable du jeune fils de Skinner se déchaînant contre une silhouette que l'Indien reconnut pour celle du mutant malodorant qu'il avait allumé avec la crosse de son fusil, celui que Gillian appelait Sparadrap Man et Skinner, Piejack. Le type avait repris du poil de la bête, à un point impressionnant, après le coup qu'il lui avait assené sur la tête, car il réussissait à repousser le gamin et à lutter en même temps corps à corps avec une femme de stature athlétique. À son vocabulaire d'une verdeur fleurant bon son quai de pêche, Sammy Queue de Tigre l'identifia comme la mère disparue du garçon, l'ex-femme de Skinner. Sparadrap Man et elle s'affrontaient pour mettre la main sur un objet métallique du genre fusil de chasse au canon grossièrement scié en vogue chez les délinquants ploucs et les gangsters urbains myopes. Le Séminole entendit l'arme émettre deux déclics sourds, comme si une cartouche s'était coincée dans la chambre.

Devant lui, il vit Skinner, fauché en plein élan, tomber en s'agrippant le genou gauche. Ce qui arriva ensuite fut l'affaire de quelques secondes mais se déroula sous les yeux de Sammy Queue de Tigre au rythme sinistre et saccadé des catastrophes inéluctables. L'ex-femme de Skinner repoussa Piejack et rejoignit le premier à quatre pattes. Leur fils fit deux pas dans la même direction mais Piejack le chopa par la cheville et le tira violemment en arrière, lui faisant lâcher le morceau de bois qu'il brandissait.

L'homme, l'œil mauvais, exhiba alors aux parents horrifiés du garçon le .45 noir luisant de Skinner, que sa chute lui avait arraché des mains.

— Regardez qui que v'là! gloussa Piejack à l'adresse de Skinner. Tu tombes à pic! Je vais te faire payer maintenant ce que tes brutes de Latinos ont fait à ma main.

Alors que ce monstre collait l'arme sur la tempe de Fry, Sammy Queue de Tigre regretta d'avoir perdu son sang-froid et d'avoir mis son fusil en pièces, car il n'avait à présent plus aucun moyen de mettre fin à ce souk. Sans bouger d'un pouce, il passa la situation en revue. Skinner, toujours à terre, souffrait terriblement. Honey Santana l'enlaçait, lui murmurant à l'oreille en pleurant doucement. Le bas de sa mâchoire, salement amoché, pendait. Quelques mètres plus loin, Piejack crochetait de son bras le cou de leur fils, ce dernier ayant à nouveau l'air malade et nauséeux. En équilibre précaire dans la main gauche, nue et gangrenée, de Piejack, on voyait le semi-automatique de Skinner, la détente recouverte par l'amande décolorée d'un doigt. Le canon scié gisait à l'abandon sur le sol.

— Casse-toi, tête de nœud.

Piejack venait enfin de s'apercevoir de la présence du Séminole.

— C'est pas ton bizness.

Cette ordure a peut-être raison, songea Sammy Queue de Tigre, n'empêche, je suis là.

— Va-t'en, fit Piejack, si tu veux pas que j'te troue le bide.

L'Indien pouvait presque entendre son oncle lui dire : « Ce qui se passe ici ne te concerne pas. C'est qu'une histoire de fous entre visages pâles, rien d'autre, merde. »

— Je peux prendre ma guitare ? demanda Sammy Queue de Tigre.

Il avait repéré la Gibson, son lien le plus cher avec le monde des visages pâles, parmi les cendres du feu de camp éteint.

— Ce truc est à toi ? Ah bah ! fit Piejack.

Sammy Queue de Tigre se rappela une déclaration qu'il avait mémorisée, étant ado. Elle émanait du général Thomas Jesup, évaluant la longue guerre indienne de Floride :

Nous n'avons jamais eu, à un moment antérieur de notre histoire, à affronter un ennemi aussi formidable. Aucun Séminole ne trahit sa nation et il n'existe pas d'exemple qu'un guerrier éminent se soit jamais rendu.

L'oncle de Sammy Queue de Tigre lui avait dit que c'était vrai, grosso modo. Il avait ajouté que certains membres de la tribu avaient lâché leurs armes et détalé comme des lapins, que d'autres avaient accepté des pots-de-vin des généraux américains pour gribouiller leur nom au bas de traités sans valeur.

Si de nombreux Séminoles était des guerriers éminents, avait dit son oncle à Sammy, quelques-uns ne l'étaient pas.

— T'attends quoi ? Prends ta connerie de guitare et ciao, fit Piejack, avant que je t'explose le cul, Peau-Rouge.

Déplorable, songea Sammy Queue de Tigre. Déplorable et pas du tout nécessaire.

En traversant la clairière, il sentit que le garçon le regardait, l'ex-femme de Skinner aussi. Le Séminole gardait les yeux fixés sur la Gibson blonde, brillant parmi les cendres.

— Attendez, m'sieur, fit le gamin.

Sammy Queue de Tigre ne releva pas la tête. Il souleva la

guitare et l'essuya avec un bandana. Il remarqua avec chagrin un accroc dans son poli.

— Vous allez pas nous laisser ici, fit la mère du garçon. S'il vous plaît.

L'Indien ne fit aucune réponse. Il avait pris sa décision.

— Bon Dieu, Sammy.

C'était au tour de Mr Skinner, qui se relevait.

Le Séminole songea à son arrière-arrière-arrière-grand-père, le chef Thlocklo Tustenuggee, trompé par des promesses de paix, puis emprisonné. La manifestation du destin, autrement dit l'extorsion aux peuples indigènes de leur terre natale, avait pris la forme d'une sainte croisade chez les visages pâles de cette ère-là. Immunisés contre la culpabilité ou la honte, ils prodiguaient la souffrance et la mort aux mères, aux bébés, même aux aînés. Un président américain après l'autre brisait les traités en crachant des mensonges... l'étendue illimitée de leurs tromperies était stupéfiante au plus haut point.

Sammy Queue de Tigre, dans ses jeunes années, n'avait jamais trahi âme qui vive. Il possédait une conscience en bon état de marche, provenant de l'une ou l'autre de ses lignées. Sa mère était une femme morale, dure à la tâche ; son père avait été quelqu'un de bien et de fiable.

— T'es genre ramolli du bulbe ou quoi ? Je t'ai dit de te casser, bordel, aboya Sparadrap Man.

— Rien qu'un instant.

— *Tout de suite*, j't'ai dit !

L'Indien releva les yeux et vit Piejack agiter le .45.

— Mauvaise idée, fit Sammy Queue de Tigre en se dirigeant vers lui.

Le bonhomme lui dit de reculer, sinon. Le Séminole continua d'avancer à grandes enjambées régulières.

Les yeux écarquillés, Piejack s'efforçait de l'ajuster de son arme.

— Faites pas l'imbécile, Louis ! le supplia Honey.

Une fois à deux mètres de lui, Sammy Queue de Tigre obli-

360

qua. S'approchant de Perry Skinner, il lui tendit la guitare. En lui disant ces mots :

— Je crois que Mr Knopfler comprendrait.

— Qui ça ? croassa Piejack. Comprendrait quoi ?

Skinner saisit l'instrument par le manche et, s'avançant en boitillant, la leva comme une hache.

— Couchez-vous, conseilla l'Indien à l'ancienne Mrs Skinner, puis il plongea pour protéger son fils.

L'arme dans la pogne de Piejack cracha un éclair blanc bleuté, mais la Gibson blonde s'abattit avec force sur son crâne crade, qu'elle lui fendit proprement.

25

Eugénie Fonda, sur le balcon de sa chambre au cinquième étage, ses orteils fraîchement peints en éventail, contemplait le soleil fondre tel un sorbet dans le golfe du Mexique. Son troisième Bacardi exsudait des gouttelettes de fraîcheur qui sinuaient le long de son ventre nu.

La porte coulissante s'ouvrit et Gillian Sainte Croix sortit, en tongs camouflage et débardeur bleu layette qu'Eugénie lui avait achetés dans une boutique du hall. Elle lui annonça que les piqûres de moustique avaient quasiment disparu, grâce à un onguent mentholé magique que lui avait recommandé une Marocaine au spa.

— Regarde-moi ce coucher de soleil, lui dit Eugénie.

— Ouais, d'enfer.

Gillian se posa en tailleur sur l'autre fauteuil.

— Tu veux savoir ce qu'il a dit? Ethan, quand je l'ai appelé?

Eugénie sirota son verre.

— Je devine ce qu'il t'a dit, ma douce. «Je te pardonne tout. Reviens à la maison.»

— Ouais, mais tu sais ce que, moi, je lui ai répondu? «Trouve-toi une autre copine, pauvre naze.» C'était tellement nul de m'avoir rien dit sur ces dauphins. De me faire croire qu'ils étaient partis à la nage comme dans *Sauvez Willy* alors qu'ils se contentaient de zoner dans le coin et de mendier des friandises comme des caniches dressés.

Eugénie avait déjà entendu l'histoire mais elle écouta poliment. Regardant vers le sud, elle se demanda si Boyd Shreave avait déjà quitté l'île. Elle espérait qu'il ne partirait pas à sa recherche, qu'il n'était pas assez bête pour croire qu'il était encore fréquentable.

— Ethan ne tient pas vraiment à moi. C'est simplement sexuel, poursuivit Gillian.

— Ben oui, c'est un garçon.

— Pourquoi ils sont tous comme ça ?

— Oh, ils sont pas tous comme ça.

Eugénie avait en particulier en tête l'ex d'Honey Santana, qui l'aimait toujours, c'était évident. Il n'y avait pas d'homme de ce genre dans le passé d'Eugénie ; même Van Bonneville avait cessé de lui écrire depuis sa prison.

— Note le massage, fit Eugénie.

— D'enfer. Onze sur dix.

Gillian se tut, fronça le sourcil.

— Tu sais quoi ? Faut que je trouve une autre expression. *D'enfer*, ça le fait plus.

— C'est archi-rebattu, confirma Eugénie.

— Eh, pourquoi pas *super* ? On m'a massée *super*.

Eugénie fit non de la tête.

— *Super*, ça le fait plus non plus. Surtout si tu veux être une Madame Météo avec deux M majuscules.

— Mon Dieu, qui sait ce que je veux être.

Gillian éclata de rire.

— T'as eu droit au Japonais ou au plouc de chez plouc ? Moi, j'ai eu droit au plouc.

— Moi aussi. Il m'a montré des photos de ses jumeaux chéris.

— Ah bon ?

— Ouais, fit Eugénie. Puis il a sorti un vibro de la taille d'un gros cigare en me demandant si les sex toys, ça me branchait.

Gillian hurla de rire.

— Tu vois ! Ils sont tous pareils !

Eugénie vida son verre jusqu'à la dernière goutte. Le soleil avait disparu, l'horizon rougeoyait. Une ribambelle de tout petits gamins accourait de la plage, en criant, en pouffant et en donnant des coups de pied dans le sable.

— La patience, dit-elle à Gillian. C'est ça, le secret. Dès qu'on se lance la tête la première là-dedans, en faisant des mauvais choix, c'est vachement dur de s'en dépêtrer. Je veux dire que c'est dur de changer d'attitude.

— Tu t'en es pas si mal tirée, lui objecta Gillian. Regarde où on se trouve, Génie... la plage, l'océan, des cocktails au rhum ! Le reste du pays est en train de se peler le cul.

En train de faire du surplace, voilà où j'en suis. Et d'exploser la limite de ma carte de crédit, songea Eugénie.

— Ce qui se passe, c'est que tu émets certaines vibrations, fit-elle. Pourquoi crois-tu que le masseur m'a draguée et pas toi ? Parce qu'il savait, ma douce, que je répugne pas à baiser avec le petit personnel quand je me fais chier. Les hommes ont un radar pour ça, eh oui, pour la vibration de l'ennui. Tu feras gaffe à ça, O.K. ?

Gillian alla se chercher une bière au minibar. Elle en lampa une gorgée puis répondit :

— Attendre les bons... c'est ce que tu veux dire par patience ?

— Il y en a quelque part. Je le sais de source sûre, dit Eugénie.

— Genre Thlocko ?

— Trouve-t'en un qui ait les pieds sur terre, Gillian. Son *bagage* à lui pèse des tonnes.

— Mais il est différent. Je l'aime bien.

— Moi aussi, fit Eugénie.

— Il est absolument pas chiant.

— C'est vrai.

— Merci de pas avoir couché avec lui. Et je pense ce que je dis.

— De rien, fit Eugénie.

Gillian versa la moitié restante de sa bière dans une jardinière en argile.

— J'ai intérêt à rentrer à Tallahassee demain… faut que j'achète mes bouquins pour le prochain semestre. Et toi?

— Direction non-stop l'aéroport DFW. Je vais quitter mon boulot merdique et tout recommencer de zéro.

— Ouais. Et tu feras quoi?

— Des patchworks. À ce que j'entends, ça redevient à la mode. Ou bien des bougies parfumées, dit Eugénie, l'air sérieux. Quelque chose que je pourrai faire chez moi, ça m'évitera de rencontrer des connards.

Gillian observa une bande de pélicans gris s'abattre pour pêcher dans les vagues.

— Quelle virée de folie… *vraiment folle*, je veux dire. Peut-être qu'on devrait, chais pas, fêter ça.

Eugénie Fonda était partante.

— J'ai en tête un homard arrosé de chardonnay chilien.

— Excellent, dit Gillian avec un clin d'œil. Alors, c'est parti?

À cent cinquante kilomètres de là, Boyd Shreave réussit finalement à se changer.

Il avait patienté dans le poinciana jusqu'au crépuscule, l'oreille tendue, guettant le retour des deux hommes qui l'avaient abordé, l'arme au poing. Puis avec nervosité il avait entamé une descente en plusieurs étapes, la numéro un étant digne des premiers pas de bébé, la seconde un plongeon spontané, cul par-dessus tête. Par miracle, il avait atterri à deux doigts du carré de cactus. Et même s'il avait déchiré son coupe-vent et s'était ensanglanté les paumes sur une crête de coquilles d'huîtres en vrac, Shreave était fou de joie de ne pas s'être estropié.

Retirant son bermuda souillé, il s'empressa de fouiller le sac Orvis pour y pêcher un sous-vêtement Tommy Bahama propre.

Il se décida pour un Speedo vert pomme qu'il avait emporté dans l'espoir chimérique de paraître bien assorti à sa maîtresse en string sur la plage.

Dans la tente qu'il avait partagée avec Eugénie Fonda, Shreave découvrit une bouteille d'eau débouchée qu'il lampa cul sec. Dans celle d'Honey Santana, il s'appropria une bombe d'anti-moustique et une lampe frontale halogène. Dans son propre attirail, il sélectionna sa brosse à dents NASCAR et le livre de poche du *Vampire de l'ouragan* en guise de papier hygiénique.

Choisir un itinéraire était facile — Shreave emprunta la direction opposée à celle prise par les deux hommes qui recherchaient Honey. Pendant qu'il se tapissait dans l'arbre, il avait entendu deux petites commotions qui auraient pu être des coups de feu, à plusieurs minutes d'intervalle, indiquant qu'il se passait quelque chose de dangereux à l'autre bout de l'île. Shreave se dirigea prestement dans le sens inverse, se frayant avec difficulté un passage à travers plantes grimpantes, fourrés et autres toiles d'araignée.

Il y avait encore une ligne ambrée à l'horizon quand il franchit en titubant une étroite percée dans les mangroves. Sans réfléchir, il pataugea dans l'eau, râpant la semelle de ses coûteux docksides sur un haut-fond déchiqueté. Il espérait se positionner pour faire signe au premier vaisseau de passage mais bien sûr, aucun bateau ne viendrait ; seuls les trafiquants de drogue et les braconniers naviguent de nuit dans les Dix Mille Îles. Et ceux-là ont tout sauf la réputation d'être de bons samaritains.

L'eau des marais était trouble et froide. Shreave, dans son slip de bain moulant tendance, se mit à frissonner. L'obscurité approchant, il se servit de la lampe frontale d'Honey pour scruter la ligne d'arbres enchevêtrés en quête du reflet menaçant des yeux d'une panthère. À la place, il aperçut un canoë mandarine luisant, glissé parmi les racines arachnéennes.

Shreave, tout excité, traîna l'embarcation jusqu'en eau vive et, à la quatrième tentative, réussit à se hisser à bord sur le ventre. De ses mains lacérées, il s'empara de la pagaie et éprouva un afflux d'exultation… il allait enfin se libérer de cet endroit !

Il navigua sur Dismal Key Pass avec une dose égale de zèle et d'inaptitude. Malgré la marée étale, il dépensait plus d'énergie à corriger les variations fréquentes de sa course qu'à faire avancer le canoë. L'exercice le réchauffa, cependant, en lui donnant une illusion de vitesse. Shreave n'avait jamais rien tenté d'aussi audacieux que cette évasion et regretta que ni Génie ni Lily ne soient là pour en être témoins. Il choisit de croire qu'elles en auraient été éblouies.

Au bout d'une heure, il prit une pause repos, le canoë dérivant sans bruit. Avec des bouffées d'anxiété, il contempla la nuit profonde ; rien que des ombres, la lueur des étoiles et un pâle croissant de lune. Loin d'être apaisé par le silence, Shreave était une vraie pelote de nerfs. Il avait l'impression d'avoir été aspiré à travers un tunnel temporel jusqu'à un vide primitif et sinistre, dépourvu de tout horizon. Il ne se rappelait pas s'être jamais senti aussi seul ni pas à sa place et désirait plus que tout l'indice d'une intrusion humaine… un klaxon d'automobile, un ghetto-blaster, le grondement d'un long-courrier, tout là-haut.

N'ayant pas l'étoffe spirituelle, Boyd Shreave ne voyait l'œuvre d'aucune main divine dans la nature sauvage intacte qui s'étendait devant lui ni aucun grand dessein dans cette jungle labyrinthique de *creeks* et d'îlots. Des panoramas pareillement préservés n'inspirèrent pas à Shreave une nanoseconde d'introspection ; en matière de nature pure et dure, il restait d'un manque de curiosité invétéré et dépourvu de la moindre crainte respectueuse. Il aurait préféré être de retour à Fort Worth à regarder *American Idol* en se gorgeant de bière et en se goinfrant de burritos passés au micro-ondes.

Il reprit la pagaie avec morosité et se remit au boulot. Il n'avait aucune idée de l'endroit où il se trouvait ni de la direction qu'il avait prise, même s'il soupçonnait que la vaste étendue d'eau grise sur sa droite était le golfe du Mexique… pas idéal pour un canoë riquiqui. Au bout d'une heure de pagayage laborieux, il éprouva un profond inconfort. Peu habitué à trimer, ses bras lui brûlaient, le bas de son dos lui faisait mal et ses abdos étaient pleins de crampes. Il avait déjà décidé de s'arrêter pour la nuit quand il entendit un bruit de moteur, lui sembla-t-il, et le doux clapotis des vagues contre une coque.

Shreave, fourrant la pagaie entre ses genoux, tâtonna pour actionner la petite lampe fixée sur son front. Se dévissant le cou tel un hibou, il fit jouer le mince faisceau blanc çà et là sur l'eau jusqu'à ce qu'il localise la source du bruit : une petite embarcation à fond plat voguait parallèlement au canoë, à environ vingt mètres. Un grand type se tenait à la poupe, le visage détourné, une main sur la barre.

— Ohé ! le héla Shreave. Par ici !

Le type parut ne pas l'avoir entendu.

— Au secours !

Shreave ajusta sa lampe frontale, tâchant d'en recentrer la lumière sur le bateau qui passait.

— Eh, vous ! Venez me chercher ! hurla-t-il.

L'homme continua de regarder ailleurs. Shreave était agacé ; même si ce type était incapable de l'entendre à cause du moteur, il voyait sûrement clignoter la lampe frontale.

— Merde, c'est quoi votre problème, qu'est-ce que vous fichez ! beugla Shreave avec colère. Je me suis perdu ! J'ai besoin qu'on m'aide !

L'embarcation à fond plat se déplaçait si léthargiquement que Shreave se demanda si elle avait un problème mécanique. S'il ne vit pas de fumée quand il braqua la lampe sur le moteur, il remarqua que deux cordes tendues reliaient le tableau à une masse encombrante, dans les remous du sillage. Shreave ne distinguait pas ce que l'inconnu remorquait et s'en moquait bien. Le type, ça crevait les yeux, était à son affaire dans ces îles et Shreave avait désespérément besoin qu'on le tire de là.

— Eh ! Oh ! Par ici ! cria encore une fois Shreave. Putain, vous êtes aveugle ou quoi ?

L'inconnu se raidit, puis se tourna, grimaçant dans la lumière. Shreave retint son souffle.

C'était l'Indien de Génie. Celui qui l'avait traité de « sale pollueur de merde » et l'avait laissé moisir dans le poinciana.

La réaction de l'homme fut ferme et sans ambiguïté. Il lâcha la barre, leva la main droite dans le faisceau de la lampe, en déploya le majeur vers le ciel, le livrant à la contemplation chagrine de Shreave.

Ce dernier diminua l'intensité lumineuse, s'affala dans le canoë et attendit que le bruit du bateau à moteur disparaisse au loin. Il ramassa alors la pagaie et, jurant entre ses dents, se remit à ramer.

Sœur Shirelle, pliée en deux à la taille, les bras prenant appui sur un pin abattu par la tempête, aperçut la lumière.

— Regarde là-bas !

Frère Manuel était profondément absorbé : l'agrippant par les hanches, il la bourrait par-derrière en invoquant, à bout de souffle, une quelconque divinité. Son peignoir était défait et sur son torse perlait sa transpiration. Les autres pénitents n'étaient pas à portée de voix, ils dansaient et tournaient autour du foyer creusé sur la plage.

— Frère Manuel, il y a un homme sur l'eau !

En effet, un individu, d'une pâleur spectrale, pataugeait à travers les hauts-fonds en tirant un canoë d'une couleur acidulée. Une tête d'épingle lumineuse brillait intensément sur le front de l'inconnu.

— À l'aide ! s'écria-t-il.

Frère Manuel se retira de sœur Shirelle et rangea en hâte sa baguette tout sauf magique.

— C'est Lui ?

Sœur Shirelle se redressa en tirant sur ses sous-vêtements.

— C'est Notre Sauveur, enfin de retour de Son divin voyage ?

— Chut, mon enfant, murmura frère Manuel. Ressaisis-toi.

L'homme s'échoua avec force éclaboussures et, après en avoir retiré une sacoche de toile, bascula le canoë pour en écoper l'eau. Il était attifé d'une chemise à fleurs et d'un moule-burnes d'un vert pétard qui attira le regard concupiscent de sœur Shirelle.

— Souffres-tu ? s'enquit frère Manuel.

— Je me gèle les *cojones*, répondit l'homme. Et je suis prêt à tuer pour un de ces peignoirs.

— Quel est ton nom, mon frère ?

— Boyd.

— Et depuis quand es-tu en mer, frère Boyd ?

— Depuis bien trop longtemps, bordel, répondit l'homme en claquant des dents.

— On n'attendait que Toi ! s'exclama sœur Shirelle.

— Ah bon ?

— Dis-lui, frère Manuel !

Le bon berger, oint de sa propre main, de la Première Assemblée maritime résurrectionniste de Dieu était sceptique. Malgré ses sermons annonçant le contraire, il n'avait jamais sérieusement espéré tomber sur Notre Seigneur Jésus-Christ en faisant du camping dans les Everglades. Cependant, ne désirant pas doucher la ferveur spirituelle de sœur Shirelle — ni ses fréquents débordements des plus lascifs —, frère Manuel garda ses doutes par-devers lui.

— Nous attendons avec foi une visitation, admit-il à l'adresse de l'inconnu. Ou tout signe sacré de Notre Père.

— Vous savez quoi ? Je veux juste rentrer chez moi. Vous avez un bateau, vous autres ?

— Les mains ! Regarde les mains de cet homme !

Sœur Shirelle se mit à sautiller sur place, ses seins impressionnants et sans attache ballottant en tandem.

Frère Boyd dirigea avec impatience sa lampe frontale vers ses propres paumes grassouillettes : elles étaient à vif et suintantes, résultat de sa dégringolade de l'arbre. La ressemblance avec des stigmates lui échappa.

— J'ai fait une chute, expliqua-t-il.

Frère Manuel opina.

— Comme nous tous. Viens.

Ils conduisirent l'inconnu le long du rivage jusqu'au feu de camp, où les autres pénitents, cessant de danser, gardèrent le silence en formant un demi-cercle. Les femmes lorgnaient le costume de bain de frère Boyd d'une façon qui mit ce dernier mal à l'aise.

— Je peux vous emprunter un de ces peignoirs ? demanda-t-il. Ou même une serviette de plage ?

Frère Manuel, joignant ses longs doigts roses, commença ainsi : « Sœur Shirelle et moi étions en train de prier dans les bois, dans un état de vigoureuse communion, quand nous vîmes une lueur mystérieuse… celle d'une étoile tombée du ciel… et voilà que ce marinier recru de fatigue nous est apparu sur l'eau. Montre-leur tes mains, frère Boyd. »

Les pénitents hoquetèrent à cette vue.

— C'est Lui ! exulta l'une des femmes.

— Non, attendez ! intervint une autre. Ce pourrait être le braconnier… ce païen et ce hors-la-loi contre lequel le visiteur au petit garçon nous a mis en garde. D'après lui, il avait une main blessée, vous vous rappelez ?

Frère Boyd parut effondré.

— Je ne braconne pas, je fais du télémarketing !

Sœur Shirelle s'empressa de prendre sa défense.

— Mais il a des plaies sur Ses *deux* mains, pas que sur une. Et Il est arrivé seul par la mer, exactement comme frère Manuel nous l'a prédit, porteur d'une cargaison de pardon et de salut pour toutes les âmes de ce monde temporel. Sa longue traversée solitaire est terminée.

Une autre pénitente leva le bras.

— Et son Speedo, vous en faites quoi ?

Sentant le doute s'insinuer tel un serpent parmi ses ouailles, frère Manuel se glissa près de frère Boyd et lui chuchota :

— Je prends le relais à partir d'ici, mec.

— Eh, c'est pas des côtes de bœuf que vous avez sur le feu ?

371

— Mes bien chères sœurs, mon bien cher frère, écoutez et réjouissez-vous! leur ordonna frère Manuel. Ce soir, Il nous apparaît tout juste comme Il a quitté ce monde il y a plus de deux mille ans... à demi nu, blessé, l'âme pure. Au lieu d'épines, Il est couronné de lumière, symbole d'espoir et de renaissance!

Ici, frère Manuel écarta les bras pour accueillir avec toute la vertu requise frère Boyd qui, aux yeux des autres pénitents, semblait quelque peu démuni de sérénité.

— Mais de quoi vous parlez, bande de cinglés débiles? demanda-t-il.

Sœur Shirelle le fit pivoter doucement en le prenant par les épaules, le faisceau de sa lampe frontale tomba sur la croix en bois brut plantée sur la dune.

Frère Boyd en resta bouche bée puis dit:

— Vous vous foutez de moi.

Sœur Shirelle approcha ses lèvres charnues de son oreille.

— Tu vois? On n'attendait que Toi.

— Réjouissez-vous! Il a venu! claironna un pénitent barbu.

— Non, Il *est* venu! le corrigea la femme qui avait un peu plus tôt critiqué la tenue de bain de frère Boyd.

Sœur Shirelle enfonça le clou.

— Peut-il y avoir le moindre doute qu'Il soit Notre Sauveur? Aujourd'hui, n'est-ce pas l'Épiphanie?

Les pénitents murmurèrent tout excités, puis l'un d'eux éleva une objection.

— Mais attends, ma sœur... l'Épiphanie, c'était pas jeudi dernier?

— Du pareil au même! tonna frère Manuel.

Là-dessus, de joyeux ébats se déchaînèrent spontanément, les pénitents se trémoussant au comble de l'euphorie en tourbillonnant autour du feu. Des bouteilles de cabernet passèrent à la ronde et, assez vite, frère Boyd prit son courage à deux mains et demanda à sœur Shirelle s'ils comptaient le clouer sur leur croix bricolée. En riant comme une baleine, elle lui pinça le menton et lui dit qu'il était trognon comme Messie.

— Je suis dans la vente, lui chuchota-t-il en confidence.

— Et charpentier aussi, n'oublie pas.

— Voyons, sœurette, dis-moi… où est votre bateau ?

— Comme si Tu avais besoin de ça, fit-elle en lui clignant de l'œil.

Sa lampe frontale illumina les lettres bleues imprimées au pochoir sur le peignoir de sœur Shirelle.

— Le Four Seasons, euh ? Pas mal, observa frère Boyd. Ça, c'est mon genre de religion.

— Qu'est-ce que je vois sur Tes bras, c'est de la chair de poule ?

— Ben, ouais. Il fait froid comme dans le cul d'un puisatier, par ici.

— Ma foi, on peut carrément pas laisser Notre Sauveur se choper une pneumonie. Tiens…

D'un ample geste opératique, sœur Shirelle se dépouilla de son vêtement hôtelier pelucheux et le lui présenta.

— Dieu te bénisse, fit frère Boyd, aimant beaucoup le son que ça rendait à ses oreilles. Dieu vous bénisse tous tant que vous êtes.

— T'avise pas de mourir sous mes yeux, espèce de grand couillon, fit Honey Santana.

— Ralentis.

Perry, respirant avec difficulté, était allongé au fond du skiff. Elle lui avait donné le dernier Vicodine de Louis Piejack mais il souffrait toujours énormément.

— Tu vas heurter un banc d'huîtres, lui dit-il. Et ce bateau n'est pas à moi.

— Fry dort ?

— Tu ne l'entends pas ? Il ronfle encore pire que toi.

— Pas sympa.

— Moins vite, Honey. Je te promets que je ne mourrai pas.

Elle relâcha la manette.

— Me voilà bien avec mes deux garçons malades, fit-elle. Toi avec ta hanche bousillée par balle et lui avec une commotion cérébrale. Bande de crétins !

— Tu vois les balises du chenal ? demanda Perry.

— Évidemment.

— Rappelle-toi, reste à gauche des rouges et à droite des vertes.

— J'avais bien compris la première fois, capitaine Achab. Tu saignes encore, pas vrai ?

— J'en ai encore une ou deux bonnes pintes en réserve. Ta mâchoire est brisée ?

— Ça fait plus d'effet que de mal.

— J'en doute. C'est à Piejack que tu dois ça ?

Honey acquiesça.

— Entièrement ma faute. J'ai voulu jouer Wonder Woman, débile de ma part.

— Dis-moi ce que t'es venue fiche ici... et arrête avec tes conneries d'« écotour ».

Alors elle lui raconta tout, à commencer par l'appel de Boyd Shreave depuis le Texas. Il la laissa parler sans l'interrompre.

Une fois qu'elle eut terminé, elle lui dit :

— Pardon, Perry, tout est ma faute.

— Tu ne t'es pas comportée tout à fait normalement, tu le sais, ça.

— Je retournerai voir le médecin. J'essaierai de reprendre ces comprimés.

— Ça marchera pas, Honey. Tu es comme ça. Et tu le seras toujours.

— Ne dis pas ça, s'il te plaît.

Mais elle savait qu'il avait raison.

— Je peux te demander quelque chose... c'est la première fois que tu tues quelqu'un ?

— Pas depuis une semaine ou deux, au moins.

— Je ne plaisante pas, Perry ! Je n'avais jamais vu mourir quelqu'un avant... et toi ?

374

— Pas comme ça, fit Skinner. Pas tué par une guitare, merde.

— Mais Fry n'a rien vu, hein ? L'Indien était couché sur lui.

— Je suis quasiment sûr qu'il n'a rien vu.

— Tu n'as pas idée comme je regrette... fit Honey.

— Alors, contente-toi de regarder où tu vas...

La passe s'ouvrit en une large étendue aquatique et Honey aperçut un scintillement de lumières. Everglades City. Ça devait être ça.

Perry souleva la tête.

— Beau travail, baby. On est presque chez nous.

Chokoloskee Bay. Elle se souvint de la première fois où elle s'était trouvée là, la nuit. Perry l'avait emmenée en mer dans un crabier pour assister au coucher de soleil. Ils avaient bu du champagne, fait l'amour... l'eau était vitreuse au crépuscule, le ciel couleur grenadine. Il lui avait demandé si elle était bien sûre de vouloir vivre avec lui. Il avait ajouté qu'il comprendrait parfaitement si elle changeait d'avis et rentrait chez elle à Miami.

C'était quinze jours avant leur mariage.

Ici, on est au beau milieu de nulle part, c'est pas tout le monde qui peut supporter ça, lui avait dit Perry. En particulier les *mosquitos*.

Honey lui avait répondu qu'elle n'avait jamais rien vu d'aussi paisible, ce qui demeurait vrai presque vingt-deux ans plus tard. Quand elle lui avait dit avoir envie de visiter les dix mille îles, il lui avait promis de les lui montrer toutes. D'y faire du feu et de s'envoyer en l'air sur la plage. Quelle femme aurait pu dire non ?

Fry s'agita entre les bras de son père. Honey, glacée jusqu'à l'os, songea qu'elle avait failli provoquer leur mort à tous les deux.

— Perry, je vais accoster au Rod & Gun, d'ac ?

Elle était pressée à cause de tout ce sang.

— Eh, Perry ?

Le chenal étant bien balisé, elle poussa le moteur et fit planer le skiff sur l'eau.

— Perry, tu dors ?

Elle prit à fond l'embouchure de la Barron River, coupa les gaz et — comme elle l'avait fait un millier de fois — embrassa de la proue les pilotis du vieux Rod & Gun Club.

— Perry !

Rien.

Fry se redressa en se frottant la nuque.

— Je me paie la pire migraine de l'histoire de l'humanité.

— Tu peux courir ?

— Pour quoi faire, maman ?

— Réponds-moi. Tu te sens assez en forme pour piquer un sprint ?

— Oui, je crois.

— Eh bien, alors, cours chercher de l'aide.

Honey le hissa sur le quai.

Fry, une fois là-haut, regarda son père gisant dans le bateau.

— Papa ? Eh man, réveille-toi !

— File, lui fit sa mère. Le plus vite que tu pourras.

Un jour, peu après la naissance de Fry, Perry Skinner avait ramené à la maison un CD des Eagles, groupe plus country que rock, d'après lui. Il avait dit à Honey qu'une chanson sur le disque le faisait penser à elle et elle l'avait tout de suite repérée : *Learn To Be Still.*

Au premier abord, elle en fut blessée car c'était l'histoire d'une femme qui ne tenait pas en place et entendait des voix ; une femme qui ne voulait pas se poser assez longtemps pour se laisser rattraper par le bonheur. Mais plus Honey écoutait les paroles, mieux elle comprenait que Perry ne l'entendait pas méchamment ; il tentait de lui faire savoir qu'il avait peur de ce qui se passait.

Mais si je freine maintenant, se souvint-elle de s'être dit, *je vais déraper pendant dix ans.*

Le plus drôle, c'est qu'en secret Honey aimait bien la chanson, qui lui faisait sentir qu'elle n'était pas la seule à lutter avec ce démon particulier. Un après-midi, Perry rentré tôt des quais l'avait surprise à écouter le CD mais, lui avait-elle soutenu, c'était uniquement parce qu'elle flashait sur Don Henley, le batteur-chanteur du groupe.

Bien qu'incapable de pousser la chansonnette — Fry lui interdisait de fredonner en voiture, lui disant qu'on aurait cru entendre un chat sauvage chevauchant un marteau-piqueur —, Honey s'agenouilla, prit Perry Skinner dans ses bras et se mit à chanter. Comme toujours, elle mit le texte à la première personne.

— *Just another day in paradise…*

À l'écoute du souffle irrégulier de Perry.

Pressant l'un de ses poignets en comptant ses battements de cœur.

— *As I stumble to my bed…*

Sentant la chaleur poisseuse de son sang à lui sur sa jambe nue à elle.

Songeant qu'il lui avait promis de ne pas mourir. Il avait toujours tenu parole, pour le meilleur ou pour le pire.

— *Give anything to silence…*

Elle le déplaça légèrement dans ses bras afin qu'elle puisse voir son visage grâce à l'éclairage du quai.

— *These voices ringin'in my head*[1]…

— Aie pitié de moi, fit Perry faiblement.

Honey en pouffa de soulagement.

— Ha ha! Tu veux que j'arrête?

— Te vexe pas.

— Tu te rappelles ces lettres que je t'ai écrites en prison? Tu les as toutes lues?

— Sauf celles qui commençaient par «Chère tête de con». Où est Fry?

— Ce coin est d'une telle perfection. Regarde le ciel.

---

1. La chanson, *Learn To Be Still* (Apprends à t'apaiser), telle que Honey la distille ici, modifiée, donne ce qui suit en français: «Encore un jour au paradis/En m'écroulant sur mon lit/Je donnerais tout pour réduire au silence/Ces voix qui résonnent dans ma tête…» *(N.d.T.)*

— Mieux qu'à l'église.

— Oh, tellement mieux.

Perry toussa.

— Merde. Je suis complètement à plat.

— Comment ça se fait que t'aies fait la demande le premier ? T'avise pas de t'endormir en ma présence ! Discutons de ce divorce idiot.

— Les étoiles s'éteignent l'une après l'autre. Je suis crevé, baby.

Honey le secoua.

— Nân-nân, mon pote. On a pas encore fini.

Elle entendit une sirène. Elle pria que ce fût une vraie.

— Ah non, non, fit-elle. Réveille-toi, Skinner.

— J'ai pas peur.

— Si, toi aussi, t'as peur.

— Chut maintenant, fit-il. Ça te fait pas mal de parler ?

— Réveille-toi ou je me remets à chanter. Promis juré.

Il sourit mais n'ouvrit pas les yeux.

— T'entends ça ? lui demanda-t-elle. C'est l'ambulance.

— J'entends que dalle, merde.

— Si, tu entends ! insista-t-elle. *S'il te plaît, dis-moi oui.*

26

Le 13 janvier, temps couvert et air vif, Lily Shreave s'installa devant le poste de télé de sa chambre et revisionna pour la quatrième fois une cassette VHS, arrivée le matin même au courrier.

La vidéo ne durait que six minutes. Une fois finie, elle passa un coup de téléphone.

— Vous m'avez menti, fit-elle à son interlocuteur à l'autre bout du fil.

— Pas totalement. Je vous avais dit que j'avais obtenu une pénétration, ce qui est la stricte vérité.

— Mais ce n'est pas Boyd ! le coupa Lily.

— C'est évident. Comme rien ne se passait entre lui et sa petite amie, j'ai dû improviser.

— Ah s'il vous plaît, Mr Dealey.

— J'ai pas pu faire mieux.

— Des lézards ? Une baise entre lézards ?

— J'étais sur une île, Mrs Shreave. Perdu au fin fond de ces sacrées Everglades.

— Et vous y seriez encore en rade sans moi, fit Lily.

Elle cliqua sur la télécommande pour rembobiner la cassette.

— J'espère que vous n'espérez pas que je vous paie vingt-cinq mille dollars pour un pareil *spectacle*.

Dealey pouffa.

— Non, m'dame. Mais rappelez-vous que je me suis pris une balle pour la bonne cause.

Lily appuya sur la touche *play*.

— J'aime bien la musique, remarqua-t-elle.

— C'est le *Boléro* de Ravel. Rien de plus standard.

Il s'était chargé en personne de la sonorisation pour effacer la conversation entre Eugénie Fonda et le garçon au casque de footballeur.

— Je raffole pas de ce genre de bestioles à fiche la chair de poule, poursuivit Lily. Mais je dois avouer que ces petits vauriens sont gracieux et mimis tout plein. Et super-excités l'un par l'autre.

— On m'a dit que ce sont des caméléons, précisa Dealey. Ils sont verts quand ils se donnent du bon temps.

Lily était impressionnée par la monte tout en souplesse du mâle. Ça avait dû être coton pour lui de contourner la queue de sa partenaire pour parachever l'emboîtement glandulaire.

— Vous êtes toujours là ? demanda Dealey.

— Je vous donnerai dix mille, pas un sou de plus.

— Ça me paraît honnête.

— Pour vous rembourser vos frais médicaux.

— Merci beaucoup, fit le détective privé.

Il entendait le *Boléro* gagner en intensité en fond sonore, de pair avec la respiration de Mrs Shreave.

— Au fait, je vous signale que je vais demander le divorce la semaine prochaine, lui dit-elle.

— Ça devrait être fastoche.

Dealey se dit qu'elle avait dû finir de liquider ses pizzerias.

— Pure curiosité de ma part, où se trouve mon mari exactement ? demanda-t-elle.

— Je n'en ai pas la moindre idée.

— Donc, j'en déduis qu'il a dû s'enfuir avec sa pouffe d'un mètre quatre-vingts.

Dealey ne pipa mot.

Mais Lily ne se le tint pas pour dit.

— À propos, les garde-côtes m'ont appris qu'ils avaient secouru deux femmes sur la même île.

— Des campeuses, fit-il. Elles s'étaient perdues elles aussi.

— Bien fait pour elles. À ce que j'ai entendu, cet endroit est une horreur totale.

— Au revoir, Mrs Shreave.

Dealey raccrocha en souriant. Quand Eugénie Fonda lui demanda ce qu'il y avait de si drôle, il lui parla des dix mille dollars.

Elle émit un petit sifflement puis ajouta :

— Qu'est-ce qu'j'vous avais dit ? Cette bonne femme prend sérieusement son pied avec les reptiles.

— Super boulot à la caméra. D'enfer, je dirais même plus.

L'épaule de Dealey, maintenue par trois broches en titane, l'élançait. Il attrapa de l'Advil sur son bureau.

— Vous avez des clients normaux ? lui demanda Eugénie.

— Quelques-uns. Vous verrez.

— Bon, c'est quoi le code vestimentaire dans le coin ?

— Surprenez-moi, lui répondit Dealey.

Eugénie s'était ramenée mollement dans son bureau, deux jours plus tôt, pour lui proposer un marché. Elle lui rendrait les deux valises Halliburton contenant son coûteux matériel de surveillance s'il lui promettait de livrer la vidéo porno des caméléons à la femme de Boyd Shreave. Au gré de la conversation, Dealey avait songé qu'Eugénie, avec ses vastes et intimes connaissances de la fragilité humaine, pourrait représenter un précieux ajout à son personnel.

— Cela veut-il dire que vous acceptez le boulot ? lui demanda-t-il.

— N'essayez pas de me sauter, c'est tout. Vous n'avez absolument aucune chance.

— Compris, lui répondit Dealey.

— Et si jamais vous me branchez avec un autre de vos potes losers, je vous casserai en personne l'autre bras. Et ça sera une fracture compliquée.

— Compris.

Il était quasi certain qu'elle en était capable, et qu'elle passerait à l'acte aussi.

— Encore une chose... ces vidéos et ces photos de moi avec Boyd que vous avez prises. Vous en avez fait des copies ?

Dealey tiqua et s'agita sur sa chaise.

— Brûlez-moi tout ça, fit Eugénie.

Il songea avec regret à son chef-d'œuvre, la pipe au delicatessen.

— Elles sont dans un coffre à la banque. Moi seul en possède la clé.

— Je vous ai dit de les détruire, insista Eugénie qui se pencha en tapotant de ses ongles le dessus du bureau. Je viens de vous faire gagner la bagatelle de dix mille dollars, oui ou non ?

L'enquêteur s'avachit, résigné.

— Mais je croyais que vous aviez envie de les voir... les vidéos et les tirages.

Eugénie répondit que non, qu'elle avait changé d'avis.

— C'est de l'histoire ancienne.

— Vous aviez fière allure là-dessus, prenez ça d'où ça vient.

— Ne m'obligez pas à vous dire de le remettre où vous l'avez pris, Mr Dealey.

Il décapuchonna un stylo pour noter son numéro de sécurité sociale.

— Vous pouvez commencer quand ?

— Holà. J'ai pas fini, lui dit-elle. Avez-vous passé ces appels pour notre amie ?

Elle voulait parler de Gillian, l'étudiante allumée avec laquelle Dealey avait été forcé de partager un sac de couchage. Ce qui n'était pas un souvenir entièrement désagréable.

— Personne à la réserve indienne n'a voulu me dire quoi que ce soit, bon sang, dit-il. On aurait dit qu'ils n'avaient jamais entendu parler de ce monsieur Dent de Tigre.

— Queue de Tigre.

382

— Peu importe. Ce type pourrait être n'importe où en ce moment.

— Gillian est déterminée à le retrouver.

— Je ne comprends pas ce qui l'attire chez lui.

— Si ça vous questionne, fit Eugénie, alors vous avez carrément besoin que je vous donne un coup de main par ici.

Les demandes de renseignements de Dealey à Collier County n'avaient pas été tout à fait infructueuses. Il avait appris d'un journaliste localier que Louis Piejack, le barjo qui l'avait kidnappé, était porté disparu dans les Dix Mille Îles. N'ayant nul désir d'être assigné à comparaître dans cet effroyable coin de la planète, Dealey avait choisi de ne pas éclairer la lanterne des autorités quant aux divers crimes et délits de Piejack.

— Et Boyd ? demanda Eugénie Fonda.

Dealey s'assouplit les mains en haussant les épaules.

— Pas de Mister X à la morgue locale. Il s'est probablement tiré de l'île sans demander son reste. Vous vous attendiez à ce qu'il vous appelle ?

— Oh, ça m'étonnerait beaucoup, fit Eugénie.

Elle avait changé de numéro le lendemain de son retour à Fort Worth. C'était la première visite qu'elle effectuait depuis qu'elle avait quitté son job chez Sans Trêve Ni Relâche.

— Maintenant, parlons salaire, fit-elle à Dealey.

— Allez-y, dites un chiffre.

À l'exception de sœur Shirelle, les pénitents avaient perdu leurs illusions sur celui qui se faisait appeler Boyd. Pour un sauveur, il était plutôt geignard et dépourvu de grâce.

Un après-midi, frère Manuel le prit à part et lui tint ce langage :

— Tu t'es loupé, mec.

Boyd Shreave se rebiffa.

— Tiens ta langue, païen !

— Ils ont voté. File-moi ce peignoir.

— Pas ques.

Shreave se croisa les bras sur la ceinture.

— T'avais un super-plan, ici, lui fit frère Manuel. Tu pouvais pas te contenter de sourire en ayant l'air d'un sage et fermer ton clapet ?

— Mais j'ai lu quelque part que Jésus était idolâtré comme une rock star.

— Le mot, c'est *charismatique*, mais rien à voir avec toi, man. T'es qu'un connard à grande gueule comme un autre.

— D'accord, très bien, je vais baisser d'un ton.

— Trop tard, coupa le pénitent en chef.

L'instant rappela à Shreave ses nombreux échecs passés dans le domaine de la vente. Au téléphone, il pouvait être un maître incontesté de la persuasion ; en chair et en os, il semblait condamné à irriter son monde. Il n'en rejetait pas le blâme sur ses multiples défauts de caractère mais sur un mauvais ciblage démographique. Dorénavant il infléchirait ses efforts plus haut, vers un marché plus cosmopolite, aux besoins non encore révélés.

Frère Manuel poursuivit :

— Le fait est que t'es bien trop odieux pour être le Fils de Dieu. Je peux plus te couvrir là-dessus.

— Ça a été unanime ?

— Tout le monde sauf Shirelle, mais elle ferait une pipe à Judas Iscariote s'il était craquant. Rends-moi ce peignoir, maintenant.

— Je crois pas, fit Shreave.

Frère Manuel lui fila calmement un coup de poing dans le ventre et il se plia en deux. Le prestigieux vêtement des Four Seasons lui fut retiré des épaules comme une peau de serpent.

— On retourne sur le continent demain, fit frère Manuel. Les filles te laisseront deux miches de pain au levain et un pichet de Tang. Si jamais tu passes un jour par Zolfo Springs, arrête-toi au garage AAMCO et je te ferai un rabais sur un carter.

— C'est une blague, hein ? fit Shreave, d'un ton sifflant.

— Non, mon ami, c'est un adieu.

384

— Vous pouvez pas me laisser ici! Même dans *Survivor*, on rapatrie les perdants.

— On appellera le service du parc national en quittant la ville, lui dit frère Manuel.

— Mais vous savez même pas le nom de cette saleté d'île! Comment on va me retrouver?

— Dans le pire des cas, il te restera toujours le canoë.

— Mais je vais mourir ici! J'ai une maladie costaud de chez costaud et j'ai besoin de mon médicament, fit Shreave. Je fais de l'aphenphosmphobie!

Frère Manuel grommela.

— C'est pas une maladie, mais un trouble du comportement. Et si t'en étais vraiment atteint, *mon frère*, t'aurais pas demandé à sœur Shirelle de te frictionner les pieds hier au soir.

Boyd Shreave perdit courage.

— Mon cousin est aphenphosmphobique, ajouta frère Manuel d'un ton réfrigérant. C'est pour ça que je sais.

Il ne restait plus à Shreave qu'à supplier.

— Au nom du Christ, emmenez-moi avec vous, je vous en conjure.

— S'Il était ici, peut-être qu'Il le ferait, Lui. Mais là, c'est mon bateau et c'est mon choix.

Frère Manuel jeta le peignoir blanc sur l'un de ses bras et se détourna.

— Donnez-moi une autre chance! s'écria Shreave.

Mais le prédicateur continua d'avancer.

Cette nuit-là, Shreave alluma un feu faiblard sur la dune, grâce à la boîte d'allumettes que sœur Shirelle lui avait fourrée dans son Speedo, peu avant que les pénitents ne larguent les amarres. En guise de petit bois, il sacrifia son exemplaire en lambeaux du *Vampire de l'ouragan*, réduisant en cendres le seul souvenir de sa liaison, terminée en eau de boudin, avec Eugénie Fonda.

Affalé contre la croix de bois, Shreave contemplait fixement le golfe du Mexique en analysant ses perspectives, bien moins sombres qu'il ne l'avait cru tout d'abord. Les lumières de plusieurs grands vaisseaux étaient visibles au large, donc il savait que tôt ou tard quelqu'un le repérerait. À ce moment-là, une grande décision vitale s'imposerait. Shreave excluait de retourner au Texas, n'ayant aucun désir de faire face à l'ire de Lily ni aux dénigrements acerbes de sa propre mère. Il ne lui effleura pas l'esprit que ni l'une ni l'autre des deux femmes n'était intéressée par ses intentions ni par l'endroit où il se trouvait.

Ça valait peut-être la peine de tenter le coup en Floride, songeait Shreave. Boca Raton possédait, soi-disant, plus de centres d'appels que Calcutta.

Il rongea un quignon de pain au levain mais faillit s'étouffer avec le Tang tiède. Le chuchotis des vagues l'invita au sommeil et il se réveilla au point du jour, en train de suçoter sa brosse à dents NASCAR. En levant les yeux, il fut alarmé de voir — se lissant les plumes sur le bras transversal de la croix bidon — un gros oiseau à tête blanche qu'il reconnut, pour avoir vu d'innombrables documentaires sur Discovery Channel, être un aigle chauve.

— Bouh ! lui cria Shreave d'une voix rauque. Barre-toi !

L'oiseau était vieux et tassé sur lui-même, cependant son œil d'ambre était perçant. Ses serres recourbées étaient plus grandes que les mains de Shreave et ce dernier ne douta pas une seconde que le rapace ne soit capable de le défigurer d'un seul coup d'un seul.

— Va-t'en ! lui brailla-t-il par deux fois.

Sur quoi, le grand oiseau retroussa les plumes crayeuses de sa queue, se libéra prodigieusement les boyaux et s'envola au loin.

Avec un gémissement affligé, Shreave roula sur lui-même en dévalant la dune, passant sur le foyer éteint pour finir dans l'eau. Une fois là, il se flagella tel un hystérique, tâchant de se débarrasser avec force éclaboussures de l'agrégat âcre de plumes, os, poils, écailles de mulet, cartilages et autres ingrédients moins identifiables du méga guano.

Ce fut dans cet état de vexation écumante qu'un ranger du parc passant par là, attiré par ses hurlements, découvrit Shreave,. Après avoir été hissé à bord du bateau de patrouille, il fut transporté dans son Speedo souillé jusqu'au lieu de débarquement public d'Everglades City. Une fois là, on le passa au jet vigoureusement avant qu'un auxiliaire médical en grande tenue anticontaminante ne l'examine.

Plus tard, affublé d'un atroce caleçon écossais et d'une chemisette de golf en laine sport, dons de la Croix-Rouge locale, Boyd Shreave flâna en solo jusqu'au Rod & Gun Club où il plaqua la MasterCard de sa femme sur le vieux bar en acajou. Le barman était celui qui lui avait fourni des indications le soir où Génie et lui étaient arrivés, mais le bonhomme ne le reconnut pas. La fière allure de Shreave avait été considérablement amoindrie sur Dismal Key, suite à une combinaison délétère d'intoxication solaire, d'irritations dues au vent et du rabaissement général de sa personnalité.

Après cinq Corona, Shreave ne se sentit plus aussi paumé. Un couple de sexagénaires, manifestement originaires du Midwest, s'installa au bar à quelques tabourets de lui et se mit à s'extasier sur ses vacances en Floride du Sud-Ouest.

— Il faisait moins sept à O'Hare ce matin ! se gargarisait la femme.

— Moins dix avec le vent, renchérit son mari.

— Je veux pas rentrer, Ben. C'est tellement incroyable par ici.

— McMullan a appelé depuis le club… le lac du dix-septième trou est complètement gelé. Les gamins y jouent au hockey sur glace avec des crottes de chien.

— Ben, tu as entendu ce que j'ai dit ? J'ai *vraiment* pas envie de rentrer.

— Pour de bon ?

Boyd Shreave prit sa bouteille de bière et se rapprocha.

— On pourrait se trouver un endroit à Naples, suggérait la femme.

— Ou ici même sur la rivière, fit le mari. Acheter un bateau et l'amarrer derrière la maison.

Le barman avait entendu la même conversation un millier de

fois peut-être, mais aux oreilles d'un télémarketeur défroqué texan ce fut une révélation, une source d'inspiration foudroyante.

— C'est le paradis ici, s'entendit déclarer Shreave. Le Ciel sur la Terre.

Le mari pivota sur son tabouret de bar.

— Aujourd'hui, j'ai pris huit *ladyfish* et un flet aussi gros qu'un enjoliveur. Je vous mens pas !

— Mais, bon, et les moustiques ? fit sa femme. On raconte que c'est une véritable plaie pendant l'été.

Shreave sourit.

— C'est ce que les gens du coin disent à tous les Yankees. Vous êtes sérieusement acheteurs, vous autres ?

— Mouais, on rêve juste tout haut, fit le mari.

— Non, on est sérieux, trancha sa femme. *Je* suis sérieuse. Vous habitez ici ?

Shreave n'hésita pas.

— Juste au bout de la rue, fit-il.

Il lui était venu à l'esprit, bien entendu, qu'immunisé contre les merveilles de l'endroit, il était idéalement outillé pour l'exploiter. Je t'emmerde, Erik Estrada, bouffe-t'en le foie.

Le mari se présenta. Shreave lui serra la main et se présenta à son tour.

— Moi, c'est Boyd Eisenhower.

— Comme le président ?

— Ce n'est pas un parent, hélas.

— Vous êtes agent immobilier ?

— Je m'occupe de quelques propriétés sélect en bord de mer, oui.

Shreave expérimentait un nouveau style d'approche, tout en discrétion. Les bières aidaient carrément les choses. Jusqu'ici, le couple n'avait pas reculé, ne se montrant même pas légèrement méfiant à son endroit ; bien au contraire. Ils étaient tellement pressés de s'échapper de Chicago qu'ils n'avaient pas remarqué qu'il était à moitié bourré.

— Et ça irait chercher dans les combien, disait le mari, pour un, hum, pavillon sur la rivière ? Simple hypothèse, entendons-nous bien.

— Ou une maison de ville sur Marco Island, ajouta sa femme avec impatience. Vous avez une carte, Mr Eisenhower ?

— Pas sur moi.

Boyd Shreave connut une bouffée d'espoir à nulle autre pareille. Il tenait là, croyait-il, sa délivrance.

— Laissez-moi prendre votre numéro, fit-il, tendant la main vers une serviette en papier.

Dès demain matin, il se renseignerait sur les tenants et les aboutissants d'une licence d'agent immobilier.

J'ai trouvé mon créneau, se dit-il. *Enfin.*

L'aigle vola vers le sud et passa la nuit au sommet d'un palétuvier noirci, le long de la Lostmans River. Même de loin, Sammy Queue de Tigre voyait que c'était un vieil oiseau. Il se demanda si c'était l'esprit de Wiley, l'écrivain dément, ce visage pâle sur lequel son oncle Tommy lui racontait des histoires.

À l'aube, Sammy Queue de Tigre conduisit le canot à moteur jusqu'au pied du palétuvier et héla l'aigle qui lui répondit en gerbant un poisson mort. L'Indien lui fit un grand geste de respect puis remonta la rivière pour jeter un coup d'œil à l'endroit où il avait immergé le corps de Louis Piejack. C'était le même trou profond dans lequel, onze jours plus tôt, il avait lesté d'ancres Jeter Wilson, le touriste malchanceux. Il y avait peu, on avait sorti la voiture de location dudit Wilson des eaux troubles du canal de la Tamiami Trail que fouillaient mainte-nant des plongeurs de la police, en prenant garde aux serpents. Sammy Queue de Tigre n'avait aucune hâte de cesser de se planquer.

Aucune trace de Wilson ou de Piejack n'ayant refait surface dans la Lostmans, l'Indien regagna son campement près de Toms Bight et cacha soigneusement le canot. La veille, un hélico avait sillonné le ciel une bonne demi-douzaine de fois. Ce n'était pas celui des garde-côtes ni celui du service du parc national, mais

Sammy Queue de Tigre fut sur les dents. Il sut que quelqu'un cherchait quelque chose, bien qu'il n'eût pas deviné que c'était Gillian Sainte Croix qui le cherchait, *lui*, et qu'elle se payait des hélicoptères charters avec le remboursement de ses frais de scolarité à l'Université d'État de Floride. Elle n'était plus une fan de l'équipe des Fighting Seminoles.

Dissimulé par un baldaquin de palmes maladroitement tressées, Sammy Queue de Tigre passait les heures du jour à relire le journal du révérend MacCauley et à fabriquer une nouvelle guitare. Il avait récupéré le manche de la Gibson fracassée, les boutons de réglage et cinq cordes ; il en façonnait laborieusement la caisse avec son couteau de chasse dans une épaisse planche de teck, prise sur l'épave d'un voilier. Sammy Queue de Tigre n'avait rien d'un artisan, cependant c'était un labeur satisfaisant et une tâche que les Calusas inventifs auraient approuvée.

Lee, le demi-frère de Sammy Queue de Tigre, lui avait apporté pour un mois d'essence et de provisions. Sammy l'avait contacté grâce à un téléphone portable trouvé dans le canot de Piejack. C'était Lee qui lui avait appris la nouvelle concernant la voiture de Wilson et il était tombé d'accord : il serait prématuré pour Sammy de rentrer à la réserve. Au cours de la visite de Lee, ils avaient convenu des lieux de leurs prochaines rencontres et d'un calendrier. Conscient que les dons pour la vie sauvage de son demi-frère n'étaient pas aussi accomplis que ceux d'un Séminole cent pour cent, Lee lui avait fourni aussi une boussole, une montre de plongée, une carte marine NOOA[1] et un sac de fusées de détresse.

La nuit, Sammy Queue de Tigre était de temps à autre harcelé dans son sommeil par le fantôme de Wilson qui se plaignait amèrement de devoir partager l'éternité au fond d'une rivière avec Louis Piejack.

— J'avais pensé que t'aimerais avoir de la compagnie, lui dit

---

1. National Oceanic and Atmospheric Administration. *(N.d.T.)*

Sammy Queue de Tigre, la première fois que le touriste lui apparut à son campement de Toms Bight.

— *Ce type est une ordure totale ! Même les crabes veulent pas y toucher*, rouspéta Wilson.

Il avait fait suivre le fantôme de Piejack pour marquer le coup, mais l'Indien resta de marbre. Le poissonnier dépravé n'avait pas dans la mort un look pire que de son vivant ; les charognards de la rivière l'évitaient comme une toxine. Wilson, pendant ce temps, disparaissait à vue d'œil sous leurs coups de dents.

— Tu m'avais dit que tu te sentais seul, lui dit Sammy Queue de Tigre.

— *Seul, ouais… mais pas en manque à ce point. Ce mec est un pervers avec un grand P*, tempêtait le touriste. *J'arrive pas à croire que t'aies esquinté une super bonne guitare sur ce connard !*

Avec ses os faciaux enfoncés par le coup mortel de Perry Skinner, Louis Piejack était bien incapable d'assumer efficacement sa propre défense. Ce qui aurait compté pour du beurre.

— Ce n'est pas moi qui l'ai tué, fit le Séminole.

— *Qu'est-ce qu'il est devenu le type que t'as plombé ?* s'enquit Wilson. *Le porcinet en costard cravate. Merde, j'aimerais mieux traîner dans le coin avec* lui.

— Il n'est pas mort, répondit Sammy Queue de Tigre.

— *Toujours une bonne excuse.*

— Allez-vous-en maintenant. Vous me fatiguez, tous les deux.

— *Je t'emmerde. Bonne nuit quand même*, fit Wilson.

Ces visites rêvées se terminaient toujours de la même façon : les visages pâles ayant expiré s'éloignaient d'un pas lourd en traînant leurs ancres derrière eux, leurs deux silhouettes lourdaudes se liquéfiant en une vapeur bleue nauséabonde. Ensuite, Sammy Queue de Tigre se réveillait et, allongé, restait à observer les étoiles en silence. Son oncle disait que, chaque fois qu'un Séminole trépassait, la Voie lactée brillait pour mieux lui illuminer le chemin vers le monde des esprits. Certaines nuits cristallines, Sammy Queue de Tigre s'inquiétait que, son heure une fois venue, le Créateur du Souffle ne jette un regard défavorable sur son enfance de visage pâle sous le nom de Chad McQueen.

Il considéra l'arrivée de l'aigle chauve chenu comme un signe puissant. Ce dernier demeura près de son campement alors que les jours s'écoulaient. Parfois, le vieil oiseau perdait une plume que l'Indien ramassait et fixait sur un turban bricolé, du style de ceux portés par ses ancêtres du clan du Vent. Chaque matin, en sortant furtivement de dessous le baldaquin de palmes déchiquetées, il scrutait la ligne d'arbres pour s'assurer que le grand prédateur veillait toujours sur lui. Au cours de cette période, Sammy Queue de Tigre ne fut plus dérangé dans son sommeil, car ni Wilson ni Piejack ne se montrèrent.

Le jour même où Sammy Queue de Tigre acheva de reconstruire la Gibson, il se mit à composer une chanson pour sa mère. Sur le plan musical, ses racines étaient plus proches de Neil Young que du chœur traditionnel du Maïs-Vert, mais n'empêche que cette première tentative lui plut. Il partit ensuite sur la rivière taquiner le brochet en canot. Il en prit un qui sauta plusieurs fois, attirant un alligator de trois bons mètres. Le reptile ne manifesta aucune crainte de l'Indien, qui tenta de l'effrayer en criant et en frappant l'eau avec un leurre en forme de grenouille. Même une fois le poisson remonté à bord, l'alligator s'attarda, son profil noir effilé en suspension dans le courant, derrière le tableau du canot. Sa vue rappela à Sammy Queue de Tigre son ignominieuse besogne de combattant dans la fosse, à la réserve ; il se jura de ne plus jamais porter atteinte à nul autre de ces nobles animaux, sauf pour sa survie.

De retour au campement, il nettoya le brochet qu'il fit frire. Puis il éteignit le feu, ôta ses vêtements et nagea dans l'anse pour observer un « pod » de dauphins rameutant des mulets. Il était à une centaine de mètres du rivage quand le mystérieux hélicoptère revint, volant bas et à une vitesse de croisière, en provenance du nord. Ainsi exposé, dans l'incapacité de se cacher, Sammy Queue de Tigre se tint à la verticale dans l'eau, remuant les jambes uniquement pour garder le menton au-dessus du clapotis boueux. Il espéra que, vue d'en haut, sa tête sombre aurait l'air d'une noix de coco ballottée par les flots.

L'hélico vira, avant de faire du vol stationnaire à proximité des dauphins ; ceux-ci se mirent à bondir en faisant claquer leur queue et leurs nageoires, les mulets s'égaillant telles des fusées d'argent. L'appareil était suffisamment proche pour que Sammy Queue de Tigre arrive à distinguer les traits du pilote et, sur le siège passager, une jeune femme qui suivait toute cette frénésie à la jumelle. Le Séminole chassa d'un battement de cils le picotement du sel afin de pouvoir mieux se concentrer sur la femme, dont les cheveux semblaient châtains au soleil de l'après-midi. Quand elle abaissa ses jumelles, elle lui parut ressembler beaucoup à Gillian.

Sammy Queue de Tigre demeura immobile, nageant sur place, et résista à l'envie de faire un signe de la main. Si l'idée qu'une pétulante étudiante en petite culotte résille puisse être à sa recherche ne le plongea pas dans le désarroi, en même temps il fut reconnaissant aux dauphins de la distraire. Il imaginait très bien la demi-conversation de Gillian sur son portable, décrivant en jubilant à ce pauvre ringard d'Ethan où elle se trouvait et ce qu'elle voyait.

Une fois le show sauvage des dauphins terminé, l'hélicoptère vola plus loin. Sammy Queue de Tigre regagna la plage à la nage puis marcha le long du rivage, pendant près d'une heure. Ne voyant aucune trace de l'aigle, le Séminole retourna tristement à son campement, en se disant que le bruit de l'hélico avait éloigné le rapace. Il s'assit avec sa guitare dans sa cachette de fortune et recommença à travailler sa chanson qui, soupçonna-t-il, aurait tiré bénéfice de la contribution créative et de la vivacité de Gillian.

Peu avant le crépuscule, un truc d'un certain poids frappa le toit de palmes au-dessus du sac de couchage de Sammy Queue de Tigre. Attrapant le .45 de Perry Skinner, il jaillit d'en dessous du baldaquin sur lequel gisait le squelette d'un poisson rouge dépiauté de frais. Lentement, le Séminole leva les yeux.

Là-haut, sur la plus haute branche du palétuvier carbonisé par la foudre, le vieil aigle mastiquait un filament d'entrailles rose. Le Séminole, un grand sourire aux lèvres, s'adressa à l'oiseau en mauvais muskogee, mais ce dernier fit mine de l'ignorer.

Plus tard, Sammy Queue de Tigre transporta son barda sous les étoiles. Malgré la chute de la température, il n'alluma pas de feu. L'esprit guerrier de son arrière-arrière-arrière-grand-père voyageait quelque part dans la galaxie et Sammy Queue de Tigre lui souhaita bonne nuit. Puis l'Indien ferma les yeux en se demandant ce qu'il ferait si jamais Gillian revenait le lendemain en hélicoptère.

Peut-être se cacherait-il. Peut-être pas.

Honey Santana remarqua la perle piquée à un abat-jour, près de l'ordinateur de son fils.

— D'où tu sors ça ? lui demanda-t-elle.

— Une femme me l'a donnée, répondit Fry.

— Miss Fonda en avait une. La petite amie du télémarketeur.

— Tu parles vachement trop, lui fit-il, pour quelqu'un qui a la mâchoire bloquée par des fils de fer.

— Le dîner va être bientôt prêt, rétorqua sa mère.

— Bon, je suppose que tu vas sauter le maïs en épi.

— Tu savoures cette situation, hein ?

— Je plaisante, maman, c'est tout.

Il la serra contre lui.

— Va aider ton père à monter les marches, lui dit-elle.

Perry Skinner s'était installé dans la caravane peinturlurée d'Honey. D'après eux, il n'y avait pas de quoi en faire un plat : cet arrangement était purement temporaire et ne voulait rien dire. Comme Fry entendait ça pas moins de dix fois par jour, il était certain qu'ils se remettaient ensemble. Même si c'était génial pour lui de profiter des deux en même temps, Fry éprouvait une légère appréhension. Il se rappelait leurs disputes d'avant et craignait que tout ne recommence, une fois leurs blessures respectives guéries, quand ils retrouveraient leur vieux moi tête de mule.

Il sortit rejoindre son père qui s'entraînait à marcher avec une canne. Skinner avait une articulation de la hanche toute neuve, à gauche ; Louis Piejack lui avait explosé l'ancienne en mille morceaux. À l'hôpital, un inspecteur du bureau du shérif avait recueilli la même version auprès du garçon et de ses parents. Ils étaient allés pique-niquer à Dismal Key et Skinner s'était tiré dessus accidentellement en déquillant des canettes de bière. D'après la mère de Fry, l'inspecteur ne les avait pas crus, mais selon son père ça n'avait pas vraiment d'importance. En tant que maire adjoint, il bénéficiait d'une relation sans faille avec le shérif, qui n'avait jamais — même au plus fort d'une partie de poker aux enjeux élevés — remis en question sa crédibilité.

— Quand je pourrai refaire du skateboard ? demanda Fry à son père.

— Quand le toubib le dira.

— Mais ma tête va très bien.

— Ah ouais ? On peut arranger ça.

Skinner leva sa canne en plaisantant, comme s'il allait le cogner.

— Ravi qu'au moins *quelqu'un* se sente mieux, dit Fry.

— Lâche un peu ta mère, champion. Tu serais d'une humeur massacrante, toi aussi, si tu devais aspirer tous tes repas avec une paille.

— Tu sais ce qu'elle s'est fait pour déjeuner ? Un smoothie d'huîtres !

— Mon Dieu, fit Skinner.

Pour dîner, Honey avait fait griller deux filets de cobia frais, achetés à la halle aux poissons de Louis Piejack, qui prospérait en son absence. Becky, la femme dudit, son souffre-douleur de longue date, avait sauté sur l'aubaine du congé sabbatique inexpliqué de son époux pour s'envoler vers São Paulo avec Armando, son conseiller en orchidées, après avoir vidé leur compte épargne joint. Personne en ville ne lui jeta la pierre.

Fry dévora le cobia avec son père tandis que sa mère sirotait de la bisque de crabe.

— Skinner, as-tu vu par hasard l'élégant piercing de ton fils ? lui demanda-t-elle. Cadeau d'une dame de ses amies.

Le père de Fry lui jeta un regard puis lui fit un clin d'œil.

— Elle t'a filé quoi d'autre ?

— Sympa, grommela Honey à travers ses dents serrées chirurgicalement. Toujours à lui donner le bon exemple.

— Oh, ça va. Il sait que je blague.

Fry regarda son père tendre la main, effleurer le bras de sa mère. Il vit les yeux d'Honey s'adoucir. C'était un de ces moments privilégiés, mais le garçon gardait des sentiments mitigés. Il avait essayé très fort de ne pas laisser ses espoirs prendre leur essor. Il avait peur que les éclats d'une dispute ne le réveillent un beau matin, suivis d'un claquement de porte.

Il posa sa fourchette.

— Je peux dire quelque chose ? Même si ça ne me regarde sans doute pas ?

Skinner l'encouragea à continuer.

— O.K., fit Fry. Je suis pas sûr que ça soit un bon plan que vous soyez à nouveau tous les deux sous le même toit.

Honey se redressa sur son siège, surprise par son franc-parler.

— Vraiment, Fry, murmura-t-elle.

— J'veux dire, tout est cool, maintenant, poursuivit-il. Mais y a bien eu une raison à votre rupture. Et si jamais... vous me suivez ?

— On t'a dit que c'était juste pour quelques semaines, jusqu'à la fin de la rééducation de ma hanche, fit son père.

— C'est une décision pratique, c'est tout, ajouta sa mère. Qui nous convient mutuellement.

— Bien joué.

Fry savait qu'ils fricotaient ensemble tard le soir, lui qui boitait, elle avec sa mâchoire niquée. Aucune maîtrise d'eux-mêmes qui tienne.

— Où veux-tu en venir exactement ? demanda Honey.

— Les murs sont comme du papier à cigarettes, maman. J'ai dû monter à donf mon iPod, répondit Fry.

Sa mère rougit et son père haussa le sourcil.

— J'arrive pas à croire que tu nous parles comme ça, se plaignit Honey. Comme si on était deux gamins qui ne savent pas ce qu'ils font.

Sans commentaire, songea Fry.

— Tu as envie que je retourne chez moi, sérieux? fit Skinner.

— Papa, j'ai juste envie que vous mettiez la pédale douce en vous rappelant ce qui s'est passé avant.

À savoir: Skinner s'était usé à se colleter avec les projets obsessionnels d'Honey et de son côté, Honey s'était usée à essayer de s'expliquer.

— Les gens changent, affirma sa mère.

— Faux. Mais ils apprennent à s'y prendre autrement, rectifia son père.

Fry se sentait minable d'avoir remis le passé sur la table, mais quelqu'un devait mettre les pieds dans le plat.

— Eh, j'ai toujours su que vous craquiez l'un pour l'autre, vous deux. C'est pas sur ce plan-là que je m'inquiète.

— Oh, moi, je *sais* ce qui t'inquiète, fit Honey.

— On laisse tomber, d'ac? Ça me regarde pas.

— Ça te regarde totalement, dit-elle. Très bien, disons que ton père et moi, on se remette ensemble…

— Où est donc passé l'ex-père? la china Skinner.

— Tais-toi et écoute, fit-elle avant de se retourner vers Fry. Disons qu'on se remette ensemble. Ça ne serait pas la même chose qu'avant… je me contrôle mieux ces jours-ci. J'ai les deux mains fermement posées sur le volant.

— Oh voyons, maman. Et les Texans?

— Personne ne te dit qu'elle est normale, intervint Skinner, même pas *elle*. Mais il y a beaucoup trop de personnes soi-disant normales qui n'ont ni âme ni couilles.

— Merci, fit Honey. Enfin, je pense.

Fry sourit parce qu'il avait passé des masses de temps à essayer de calculer sa mère ; et l'une de ses hypothèses était la suivante : son mal venait du cœur, pas du cerveau. Elle ressentait trop profondément les choses et agissait selon ce ressenti. Et pour ça, il n'y avait pas de remèdes connus. Ce qui expliquait qu'aucun n'ait jamais marché.

— Je crois t'avoir entendu employer le mot *dingue*, rappela Honey à Skinner, et pas qu'une fois.

— Ouais, ben, il y a de doux dingues et d'autres qui sont méchants.

Chez Honey, on n'avait abordé le sujet Louis Piejack qu'une seule et unique fois, quand celle-ci avait demandé à Fry s'il comprenait qu'en tuant ce dernier son père lui avait presque à coup sûr sauvé la vie à lui, Fry. Le garçon n'en avait jamais douté, même s'il aurait préféré oublier le morne craquement de l'os sous le bois. Ensuite, le Séminole était parti en emportant le corps de Piejack, les débris de la guitare fracassée et une carte tachée de sang que lui avait fournie Perry Skinner.

Fry n'avait pas besoin qu'on lui dise qu'il n'avait rien vu. C'était un secret de famille qu'ils garderaient mais il se demandait si ça suffirait à les maintenir unis.

— Tout le monde déconne, fiston, lui dit son père. J'ai fait une grosse bourde qui m'a conduit en prison. Mais ta maman ne m'a quand même pas lâché. Si elle n'avait pas fait ça, tu ne serais pas là en ce moment à nous faire des misères.

— Mange tes patates douces, mon chéri, lui dit sa mère.

Fry acquiesça.

— O.K., d'accord. Si ça devient trop galère, on aura qu'à appeler Dr Phil, de la télé.

Skinner se marra.

— T'es un petit malin, toi, fit-il.

Honey leur dit qu'ils étaient impossibles tous les deux, pas un pour rattraper l'autre.

— Et puis je m'en tape de ce que vous racontez, on peut changer si on veut.

Le téléphone se mit à sonner.

— Nom de Dieu, maugréa Honey. Toujours en plein dîner. Dieu sait ce qu'ils ont à vendre ce soir.

Avec irritation, elle repoussa sa chaise de la table.

Fry et son père échangèrent un regard.

— Quoi encore ? fit Honey en croisant les bras.

— Rien. C'est l'occase ou jamais, c'est tout.

Sa mère se leva en fusillant le téléphone d'un œil noir.

— C'est zéro pointé question politesse chez eux. Zéro respect.

— Laisse sonner, c'est tout, fit le père de Fry.

— Mais ils sont d'une grossièreté sans nom d'appeler à cette heure-là.

— Rassieds-toi, maman. Tu peux y arriver.

Le téléphone sonna huit fois, neuf fois, dix fois.

— J'ai oublié... de brancher le répondeur, dit-elle.

— Parfait, fit Perry Skinner en éclusant sa bière. Laisse sonner, baby.

— O.K. Pas de problème, dit Honey sans se rasseoir pour autant.

Treize fois, quatorze fois, quinze fois.

Au supplice, elle regardait Fry comme pour lui dire *tu vois, je fais des efforts*.

Il leva les pouces en signe de victoire à son adresse.

— Finis ta soupe, m'man. Avant qu'elle refroidisse.

Le téléphone cessa de sonner.

Alors, Honey s'attabla avec ses deux hommes.